ATLAS PRATIQUE LE DESSIN ET LA PEINTURE

ATLAS PRATIQUE
LE DESSIN ET LA PEINTURE

SOMMAIRE

Edité par :
Editions Glénat

Services éditoriaux et commerciaux :
Editions Glénat – 31-33, rue Ernest Renan
92130 Issy-les-Moulineaux

Crédits photographiques :
9 Ian Sidaway, 10 Terry Evans, 12 Stan Smith, 13 John Crawford Fraser, 14-18 Stan Smith, 19 Henry Hagger, 20-22 Stan Smith, 24-26 Stan Smith, 27 The Mansell Collection, 28-30 Stan Smith, 31 Illustrated London News, 32-34 Stan Smith, 35 Fogg Art Museum, 36-38 Stan Smith, 39 Tate Gallery, London/William Coldstream, 40-42 Tod Ramos, 45-46 Donald Hamilton Fraser, 47 Bridgeman Art Library/Baltimore Museum, Maryland, 49 Donald Hamilton Fraser, 50 Caroline Mills, 51 Arthotek/Kunsthalle, Hamburg, 52 Bridgeman Art Library/Musée d'Orsay, Paris, 53 Fred Cuming, 54 Bridgeman Art Library/Whitford & Hughes, London, 55 Sarah Spackman, 56 John Ward, 58(t) Stan Smith, (b) Tate Gallery, London, 59 John Barnicoat, 62 Ken Howard, 63(tr) Hulton-Getty Archive, (b) Bridgeman Art Library/Minneapolis Society of Fine Arts, Minnesota, 64 Bridgeman Art Library/Christie's London, 65 Bridgeman Art Library/Private Collection, 66(t) Llewellyn Alexander, (b) Bridgeman Art Library/City Museum & Art Galleries, Stoke-on-Trent, 67 Fred Cuming, 68 Bridgeman Art Library, 69(t) Tom Coates, (b) Bridgeman Art Library, 70(t) Whitney Museum of American Art, (b) Paul Newland, 71(t) Anne-Marie Butlin, (b) Bridgeman Art Library, 72(t) Alison Musker, (b) Tom Coates, 74 Albany Wiseman, 75 Tom Coates, 76 Carolyn Piets, 76-77 Bridgeman Art Library/Wolverhampton Art Gallery, Staffs, 78(t) Graham Painter, (b) Bridgeman Art Gallery/Roy Miles Gallery, London, 79 The Image Bank/Tom McNeely, 80(t) Andy Wood, (b) Bridgeman Art Library/Private Collection, 81(t) Rosalie Bullock, (b) Bridgeman Art Library/Chris Beetles Ltd, 82 Brenda Brin Booker/Five Women Artists, 83 Ronald Maddox, 84(t) Bridgeman Art Library/City of Edinburgh Art Galleries and Museums, (b) Chris Beetles, 85(b) Ruth Stage, 86 Godfrey Tonks, 87 Bridgeman Art Library, (c) Greta Fenton, (b) Giraudon, 88(t) Jacqueline Hines, (b) National Gallery, London, 91 Arthotek, 92(b) Albany Wiseman, 96(t) Stan Smith, 98-99 Albany Wiseman, 100 Tate Gallery, London, 101-104 Dennis Gilbert, 106 Stan Smith, 109-110 Albany Wiseman, 111 Bridgeman Art Library/Louvre, Paris, 112 John Harvey, 113-116 Ian Sidaway, 117-124 Stan Smith, 123-126 Albany Wiseman, 127(t) Malvina Cheek, (b) Stan Smith, 128-129 Susan Pontefract, 130 Humphrey Bangham, 133 Albany Wiseman, 136-138 Tig Sutton, 139 Ian Sidaway, 141 Sarah Donaldson, 142 Joe Ferenczy, 144-146 Pippa Howes, 148(b) Sarah Cawkwell, 159(r) John Ward, 160(t) Anne Wright, (c) Sue Smith, 161(t) John Raynes, (b) Gordon Bennett, 152(tl) Stan Smith, (tr) John Tookey, (br) Dennis Gilbert, 153 Gillian Burrows, 154 Jennie Tuffs, 155 Albany Wiseman, 156-158 John Raynes, 161 Albany Wiseman, 168 Stan Smith, 169-174 Penelope Anstice, 175 Illana Richardson, 176-180 Ronald Maddox, 181 Roger Sampson, 182-188 Louise Hill, 190(b) Bridgeman Art Library, 191(t) V&A Picture Library, (b) Carolyn Moran, 192 Duncan Campbell Contemporary Art, 194-198 Stan Smith, 199 Stan Smith, 200 John McCoombs, 206(b) Bridgeman Art Library, 207(t) Bridgeman Art Library, (b) Bridgeman Art Library/Metropolitan Museum of Art, New York, 208(t) Bridgeman Art Library/Musée d'Orsay, (b) Bridgeman Art Library, 209(t) Bridgeman Art Library, (b) Ken Howard, 210 John McCoombs, 218-222 Stan Smith, 223-230 Madge Bright, 233 Terry McKivragan, 238-240 Ted Gould.

Merci aux photographes suivants : Julian Busselle, Michael Busselle, Mark Gatehouse, Ian Howes, Graham Rae, Nigel Robertson, Steve Tanner.

Cet ouvrage est une édition partielle de l'encyclopédie
« Je peins, je dessine » publiée aux Éditions Atlas et adaptée de *The Art of Drawing and Painting*

Maquette de couverture : Les Quatre Lunes
Photographies de couverture : Madge Bright, Donald Hamilton Fraser, Stan Smith, Louise Hill
Rédateur en chef : Alexandre Grenier
Traduction : Christiane Crespin, Elisabeth Pacherie

Imprimé en CEE
Achevé d'imprimer : septembre 2001
Dépôt légal : septembre 2001
ISBN : 2.7234.3032.4

INTRODUCTION

Vous souhaitez maîtriser la technique du dessin ? Vous aimeriez réaliser des aquarelles ou manier l'encre de chine sans difficulté ? Alors n'hésitez pas à consulter cet *Atlas pratique du dessin et de la peinture*, qui vous apportera des explications claires et des conseils d'artistes expérimentés.
Un grand nombre de techniques et de médias artistiques sont explorés avec précision ; chaque application d'une leçon est expliquée par des séquences pas-à-pas richement illustrées.
Vous serez également guidés dans le choix parfois difficile des papiers et des toiles, ou des différents types de pinceaux et de peinture.
De nombreux exercices structurés vous aideront par ailleurs à acquérir le savoir-faire nécessaire pour aborder avec confiance la nature morte, le paysage ou le nu.
Deux chapitres de l'ouvrage sont consacrés spécifiquement à la composition et à l'utilisation de la couleur, concepts fondamentaux du dessin et de la peinture. Sont abordés notamment la perception des valeurs et des tons, la perspective, les cadrages, le choix des formats, les couleurs complémentaires et tertiaires ainsi que les mélanges et les harmonies que l'on peut obtenir à partir des couleurs pures.
Très complet, cet ouvrage fera de vous un véritable artiste…

L'EDITEUR

APPRENDRE À DESSINER

Jeux d'ombre et de lumière

Si vous souhaitez recréer les trois dimensions sur le papier, première étape : vous initier aux jeux d'ombre et de la lumière.

Cela peut paraître parfaitement évident, mais sans lumière, nous sommes perdus. Imaginez que vous êtes dans une pièce complètement obscure : vous tâtonnez et vous vous cognez dans les meubles. Mais dès que vous allumez la lumière, tout vous apparaît dans le détail : la commode, la corbeille à papiers, le fauteuil. Au premier coup d'œil, vous êtes capable d'évaluer les contours, les formes, les matières et les distances grâce aux dégradés de lumière et d'ombres — en un mot, grâce aux tons. Dans le monde qui nous entoure, il existe une infinité de tons, du blanc au noir, en passant par toutes les nuances des tons intermédiaires (que l'on peut assimiler à des rangées de gris). Au départ, il est difficile de les distinguer, en raison de la confusion créée par les couleurs, les lignes, les ombres et les différentes sources lumineuses. Mais en clignant des yeux, on s'aperçoit que les zones claires et les zones sombres sont facilement discernables. (Il suffit, pour s'en convaincre, de regarder une photographie en noir et blanc, sur laquelle toutes les informations sont exprimées sous forme de tons.)

« Avant de commencer à dessiner, étudiez votre sujet en clignant des yeux »

▲ Ce cours de dessin a été imaginé par Stan Smith, artiste confirmé possédant une grande expérience pédagogique. Ses œuvres sont régulièrement exposées en Europe, où il fait très souvent des expositions personnelles.

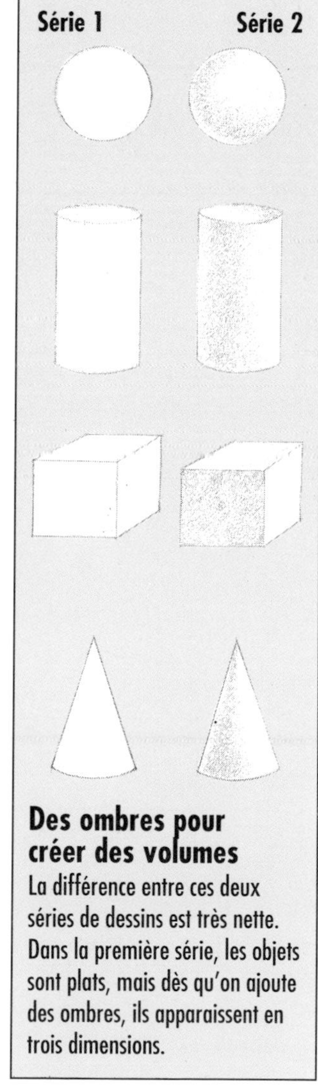

Des ombres pour créer des volumes

La différence entre ces deux séries de dessins est très nette. Dans la première série, les objets sont plats, mais dès qu'on ajoute des ombres, ils apparaissent en trois dimensions.

◀ Pour apprendre à dessiner les volumes avec des jeux d'ombre et de lumière, il faut s'entraîner.

« Mains serrées », par Ian Sidaway

Un dégradé de tons

TROIS RÈGLES D'OR

- ***Dessinez ce que vous voyez et non l'idée que vous vous faites de l'objet.***
- ***Ne vous attardez pas trop longtemps sur un détail. Travaillez d'abord votre dessin dans son ensemble.***
- ***Pour progresser, dites-vous que le processus est plus important que le résultat.***

Pour obtenir un effet de volume sur le papier, trois valeurs suffisent : le blanc, le noir et le gris moyen. En les utilisant habilement, vous pouvez réaliser un dessin bien contrasté. Avec cinq valeurs, l'impression de volume sera encore plus évidente et, plus vous utiliserez de valeurs (9 ou 10) plus votre objet aura l'air d'exister en trois dimensions dans l'espace.

Après avoir regardé – et interprété – les tons attentivement, vous pourrez commencer à dépeindre les volumes dans vos dessins et vos peintures.

Pour vous aider à maîtriser la technique, faites un dégradé de tons, comme ci-dessus. Dessinez cinq carrés sur une feuille de papier blanc et noircissez celui de gauche avec un crayon 4B tendre. Remplissez les carrés suivants avec des nuances de gris de plus en clair jusqu'au blanc du papier pour le dernier carré

▲ Avant de commencer à dessiner, il n'est pas inutile d'essayer des mines de dureté différente et de garder les traces laissées sur un morceau de papier. Choisissez un bon éventail entre 4B (très tendre) et 4H (très dur). Tracez quelques traits avec la pointe de la mine de chaque crayon puis avec le côté du crayon. Faites ensuite la même chose avec les ombres en appuyant de plus en plus fort.

Vous pourrez consulter ce « nuancier » personnel lorsque vous commencerez un dessin.

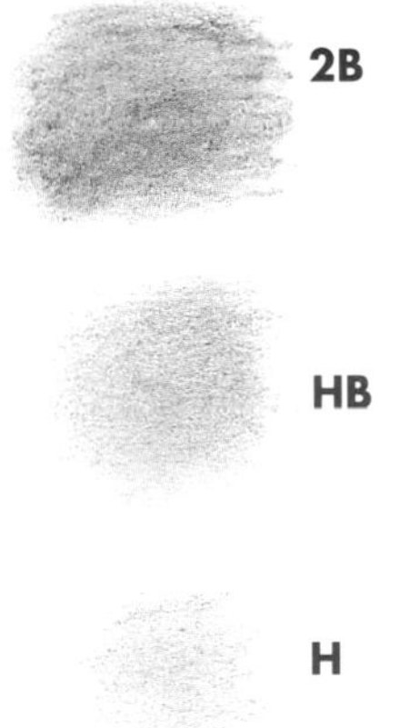

▲ Sur un morceau de papier, testez des mines de crayon de dureté différente puis estompez les marques avec le bout du doigt. Ce « truc » permet d'éviter les traits trop nets et d'obtenir une plus grande subtilité de ton et de matière. Gardez le morceau de papier pour vous y référer en cas de besoin.

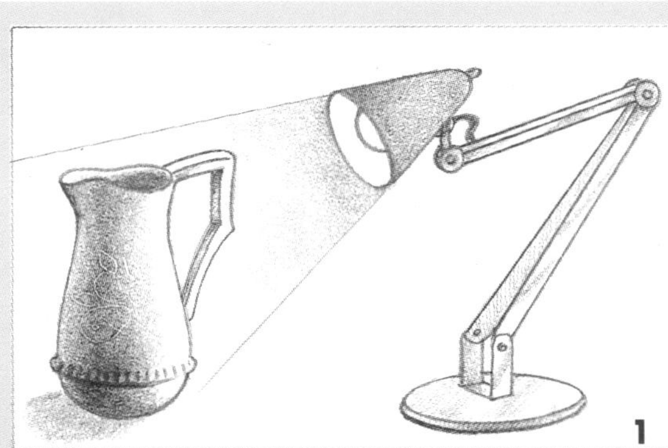

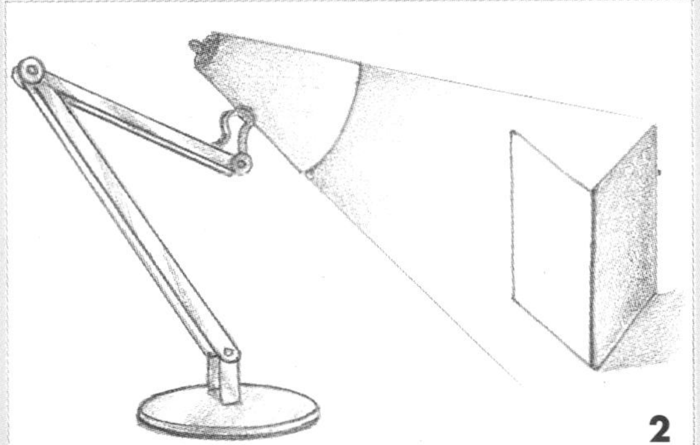

Une expérience utile

Il faut un peu de temps pour apprendre à bien discerner les tons. Voici une petite expérience qui vous aidera. Dans une pièce obscure, placez un pichet ou une tasse dont vous éclairerez le côté à l'aide d'une source lumineuse unique — une lampe de bureau par exemple **(1)**. Vous constaterez que le côté éclairé par la lampe est très clair alors que le côté non éclairé est très sombre. Remarquez comment la lumière agit sur l'arrondi du pichet, en créant une transition progressive entre la partie éclairée et la partie obscure.

Recommencez maintenant l'expérience avec un morceau de carton blanc plié, et posez-le debout de façon à ce que l'une des faces soit éclairée par la source lumineuse et que la pliure soit face à vous **(2)**. Là encore, vous voyez une surface claire et une surface sombre, mais cette fois-ci le passage du clair à l'obscur est brutal et crée une ligne de démarcation nette le long du pli.

Cherchez à retrouver ces transitions sur les objets que vous dessinerez.

Pour commencer : des œufs dans un bol

Cette nature morte toute simple représentant des œufs dans un bol en terre va vous aider à voir et à dessiner les tons (vous allez ici en utiliser cinq). Trois crayons vous suffiront pour obtenir un joli dégradé de gris (mines dure, tendre et moyenne). Les œufs sont un bon sujet : leur taille permet de les étudier de près et de les dessiner presque grandeur nature. Leur forme et leur surface lisse montrent comment un dégradé de lumière et d'ombre peut donner du volume aux objets.

Éclairez votre nature morte à la lumière du jour – près d'une fenêtre par exemple – mais pas en plein soleil. Si vous travaillez à la lumière électrique, une lampe posée sur la table vous donnera tous les contrastes entre les zones éclairées et obscures. Laissez tout de même le plafonnier allumé pour adoucir l'éclat de la lampe et les contrastes entre l'ombre et la lumière sur votre sujet. Sinon, il vous sera difficile de travailler sur les dégradés de valeurs.

Il vous faut

- ☐ Trois crayons - H (dur), HB (moyen) et 4B (très tendre)
- ☐ Une gomme douce
- ☐ Une feuille de papier fort format A3 ou un bloc de papier à dessin
- ☐ Une planche à dessin ou tout autre support
- ☐ Quatre punaises pour papier à dessin et du papier-cache adhésif

1 Sur cette photographie en couleurs, on voit que les faces des œufs exposées à la principale source lumineuse sont dans des tons clairs, alors que celles qui sont moins exposées sont dans des tons plus foncés. (Sur la photo en noir et blanc, juste en dessous, on voit mieux les différences de tons sans être distrait par la couleur.)
Il vaut mieux travailler à la lumière du jour, mais l'éclairage sera différent s'il y a du soleil ou des nuages à l'extérieur. Quoi qu'il en soit, dessinez ce que vous voyez, et si la lumière change, modifiez votre dessin au fur et à mesure.

Astuce

Installez-vous confortablement

Installez-vous de façon à voir les œufs et votre feuille de papier sans bouger la tête. Il faut que votre regard puisse passer facilement du sujet au dessin et les comparer l'un à l'autre. Regardez le sujet plus longuement que le dessin.

2 Vous pouvez dessiner directement sur un bloc pour avoir un support dur, mais on peut aussi fixer une feuille de papier sur une planche avec des punaises ou du papier-cache adhésif. Commencez votre dessin au milieu de la feuille. Regardez votre nature morte et tracez les œufs et le bol avec la pointe du crayon H. N'appuyez pas trop fort, pour obtenir un trait fin. Laissez votre œil faire le tour du sujet et comparez les formes. Clignez des yeux pour repérer les zones d'ombre entre les œufs et restituez-les sur votre dessin avec le crayon HB. Pour obtenir un dégradé subtil, estompez légèrement les traces de crayon avec le doigt. Reportez-vous au dégradé de tons de la page précédente pour retrouver les cinq tonalités principales.

Note

Gardez votre dessin et datez-le. Plus tard, vous sourirez en le regardant et en constatant vos progrès.

3 Continuez à travailler selon le même principe, en développant la surface totale du dessin. Votre regard doit aller et venir entre le sujet et le dessin, en évaluant sans cesse le rapport entre les zones d'ombre et de lumière.
Pour exécuter ce dessin, prenez trois crayons ; un crayon HB pour les tons moyens ; un H, plus dur, pour les traits plus légers et plus nets ; enfin un 4B, plus tendre et plus charbonneux.

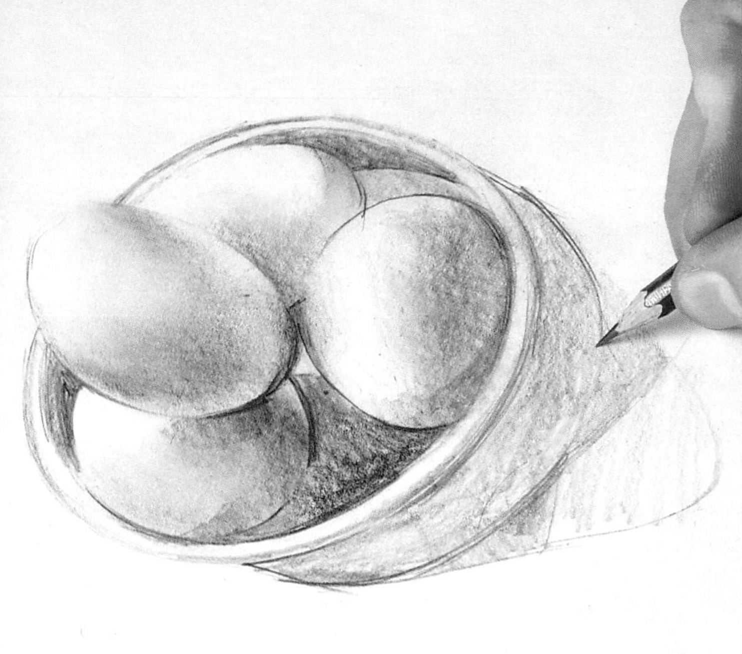

4 Avec le crayon HB, faites ressortir les tons moyens du sommet des œufs, puis estompez-les avec le doigt. Adoucissez-les en allant vers les zones claires et accentuez-les en allant vers les zones sombres.
Utilisez le blanc du papier pour les reflets blancs du bord du plat et pour les zones directement éclairées à la surface des œufs. Ombrez le récipient avec un crayon moyen.
Bien qu'il soit plus foncé que les œufs, vous remarquerez qu'il ne s'agit pas de la tonalité la plus foncée – voir dans l'étape n° 2, la zone d'ombre entre les œufs et, à l'extérieur, à la base du plat.

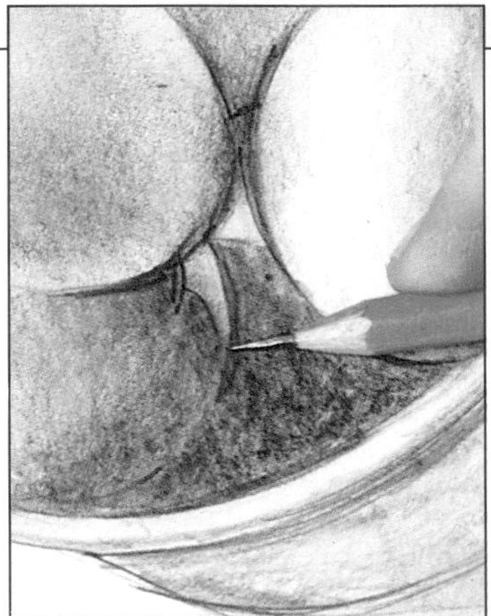

5 Continuez à intensifier la profondeur de l'ombre à la base du plat, avec un crayon 4B tendre (n'appuyez pas trop fort pour que le trait ne soit pas trop sombre).

6 Une fois le dessin terminé, le volume des œufs doit apparaître nettement dans le bol, grâce au dégradé de tons utilisé.

L'art du trait

Stan Smith vous montre comment utiliser la fraîcheur et la spontanéité du trait pour décrire la forme.

Jusqu'à présent, je me suis servi de zones de tons différents pour décrire la forme. Dans chaque cas, des taches tonales – une coupe d'œufs, une tête et un buste – créaient l'illusion de la forme. Ici, je vais vous montrer une technique différente qui ne fait appel qu'au trait.

Que vous dessiniez au crayon, au fusain ou à l'encre, vous pouvez utiliser le trait pour traduire la lumière, le ton et l'ombre, mais aussi la texture. Cela veut dire qu'un dessin au trait convaincant est d'ordinaire plus complexe qu'il n'y paraît.

Que cela ne vous décourage pas – le trait possède un large éventail de belles qualités. Et avec un peu de pratique, vous apprendrez vite à les maîtriser.

« Le trait offre une immense variété – on peut décrire dans le détail un sujet finement observé, comme on peut, d'un trait, rendre une idée, à l'instar du caricaturiste »

Les qualités du trait

Le mot trait vous évoquera sans doute l'idée de pourtour – le genre de résultat que vous obtenez quand vous placez votre main à plat sur une feuille de papier et en faites le tour au crayon. Mais pour dessiner un solide, il vous faudra aussi décrire les contours des surfaces. Un bon dessin au trait devrait amener l'œil à rentrer dans l'objet et à en faire le tour. Pour y arriver, il faut que le trait soit très efficace. Un crayon HB peut produire une large gamme de traits de qualités variées : des traits noirs riches, denses et brillants, des traits d'un gris délicat, des traits épais, des traits fins, des traits élégants, souples, rythmés, des traits brisés, balbutiants. Pour commencer, je vais vous montrer comment obtenir certaines de ces qualités, j'en utiliserai ensuite certaines pour dessiner une nature morte simple.

Pourtours et contours

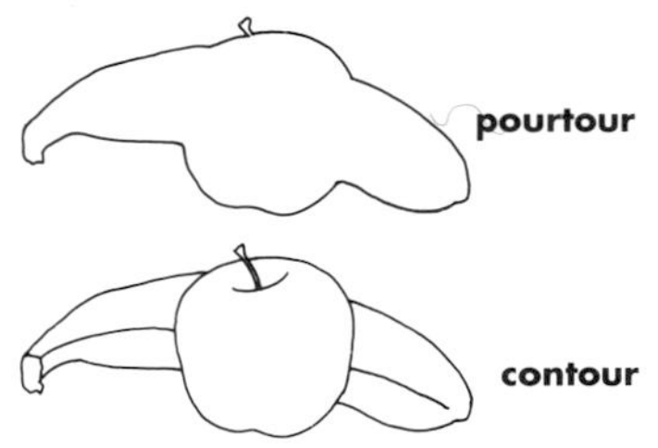

Quand on dessine au trait, il est essentiel de bien saisir la différence entre pourtours et contours. Les deux dessins ci-dessus vous la font voir. Dans le premier, seul le pourtour de la pomme et de la banane est dessiné, donnant simplement la silhouette des deux objets, sans le moindre détail. Dans le second, les lignes de contour décrivent le pourtour mais aussi la forme générale des deux objets – y compris la fossette et la queue de la pomme.

▼ L'artiste s'est servi de plusieurs types de traits dans ce dessin à l'encre. Des courbes épaisses, calculées, décrivent le pourtour de l'assiette au premier plan. Aux dents de la fourchette correspondent des traits droits plus légers et plus rapides, tandis que des traits rythmiques plus épais rendent les motifs du bord de la nappe. Quelques hachures ajoutent ombres et lumière, mais les formes elles-mêmes ne sont rendues que par les contours et pourtours.

« La Table mise », par John Crawford-Fraser, encre sur papier, 15 cm x 15 cm

Iris dans une bouteille de Coca-cola

Il vous faut

- ☐ Une feuille de papier fort, format A3, de bonne qualité.
- ☐ Deux crayons : HB et 2B.
- ☐ Un canif pour tailler vos crayons.
- ☐ Une gomme ; un fixateur.

La qualité du trait dépend largement du support. Un crayon tendre utilisé sur un papier à gros grain paraît tendre, mais le même crayon sur du papier à grain fin paraît très dur. L'idéal, pour la plupart des dessins, est un papier fort de bonne qualité. Si vous voulez une surface avec un peu plus de texture, essayez le papier NOT pour aquarelle.

La dureté du crayon est un facteur essentiel, et il ne faut jamais hésiter à changer de catégorie pendant un dessin. Vous pouvez varier le ton d'un trait soit en utilisant un crayon plus tendre ou plus dur, soit en faisant varier la pression. Par exemple, vous pouvez prendre un crayon H ou 2H et lui imprimer une pression très légère pour obtenir un gris pâle. En appuyant plus fort, vous obtiendrez un trait qui n'ira pas au-delà du gris moyen. Tandis que si vous utilisiez un 3B en appliquant une pression légère vous obtiendriez encore un gris moyen, et en appuyant plus fort vous iriez jusqu'à un noir dense et riche. En réalité, un crayon HB est en général une bonne solution de compromis pour débuter.

Dans une certaine mesure, l'échelle du dessin détermine le choix du crayon à utiliser. Plus la surface est grande, plus vos traits devront être épais, vigoureux et foncés. Une surface supérieure à 50 cm x 75 cm n'autorise plus guère que les crayons les plus tendres. Une surface de 20 cm x 30 cm ou 20 cm x 37,5 cm est plus facile à gérer et permet un contrôle par le poignet.

Essayez de garder propre votre dessin. Si vous travaillez sur tout le dessin, veillez à ne pas y faire de traînées de graphite avec le plat de la main. Si vous devez vous appuyer sur votre dessin, placez sous votre main un morceau de papier propre. Quand vous aurez fini votre travail, il vous faudra le fixer ou au moins le protéger avec une feuille de papier fin.

Différentes qualités avec un crayon HB

1. Trait fin, continu, de couleur constante fait avec une pointe bien taillée et une pression égale.

2. Trait d'épaisseur et d'intensité variables, obtenu avec une mine pointue en faisant varier la pression.

3. Trait épais dont le ton varie, obtenu avec le plat de la mine.

4. Trait fluide obtenu en laissant courir le crayon et en évitant les à-coups.

5. Trait discontinu, tremblant, obtenu au moyen de brefs coups de crayon rapides.

6. Trait broussailleux obtenu par des allers-retours du poignet.

◄ **Le sujet** Beaucoup d'objets quotidiens acquièrent une magie quand ils sont vus à travers le regard de l'artiste. Ici, j'ai choisi un motif très simple – deux iris dans une bouteille de Coca-Cola. C'est cette combinaison du naturel et de l'artificiel qui rend le sujet intéressant. La symétrie et la solidité de la bouteille en verre contrastent avec les formes naturelles et vivantes des tiges et des fleurs. Observez le jeu de la lumière sur la bouteille, et voyez comment elle modifie les formes.

▼**1** Avec votre crayon HB, dessinez la bouteille. Observez bien sa coupe transversale circulaire. Quand elle est vue en perspective, elle paraît ovale et il est important de bien rendre ces ovales, notamment à la base et au col. Remarquez comme la qualité fluide du trait s'accorde avec la texture lisse du verre. N'exagérez pas le dessin du nom sur la bouteille – contentez-vous de suggérer les lettres, sinon elles domineraient l'ensemble.

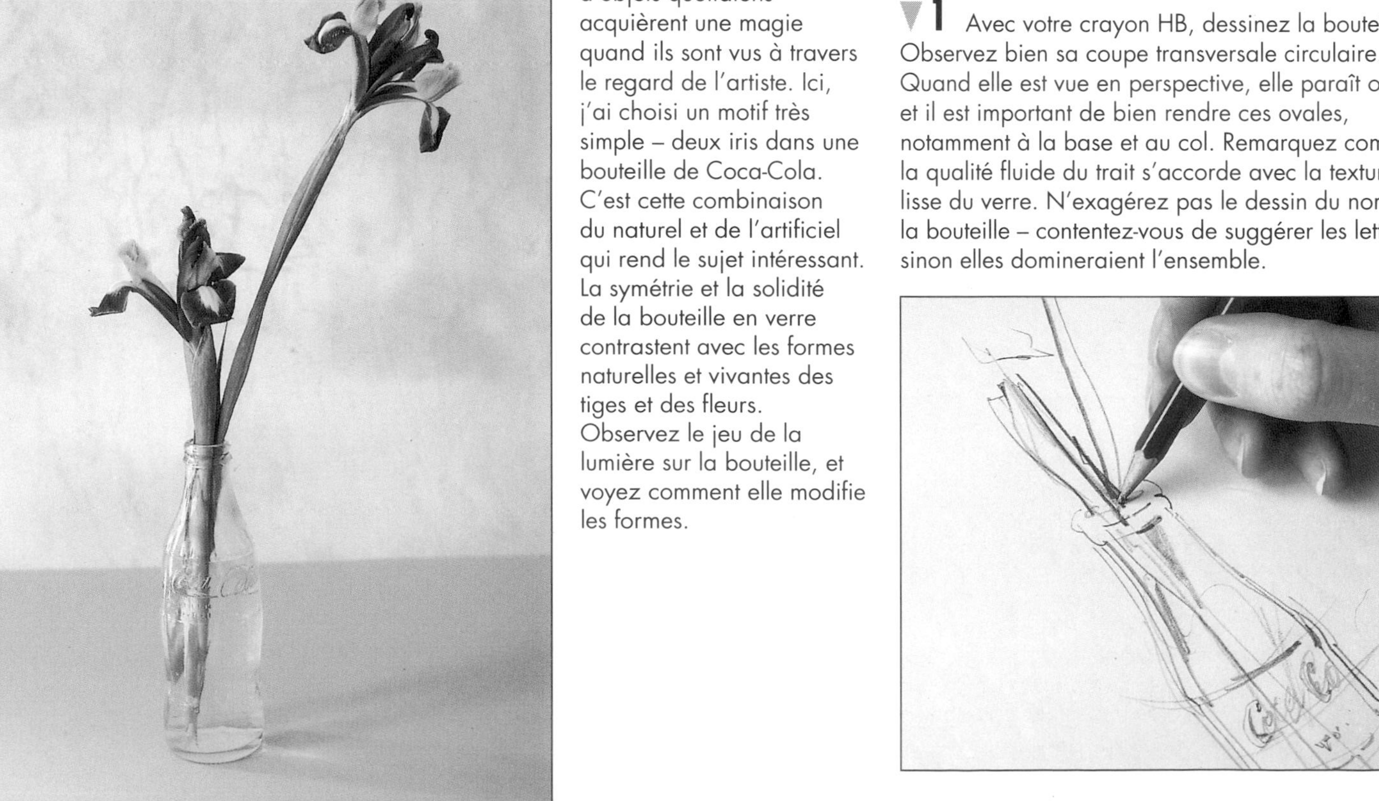

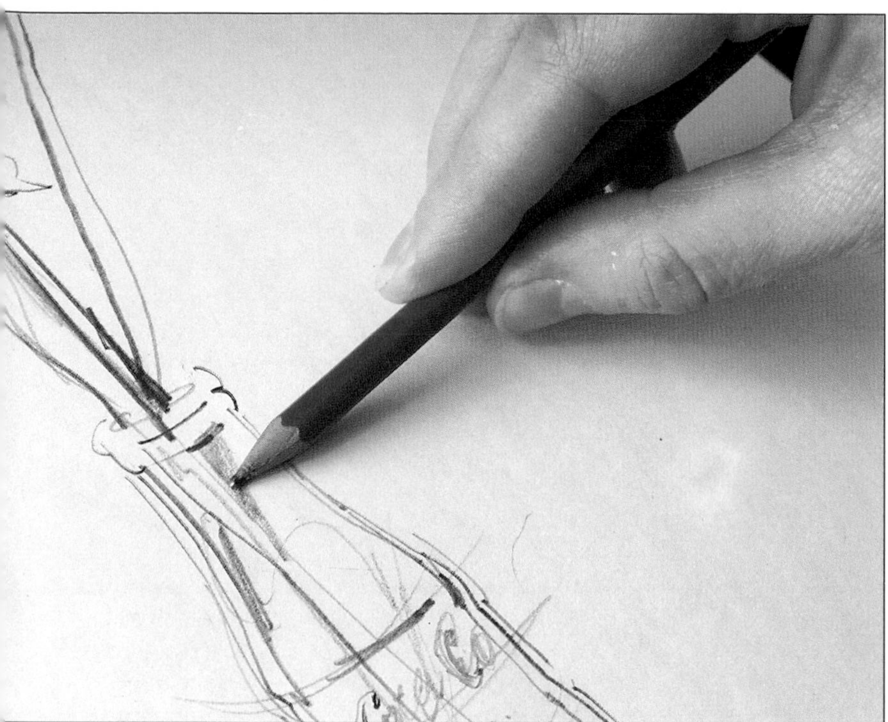

◄ 2 J'ai dessiné une partie des tiges avec un crayon assez émoussé, d'un trait décidé et souple – plus sombre que pour la bouteille, de manière à donner une impression de couleur. En éloignant les tiges de l'ellipse, vous donnerez l'impression qu'elles s'élancent naturellement hors du goulot de la bouteille. Travaillez sur tout le dessin.
Pour le moment, je ne m'occupe pas de la partie des tiges qui est à l'extérieur de la bouteille, mais, avec le même crayon, je renforce les tiges à l'intérieur pour donner une impression de continuité.

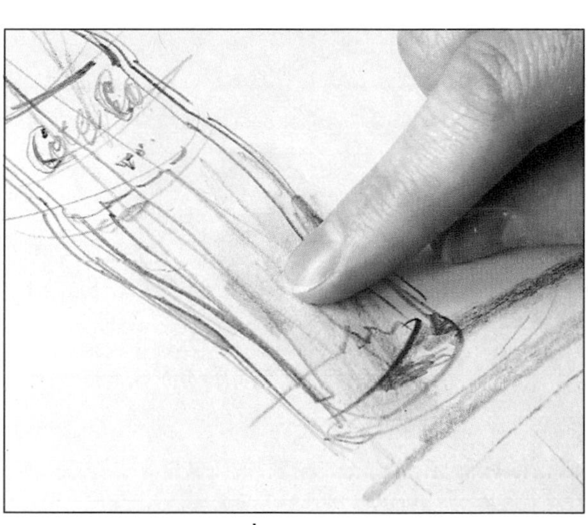

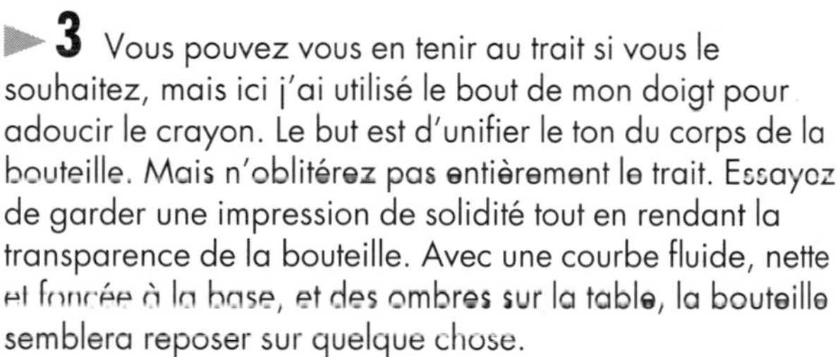

► 3 Vous pouvez vous en tenir au trait si vous le souhaitez, mais ici j'ai utilisé le bout de mon doigt pour adoucir le crayon. Le but est d'unifier le ton du corps de la bouteille. Mais n'oblitérez pas entièrement le trait. Essayez de garder une impression de solidité tout en rendant la transparence de la bouteille. Avec une courbe fluide, nette et foncée à la base, et des ombres sur la table, la bouteille semblera reposer sur quelque chose.

Astuce

La mie de pain

Après avoir soigneusement fondu les zones tonales du bout du doigt, vous pouvez vous servir d'une gomme pour en éclaircir certaines zones et créer ainsi des tons plus clairs et des rehauts. Mais si vous n'avez pas de gomme de ce type, un peu de mie de pain roulée en boule fera très bien l'affaire.

▲ 4 Dessinez maintenant les fleurs elles-mêmes avec le crayon 2B. Par un usage plus libre d'un crayon tendre bien taillé, vous pourrez donner un sentiment de fraîcheur et de vie. C'est là que vous pouvez vraiment faire varier le ton et l'épaisseur du trait pour donner l'impression qu'il entre et sort du papier. Observez la courbe sur le côté gauche du pétale du milieu. La partie la plus proche est accentuée pour la faire ressortir, tandis que l'« arrière » est moins marqué.

▲ 5 Rappelez-vous que même si les pétales sont des surfaces plates incurvées, elles ont une forme. Essayez de rendre cela en vous servant de toutes les qualités de trait dont vous disposez.
J'ai de nouveau taillé mon crayon pour pouvoir obtenir avec la pointe un trait vraiment très fin – presque comme de l'encre ! Comparez-le avec le trait beaucoup plus épais mais plus léger utilisé au-dessus pour le pétale.

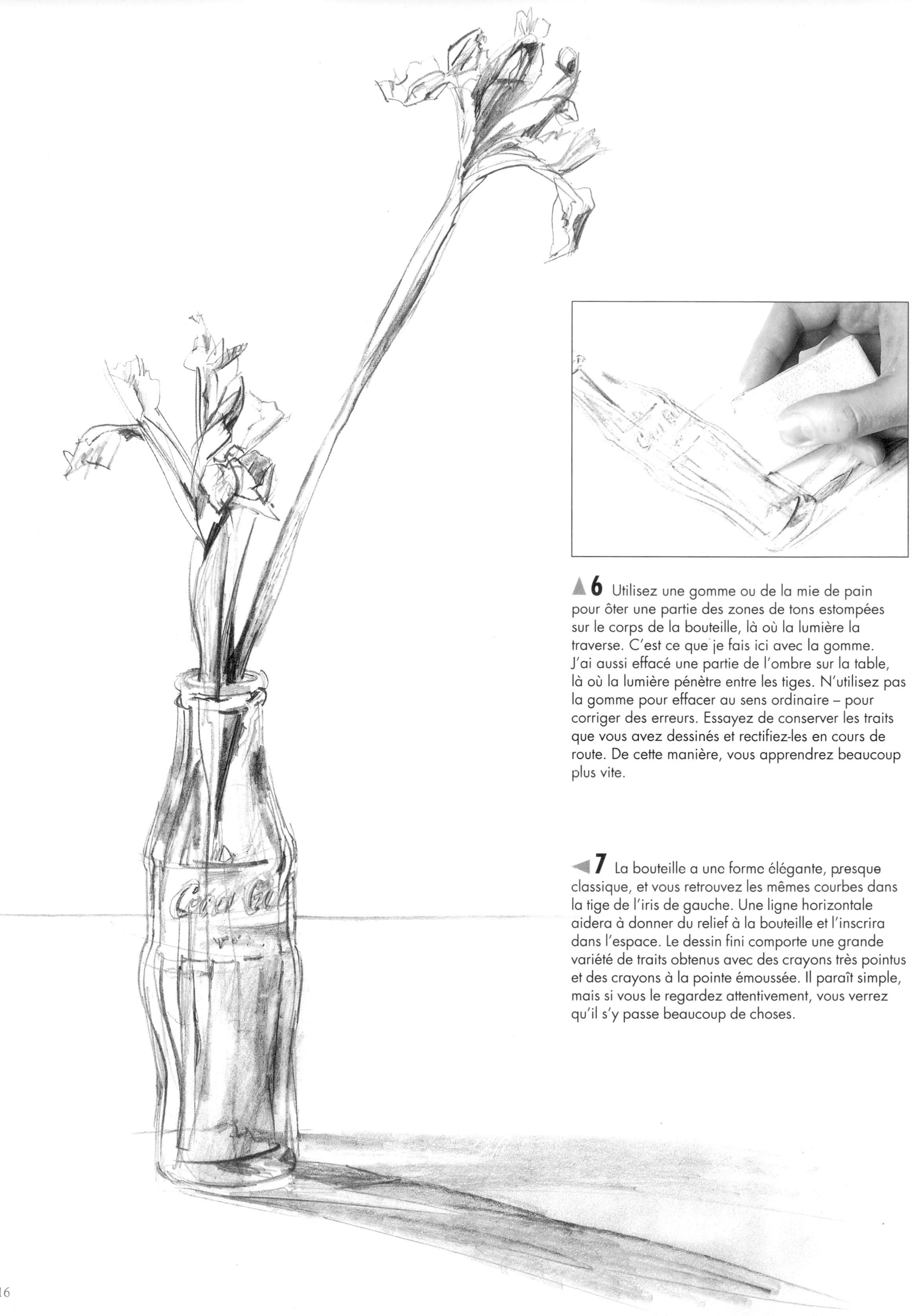

6 Utilisez une gomme ou de la mie de pain pour ôter une partie des zones de tons estompées sur le corps de la bouteille, là où la lumière la traverse. C'est ce que je fais ici avec la gomme. J'ai aussi effacé une partie de l'ombre sur la table, là où la lumière pénètre entre les tiges. N'utilisez pas la gomme pour effacer au sens ordinaire – pour corriger des erreurs. Essayez de conserver les traits que vous avez dessinés et rectifiez-les en cours de route. De cette manière, vous apprendrez beaucoup plus vite.

7 La bouteille a une forme élégante, presque classique, et vous retrouvez les mêmes courbes dans la tige de l'iris de gauche. Une ligne horizontale aidera à donner du relief à la bouteille et l'inscrira dans l'espace. Le dessin fini comporte une grande variété de traits obtenus avec des crayons très pointus et des crayons à la pointe émoussée. Il paraît simple, mais si vous le regardez attentivement, vous verrez qu'il s'y passe beaucoup de choses.

A bout de bras

Dessiner est une activité physique autant qu'intellectuelle. Notre artiste nous montre ici comment faire travailler vos épaules.

L'échelle du sujet aide à déterminer l'instrument à utiliser. Ainsi, quand on travaille sur une surface supérieure à 50 cm x 75 cm, un médium doux s'impose, fusain ou à la rigueur crayon 3B ou 4B. Mais les dimensions du dessin influent également sur la posture et les gestes adoptés par le dessinateur.

« Il n'y a pas de geste plus simple, et je suis certain que les artistes des cavernes dessinaient ainsi. C'est un excellent moyen de se libérer. »

De façon générale, les gestes amples partis de l'épaule impriment des traces généreuses convenant bien aux œuvres importantes. Les mouvements plus contenus du poignet sont en revanche davantage indiqués pour fouiller les

▲ Travaillez sur un chevalet, ou à défaut fixez sur le mur une grande feuille de papier. Si vous avez choisi un sujet de petites dimensions comme cet artichaut, tenez-le à bout de bras pour en avoir une bonne vue d'ensemble.

Il vous faut

- ☐ *Une feuille de papier fort de bonne qualité, format A2.*
- ☐ *Un grand carton à dessin, un chevalet, ou simplement un mur dégagé.*
- ☐ *Des bâtons de fusain épais.*
- ☐ *Des pinces à dessin, une bande adhésive.*
- ☐ *Gomme.*
- ☐ *Fixatif.*

◄ Placez-vous un peu comme un joueur de fléchettes. Ferme sur vos pieds, utilisez tout votre bras pour capturer les rythmes du sujet. Regardez bien les reflets, les tonalités et les ombres.

Pas de problème

Épais ou mince ?

Les geste larges partant de l'épaule font subir au fusain une pression notable. Un bâton mince et dur a toutcs chancos de se briser. Pour travailler à cette échelle, prenez un fusain huilé de bonne épaisseur – au moins 5 mm de diamètre. On peut ainsi utiliser un bâton suffisamment long bien adapté à d'amples gestes du bras.

détails. Ainsi, il paraît tout naturel de prendre un crayon HB, un feutre à bille ou une plume pour dessiner sur un format A4 (210 mm x 297 mm), et de travailler avec le poignet et le coude. Mais il le sera tout autant de choisir un fusain, un crayon Conté ou un pastel gras pour dessiner sur un format A2 (420 mm x 594 mm), en utilisant cette fois les épaules et l'avant-bras.

En réalité, le poignet, l'avant-bras et l'épaule ne travaillent jamais de façon entièrement indépendante quelle que soit la dimension du dessin, et se trouvent tous trois mobilisés dans une certaine mesure. Mais il n'en reste pas moins qu'en privilégiant l'un ou l'autre, on obtient des résultats très différents.

Ici, nous avons pris un artichaut, mais n'importe quel sujet peut faire l'affaire. Dans ce cas, le légume étant relativement petit, nous en avons fait une interprétation large, multipliant ses dimensions par cinq, afin de parvenir à une échelle propice au travail à bout de bras.

Comme d'habitude, examinez attentivement le sujet, mais ne vous embarrassez pas des détails. Prenez plaisir à explorer la diversité des gestes possibles à partir de l'épaule, et servez-vous-en pour traduire directement ce que vous voyez.

► Voici terminé le dessin de l'artichaut (en haut). Pour rendre les lignes des feuilles, l'artiste a opéré par larges mouvements verticaux du bras. Quelques zones estompées ont accentué l'effet de rondeur. Le travail à bout de bras n'est pas l'ennemi de la sensibilité. Remarquez que du côté où la lumière frappe, sur la gauche, les traits sont moins appuyés que du côté de l'ombre. Un plus petit dessin au crayon exécuté seulement du poignet et de l'avant-bras (ci-dessous), produit un résultat beaucoup plus figé (en bas à droite).

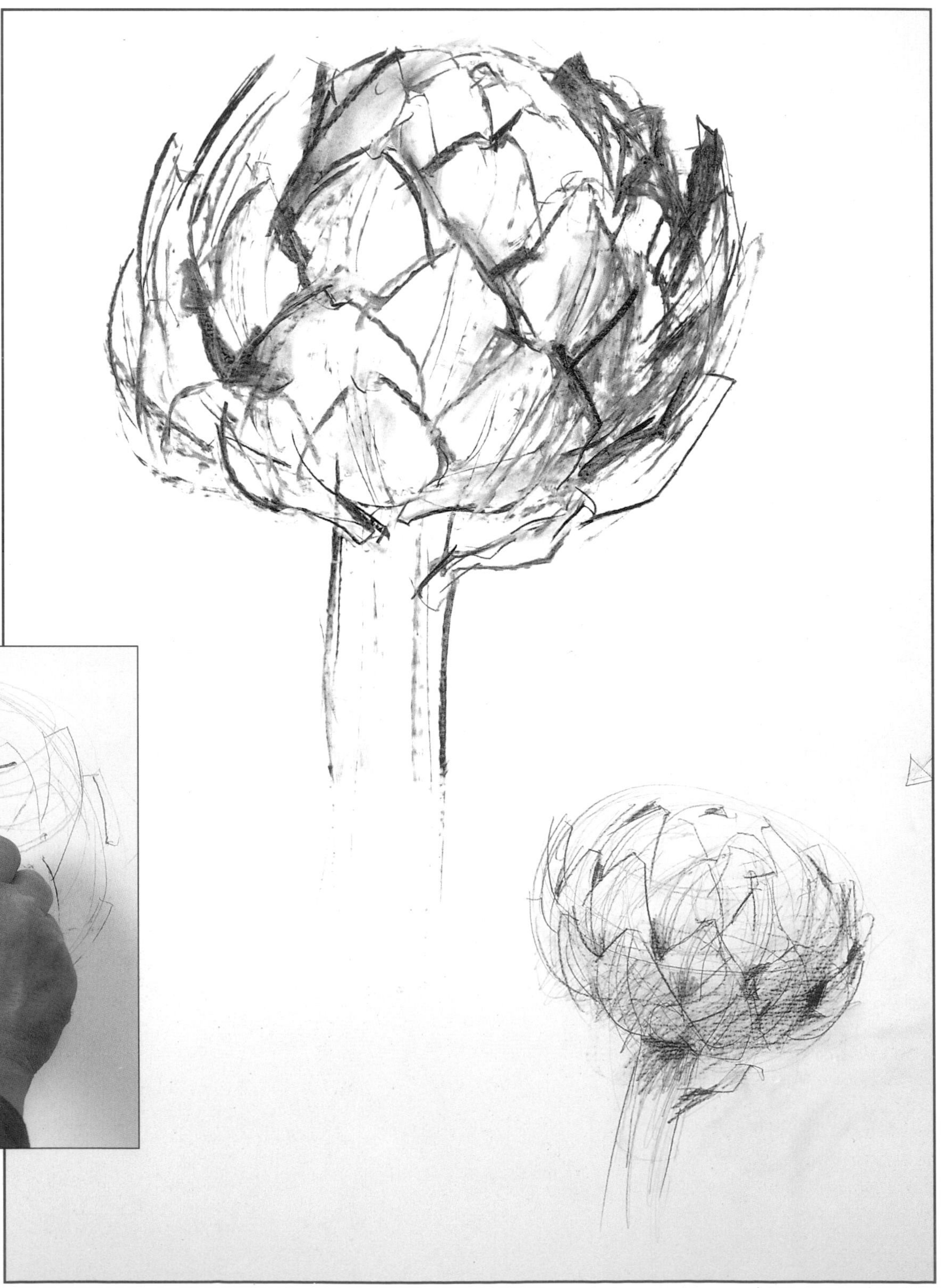

Visualiser les formes négatives

Nous avons demandé à notre artiste de nous expliquer ce que sont les formes négatives, pourquoi elles sont si importantes dans la composition et comment les utiliser pour améliorer la précision de votre dessin.

Dans le dessin *l'Enfant au dauphin* (Apprendre à dessiner 8), les formes négatives étaient créées par les espaces entre les formes sculptées – les parties solides. Ces formes jouent un grand rôle dans la composition – en fait, elles sont aussi importantes que les formes positives. Et elles vous permettent de vérifier l'exactitude de votre dessin. Apprenez à tirer parti au maximum des formes négatives. Lorsque vous composez une nature morte, ne vous concentrez pas sur les seuls objets. Gardez toujours un œil sur les espaces délimités entre eux. Libre à vous de modifier ces espaces : en éloignant les objets les uns des autres, en les rapprochant ou encore en les faisant tourner. Souvenez-vous : les formes se transforment en fonction de votre angle de vision. Aussi tournez lentement autour de votre sujet et vous découvrirez des formes négatives fascinantes.

Imaginez, par exemple, un dessin de trois oranges enfermant un espace triangulaire. Les oranges vous semblent dessinées comme il faut. Mais la forme qu'elles emprisonnent ? Une étude attentive vous permet de repérer les erreurs et de les corriger. Si toutes les formes négatives et positives sont bonnes, c'est que votre dessin est correct.

> *« Les formes positives font les formes négatives et les formes négatives font les formes positives. »*

Le saviez-vous ?

Formes d'arbres

Avec leurs branches entremêlées, la plupart des arbres offrent une infinie diversité de formes négatives. C'est ainsi que le peintre hollandais Piet Mondrian a souvent choisi l'arbre comme thème de ses peintures. Remarquez l'utilisation qu'il fait des formes négatives dans son tableau expressionniste l'Arbre rouge, *(1908-10) et plus encore dans* Arbre gris *et* Pommier en fleur *(1912), plus abstraits.*

► Essayez de visualiser les formes négatives dans ce portrait. Sans doute les trouverez-vous plus faciles à percevoir sur le petit croquis (ci-dessus). Les formes négatives sont de précieux repères. Ainsi, des formes, comme ici, enfermées dans le creux d'un coude, permettent de décrire avec plus de justesse la pose.
« Mrs Jason Hicklin », Henry Haggar, fusain sur papier, 35 cm x 35 cm.

Pièces de bicyclette

Il vous faut

- Une feuille de papier fort lisse de bonne qualité, format A3.
- Des bâtonnets de fusain tendre d'épaisseur moyenne.
- Une gomme douce.

Le sujet Parfois les vieux objets fournissent un sujet plus intéressant que les neufs. Ces pièces rouillées ont été dénichées dans le bric-à-brac des communs d'une maison. (Remarquez la très belle forme négative déjà de la jante de la roue.) Disposez vos objets, en accordant une attention toute particulière aux formes qui se dessinent entre eux. Tournez autour et observez ces formes se transformer au fur et à mesure. Choisissez le meilleur angle, d'où les formes négatives ont une force et un intérêt par elles-mêmes. Il peut arriver que les ombres subdivisent les formes négatives ; dans ce cas, tenez-en compte aussi.

1 Regardez attentivement notre sujet. Deux éléments principaux interviennent dans la composition – la roue et le groupe de pièces en dessous et à gauche. Dessinez la jante de la roue d'un large geste du bras ; puis le groupe d'objets d'un mouvement libre et léger du poignet. Assurez-vous que tout concorde sur le papier. Sinon, réduisez légèrement le dessin. Vérifiez que les formes négatives cernées par le groupe d'objets sont correctes.

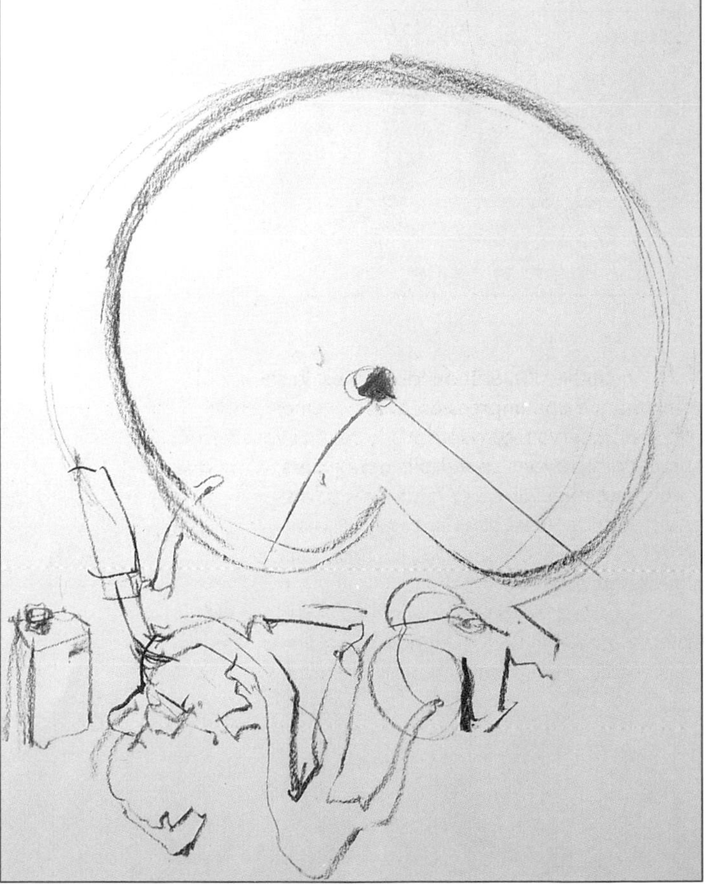

2 Lorsque formes et objets vous semblent justes, reprenez-les pour mieux préciser le dessin. Observez le sujet et vous noterez qu'il n'y a pas vraiment de masses lourdes. Les formes fines, quasiment linéaires, divisent l'arrière-plan léger en formes abstraites. Captez-les et dessinez-les soigneusement au trait. Commencez par renforcer la jante dure de la roue d'un trait gris affirmé. Là encore, d'un très large geste de la main, essayez de restituer le rythme et la symétrie de cette élégante forme.

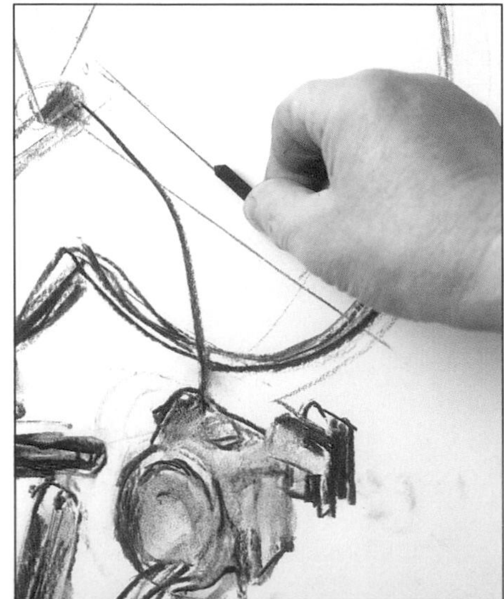

3 Faites de même avec les objets réunis au premier plan : guidon, lampe, bidon à huile et freins. Là où les formes sont plus épaisses, estompez la ligne avec l'extrémité de votre doigt pour obtenir des dégradés de gris. Ne touchez pas aux zones les plus légères – par exemple le levier de frein et le bord de la lampe. Contentez-vous d'indiquer quelques traits. Une autre possibilité pour obtenir des formes fines et droites consiste à tourner le fusain sur le côté et à tracer une ligne incisive.

◄ **4** Maintenant, la plupart des formes négatives doivent être nettement perçues par l'œil : une entre la roue et le dessus du guidon ; le triangle emprisonné à l'intérieur de la courbe proche du guidon ; la forme confinée entre la poignée du guidon, celle du frein et la face de la lampe ; celle enfermée entre les branches des patins de frein ; enfin, les formes à droite du bidon d'huile et sous le guidon. Et aussi les grands espaces à l'intérieur de la roue et ceux autour de l'ensemble du groupe.

▼ **5** Vous n'exécutez pas un dessin technique, aussi ne cherchez pas à préciser les formes au fur et à mesure. Ne finissez jamais une zone avant de passer à une autre. Vous remarquerez ici, au premier plan, que les formes n'étant pas encore nettement dessinées, j'ai essayé pourtant de rendre un effet de matière – les poignées striées contrastant avec les barres lisses – et même une sensation de couleur en utilisant des tons plus légers sur les poignées.

▼ **6** Le centre d'intérêt du tableau est la roue, qui communique une impression de mouvement et de rythme. Observez la roue dans le sujet et vous verrez que certains rayons sont droits et réguliers, alors que d'autres se plient là où la jante s'est affaissée. Essayez de rendre cet effet avec précision dans votre dessin. Avant de dessiner les rayons, comptez-les, afin de les répartir correctement – même si vous ne cherchez pas à recopier servilement le dessin, vous éviterez ainsi des bévues impardonnables, comme de présenter cinq doigts et un pouce dans une main !

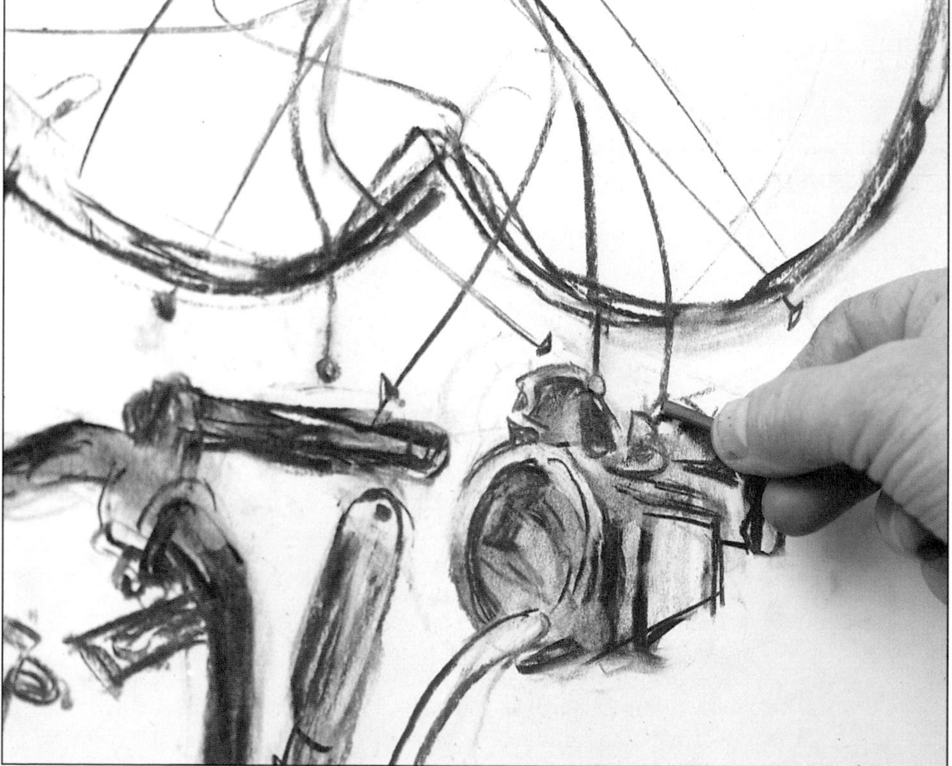

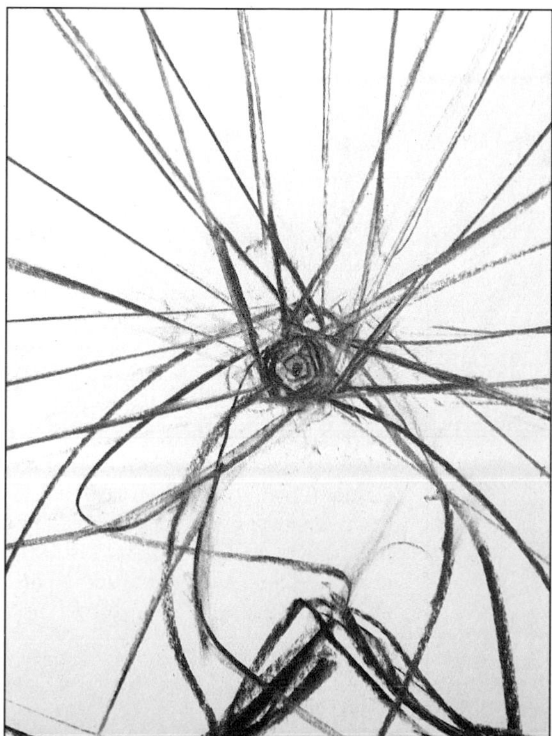

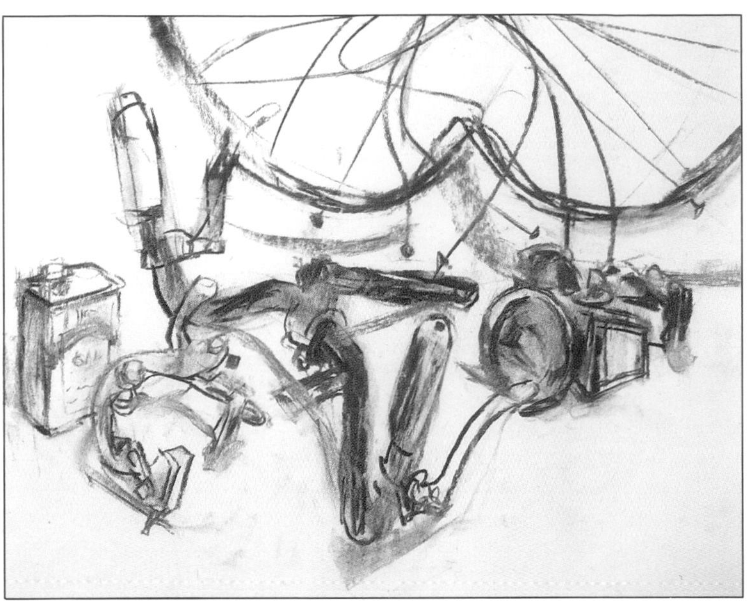

◄ **7** Ici, les ombres peuvent jouer pour ou contre vous. D'une certaine façon, elles permettent de placer correctement les objets sur le plan horizontal. Mais, par ailleurs, elles peuvent créer une certaine confusion dans la composition, en coupant en deux les espaces négatifs corrects. Si ces ombres interfèrent dans votre dessin, essayez de jouer avec, en les diminuant ; ou, pour cet exercice, vous pouvez les laisser telles quelles.

▼ **8** L'artiste a terminé le dessin en utilisant le côté du fusain pour placer quelques ombres à l'intérieur de la roue. La qualité lisse du papier lui a permis de rendre des tons très divers, allant du blanc du papier au noir profond en passant par les gris – ce qui est plus difficile avec un papier rugueux sur lequel les gris ont tendance à foncer. Les formes négatives jouent un rôle particulièrement important dans cette spacieuse composition. Les enseignements que vous avez tirés de cette étude vous serviront pour vos dessins ou peintures à venir.

Astuce

Le bidon d'huile

Un moyen facile de décorer le bidon d'huile est d'esquisser rapidement le contour du motif avec la pointe de votre fusain, puis d'ajouter quelques traits griffonnés pour figurer des mots écrits. Adoucissez le fusain avec l'extrémité de votre petit doigt. En le frottant jusqu'à obtenir le ton juste, vous parviendrez même à rendre une sensation de tons différents sur le bidon.

Prendre des mesures précises avant de dessiner

Que fait exactement un dessinateur lorsque, debout face à son sujet, il tient son crayon à bout de bras en clignant d'un œil ? Que se cache-t-il derrière cette attitude familière ? Notre artiste vous explique tout.

Votre crayon peut devenir un instrument très pratique. Grâce à lui, vous prendrez les mesures précises de votre sujet et les reporterez sur votre feuille de papier. Cette technique est particulièrement bienvenue lorsque le sujet à reproduire est compliqué, comme la vue des toits que j'ai choisie pour cet exercice. Mais vous pouvez également l'utiliser pour les personnages ou les natures mortes. Dans cet exercice, la prise de mesures va vous aider de deux façons. Elle vous aidera premièrement à ne pas vous laisser abuser par l'effet de perspective. Dans la réalité, la tour que l'on voit au fond est plus haute que la cheminée au premier plan. Mais sur l'espace en deux dimensions de la photo, la tour paraît plus petite que la cheminée. Si vous rencontrez ce problème dans votre dessin, la prise de mesures vous aidera à le surmonter facilement. Deuxièmement, la prise de mesures préalable va vous permettre de choisir des repères qui vous serviront d'étalons tout au long de l'exécution de votre dessin. Vous éviterez ainsi de vous apercevoir trop tard que vous n'avez que trois toits dans un espace où devraient s'en loger quatre.

« Une technique qui vous permet d'être absolument sûr des proportions de votre dessin. »

Le saviez-vous ?

Tenez la position

Lorsque vous prenez vos mesures, tenez votre crayon toujours au même niveau. Autrement dit, prenez-les toujours à partir du même endroit, sans avancer ou reculer. Pour mesurer correctement, vos pieds doivent donc se trouver exactement au même endroit, et votre bras, être aussi tendu que lors de la mesure précédente. Même s'il vous faut lever ou baisser légèrement le bras pour vous aligner sur votre sujet, votre crayon doit rester perpendiculaire à votre bras.

◄ Si c'est la première fois que vous dessinez en prenant des mesures, choisissez un sujet présentant de nombreuses lignes horizontales et verticales. Choisissez plutôt un ensemble de bâtiments car, contrairement aux personnages ou aux animaux, leur immobilité vous laisse le temps de prendre vos mesures et de les vérifier par la suite. Le bâtiment massif, au fond, est le Victoria and Albert Museum à Londres.

Pour mesurer, tenez le bras bien tendu (voir ci-dessous) et prenez toutes vos mesures à partir du même endroit.

Il vous faut

- ☐ Un crayon HB.
- ☐ Une feuille de papier fort format A3.
- ☐ Une planche à dessin, des punaises ou de l'adhésif.
- ☐ Crayons de couleur.

Les toits de South Kensington

Exercez-vous à mesurer des lignes horizontales et verticales. Placez-vous à une distance suffisante de votre sujet de façon à pouvoir travailler à l'échelle reçue, c'est-à-dire à reporter directement vos mesures sur le papier sans avoir à les rectifier. Nous reviendrons plus tard sur la notion d'échelle. Il est préférable, à ce stade, de rester aussi simple que possible.

Pour tracer un angle – la pente d'un toit, par exemple –, localisez précisément chaque extrémité de la ligne, puis rejoignez ces deux points (voir « Astuce », fiche suivante).

Prenez les mesures de votre sujet

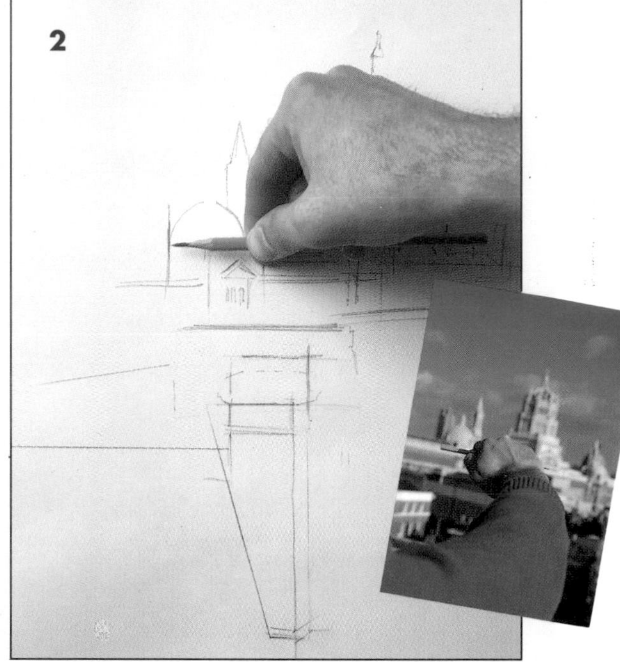

1

2

3

4

Choisissez d'abord un repère. Pour ma part, la hauteur de la cheminée me servira d'étalon (**ci-dessus**). Tendez le bras et alignez votre crayon verticalement le long de la cheminée. La mine doit correspondre au sommet de la cheminée et l'ongle du pouce, à la base. Sans bouger votre pouce, reportez maintenant cette mesure sur votre feuille (**1**). Pour les mesures horizontales, procédez de la même façon en basculant votre crayon à 90° (**cartouche** et **2**).

Prenez les principales mesures de votre dessin. Ici (**3**), je compare la hauteur de la cheminée à celle de l'arrière-plan. Cela m'amène au sommet de la tour. Je me sers de la largeur de la cheminée (**cartouche** et **4**) comme étalon pour les horizontales. Notez qu'elle est équivalente à celle de la coupole. Ce type de comparaison vous permettra de gagner du temps et d'être précis.

◄ **1** Exception faite de quelques excentricités, comme la tour de Pise ou le clocher penché de l'église de Chesterfield, la plupart des bâtiments sont verticaux. Vérifiez donc que les verticales de votre dessin sont bien verticales ! Au besoin, utilisez une règle. C'est tout à fait acceptable, à condition de ne pas oublier que votre dessin est une œuvre artistique et non un croquis d'architecte.

▲ **2** Une fois que vous avez défini exactement les principales proportions, poursuivez votre dessin aux crayons de couleur, si vous le souhaitez. Il ne s'agit pas de colorier, mais de redessiner, de mesurer et de couper partout où cela est nécessaire et d'atténuer certains éléments de moindre importance.
Ici, je procède à un mélange optique de couleurs en juxtaposant des traits rouge et bleu.

◄ **3** Avec l'effet de la perspective aérienne et la lumière du soleil, le premier plan se caractérise par des couleurs chaudes et contrastées, alors que l'arrière-plan, nimbé de brume, offre des couleurs plus froides.
La cheminée est d'un brun chaleureux, et la zone d'ombre, au centre, d'un mauve tirant vers le rouge. Sur un ciel bleu pâle et froid, la grande tour blanche se découpe nettement. Pour représenter l'ombre sur le versant gauche de la tour, utilisez le même bleu que pour le ciel, mais renforcez la tonalité.

Astuce

Rallonger une ligne

La plupart des lignes tracées au crayon sont plus longues que les bâtiments, ce qui permet de repérer plus facilement les deux extrémités d'une inclinaison. Vous aurez peut-être besoin, pour améliorer votre composition, de rajouter des verticales et des horizontales qui n'existent pas. (On appelle ces verticales des « fils à plomb ».)

◄ **4** J'introduis ici un mauve assez soutenu au premier plan. Sa fonction est de capter l'œil quelques instants pour freiner la découverte de la vue. Les hachures partant en tous sens rendront votre dessin vivant, mais pour faire ressortir un plan horizontal ou vertical, vos coups de crayon devront suivre la même direction que lui. Sur la paroi de la cheminée, les hachures ocres évoquent la superposition des briques et indiquent que le plan horizontal forme un angle droit avec la souche.

▲ **5** Ici, j'utilise une couleur proche de la terre d'ombre brûlée pour ciseler quelques renfoncements au premier plan. S'ils s'étaient trouvés au centre ou à l'arrière-plan, ils n'auraient sans doute pas été très visibles en raison de la brume (qui est particulièrement dense dans les grandes villes) et je ne les aurais pas mis en relief. Mais le premier plan étant le lieu des détails, il est important de ne pas les négliger.

◄ **6** Vous remarquerez que je n'ai pas tout dessiné. J'ai notamment laissé tomber la grande zone d'ombre à droite, au premier plan de la photo de départ. Sur le dessin final, votre œil entre par la droite, plonge doucement entre les toits pour remonter vers les tours qui se dressent à l'arrière-plan. Si vous avez utilisé les bonnes couleurs et les bonnes tonalités, vous avez dû hiérarchiser les différents plans. Autrement dit, vous avez empêché le plan intermédiaire de voler la vedette au premier plan.

Dessiner avec le poignet

« Ce qui est petit est joli », dit-on. Ici, Stan Smith met à profit les petits bouts de crayon oubliés pour réaliser une étude détaillée de coquillages ramassés au cours d'un voyage dans les Caraïbes.

J'ai déjà souligné l'importance de l'adéquation entre votre geste, le médium que vous utilisez et l'échelle à laquelle vous travaillez. Dans Apprendre à dessiner 8, j'ai procédé par gestes larges qui partaient de l'épaule. Cette manière de travailler correspondait au sujet : une grande sculpture en bronze. Ici, le sujet que j'ai choisi est petit : il s'agit d'un ensemble de trois objets : deux coquillages et une étoile de mer. Mon dessin sera donc petit. Choisissez un sujet équivalent, de façon à réaliser vous-même cet exercice. Si vous dessinez les objets grandeur nature, choisissez une feuille de papier A3 (si vous réduisez les dimensions, prenez une feuille de papier A4). Pour ce genre de dessin, vos gestes seront plus étriqués. Tout part du poignet. Les mouvements de la main, à partir du poignet, sont de faible envergure, ce qui signifie que vous allez tracer des traits petits et maîtrisés. De tels mouvements, qui ne conviendraient pas à un grand dessin, offrent la minutie nécessaire à un petit dessin détaillé. Des sujets d'histoire naturelle viennent à l'esprit : fleurs, oiseaux, crânes, roches, fossiles, coquillages ou étoiles de mer, par exemple. Mais on peut choisir d'autres objets de petite taille pour dessiner avec le poignet. Utilisez un médium adéquat : crayon, plume et encre ou feutre, par exemple. Je vous conseille le crayon, mais pas un crayon neuf – trop long et encombrant. Le meilleur outil sera le petit bout de crayon, maintes fois taillé.

« Après un travail minutieux, votre dessin se terminera de lui-même, au moment où vous vous y attendez le moins ! »

L'avantage du crayon court est qu'il est très maniable et peut être utilisé avec des gestes qui partent du poignet et qui permettent de tracer des arrondis et des courbes minutieuses. Essayez. Si vous n'avez pas gardé au fond d'un tiroir des petits bouts de crayon, coupez un crayon neuf de façon à obtenir un nouveau crayon de 5 ou 6 centimètres.

▼ Ces différentes études de fleurs font preuve de sensibilité et de maîtrise – aussi bien pour le trait que pour les ombres. Même à petite échelle, il faut qu'il y ait du rythme dans le dessin. Les mouvements du poignet (combinés avec quelques mouvements qui partent du coude) conviennent parfaitement aux petits dessins précis et détaillés. Ils laissent assez de liberté pour que les courbes soient fluides. Regardez les pétales et les feuilles – le rythme est présent dans chacune d'elles.
« Étude de violettes odorantes », Léonard de Vinci, encre sur papier, 18 cm x 20 cm.

Coquillages et étoile de mer

Il vous faut

- ☐ *Une feuille de papier cartonné A3, de bonne qualité.*
- ☐ *Deux bouts de crayon HB et 3B.*
- ☐ *Une gomme.*

▲ **Le sujet** Composé d'une coquille d'escargot, d'un coquillage et d'une étoile de mer, il permet de travailler la matière et les formes. En fait, l'un des trois objets de cette composition aurait pu constituer un sujet à lui seul. Le papier froissé sur lequel ils sont disposés prend bien la lumière, divisant ainsi la surface en zones définies.

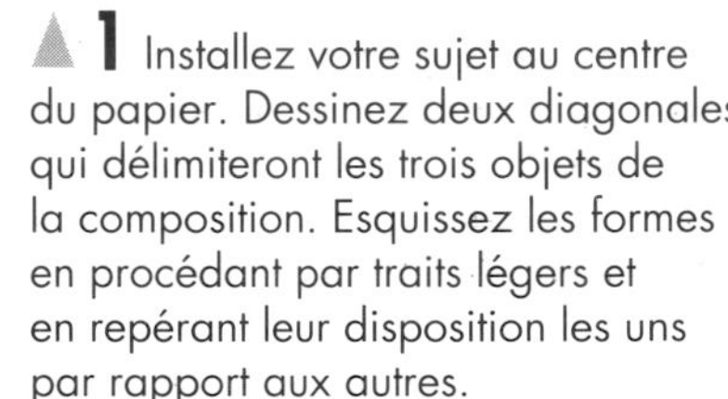

▲ **1** Installez votre sujet au centre du papier. Dessinez deux diagonales qui délimiteront les trois objets de la composition. Esquissez les formes en procédant par traits légers et en repérant leur disposition les uns par rapport aux autres.

◄ **2** J'ai déplacé mon crayon sur le côté pour que vous puissiez voir les traits que j'ai tracés. Mais si vous gardez votre bout de crayon dans la paume de votre main et que vous placez la mine au centre de la coquille, vous pouvez dessiner la spirale d'un seul mouvement du poignet. Attention, comme chez 95 % des escargots, la spirale de celui-ci tourne de gauche à droite.

Astuce

Les bouts de crayon

Ne jetez pas ceux qui s'accumulent au fond de vos tiroirs ou de vos pots à confiture.

Gardez-les précieusement. Ils vous serviront pour les dessins minutieux et pour les détails de vos grands dessins.

► **3** Utilisez toutes les marques dont vous disposez, en travaillant avec l'extrémité de la mine pour tracer les traits fins – comme celui de la spirale – ou, comme je le fais ici, inclinez légèrement la mine pour obtenir un trait plus épais et plus doux. Estompez certains de ces traits épais pour obtenir des valeurs plus subtiles.

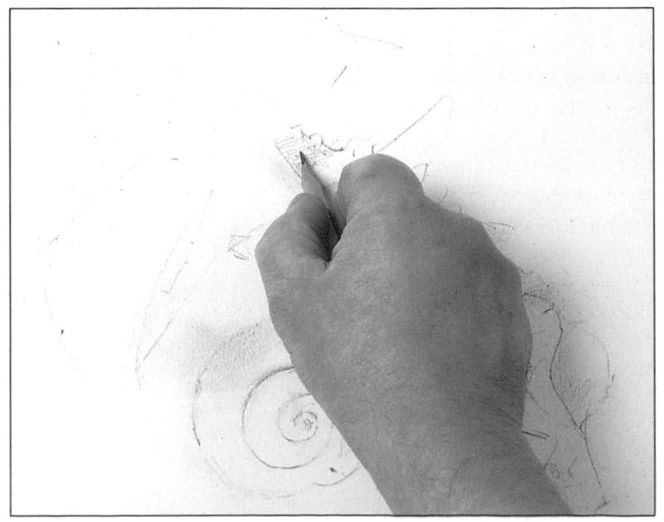

▲ **4** Bien que la lumière soit assez forte, la délicatesse et la pâleur du sujet expliquent que la plupart des valeurs de mon dessin soient claires et grisâtres. Pour les obtenir, frottez avec le petit doigt les zones d'ombre pour estomper les traits de crayon. A ce stade du travail, il est préférable d'en rester à des valeurs estompées. Plus tard, vous ajouterez des valeurs plus foncées.

▲ **5** Jusqu'ici, le dessin reste assez vaporeux. Notez que la coquille d'escargot est légèrement inclinée vers l'avant, de sorte qu'on voit davantage l'arrière que l'avant de l'animal. Pour en rendre compte, j'ai dessiné la spirale la plus en avant de la coquille. J'ai entouré les contours de la coquille de traits que j'ai estompés, de façon à en suggérer la forme cylindrique.

◄ **6** Après avoir fortement estompé avec le pouce, je suis revenu sur les mêmes zones avec la gomme. Il ne s'agit pas de représenter avec exactitude le froissement du papier, mais d'en suggérer les différents angles. J'ai également estompé la coquille de l'escargot pour indiquer les parties éclairées. Regardez votre propre sujet et repérez les endroits pour lesquels l'utilisation de la gomme s'impose.

► **7** Dessinez avec les yeux et l'esprit bien ouverts. Demandez-vous pourquoi les formes sont ce qu'elles sont. La coquille du mollusque a jadis abrité un animal. Ce mollusque était un prédateur qui vivait dans l'océan et se nourrissait de palourdes dont il perforait la coquille. Son aspect agressif est destiné à décourager les gros crabes. C'est ainsi que j'ai choisi un crayon 3B pour représenter les piquants impressionnants qui entourent la coquille.

Pas de problème !

Épais et fin

Si vous appuyez trop fortement sur la mine pour obtenir un trait plus foncé, vous risquez de creuser le papier et de ne jamais pouvoir l'effacer. Ayez donc toujours sous la main un choix de crayons – commencez par un crayon ordinaire HB, puis renforcez les zones foncées avec une mine plus douce (3B par exemple, comme ici). Utilisez un mélange de mines dures et de mines douces pour varier l'épaisseur des contours. Le résultat sera moins monotone.

8 La coquille de l'escargot est dure, mais contrairement à celle du mollusque elle est lisse et brillante. Il faut donc lui donner un aspect plus fluide. Le trait que j'ai tracé à l'avant est trop noir, il me faut l'atténuer avec la gomme.

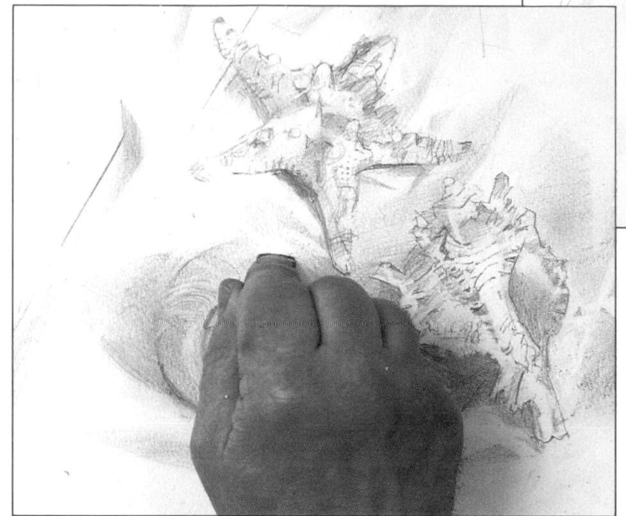

9 Regardez le sujet et vous constaterez que les valeurs les plus claires sont souvent proches de celles du fond – elles semblent se fondre les unes dans les autres. Ici, j'utilise la gomme pour atténuer le haut de la coquille d'escargot de façon à ce qu'elle se confonde avec le fond.

10 Utilisez généreusement toutes les marques que l'on peut obtenir avec un crayon. L'étoile de mer a un aspect dur et rêche. J'ai dessiné soigneusement les quatre aspérités situées au centre du corps, puis j'ai utilisé toutes sortes de traits, comme le zigzag de la tentacule droite. Au centre de la coquille d'escargot, vous remarquerez une ligne brisée qui fait penser à des points de couture. Toutes ces marques rendent le dessin plus vivant.

Dessiner le corps humain

Dessiner un corps humain est une chose des plus passionnantes. Mais par où commencer ? Stan Smith se propose de vous guider.

Peut-être vous sentez-vous intimidé à l'idée de dessiner une personne. Cela n'a rien de surprenant. Habillé ou non, l'être humain est complexe. Le fait de côtoyer nos semblables à longueur de journée nous permet de dire que des erreurs sont commises dans un dessin, même si nous ne savons pas les nommer. Je vais maintenant vous montrer comment représenter une silhouette humaine en balayant les principales difficultés.

Il faut d'abord donner l'illusion du volume dans l'espace. Vous savez déjà utiliser la lumière, les valeurs, les reflets et les ombres pour dessiner une forme géométrique – un cylindre, par exemple. Nous allons donc découper la silhouette humaine en volumes géométriques, rassembler nos connaissances sur les proportions et nous mettre au travail jusqu'à obtention d'un résultat satisfaisant.

Vous verrez au cours de la démonstration qui suit que le corps humain peut être envisagé comme une série de cubes, de sphères, de cylindres et de cônes étroitement liés. Les mannequins comme celui-ci (ci-dessous) sont d'un grand secours lorsqu'on apprend à dessiner le corps humain. Ils permettent d'observer telle ou telle posture et servent de référence pour tout dessin concernant l'être humain. A partir d'une silhouette bien structurée, vous pourrez dessiner, au choix, un nu ou un personnage habillé.

Le saviez-vous ?

Servez-vous de votre tête

Pour Albrecht Dürer, la tête servait d'unité de mesure. Faites comme lui, sachant que la tête, prise verticalement (du menton au sommet du crâne), tient environ sept fois et demie dans le corps d'un adulte (homme ou femme). Bien sûr, les proportions varient d'un individu à l'autre, mais ce système de mensurations proportionnelles peut vous aider dans bien des cas.

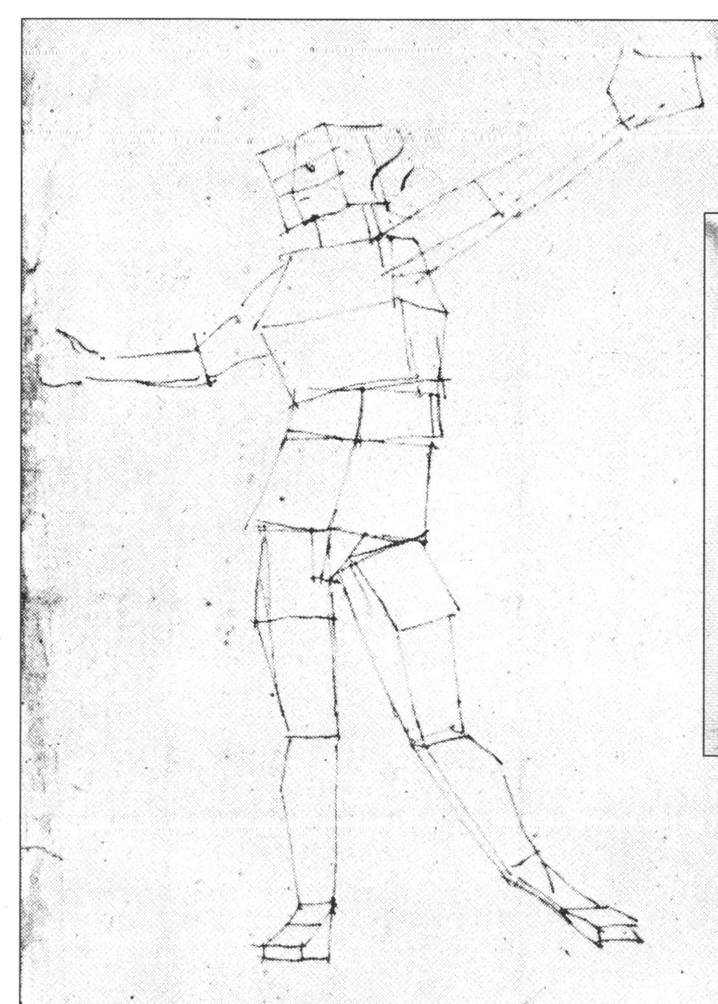

◄▲ L'idée de réduire le corps humain à des formes géométriques n'est pas nouvelle. Déjà au XVIe siècle, le peintre et graveur allemand Albrecht Dürer travaillait sur le visage (ci-dessus) et le corps, qu'il représentait comme une succession de cubes en étroite corrélation les uns avec les autres – l'homme « stéréométrique » (à gauche).
Études anthropométriques, Albrecht Dürer, encre sur papier.

Construction de la silhouette

1 Le cou, le torse, le bassin, les bras et les jambes sont réduits à de simples tubes. Le bassin bascule vers l'avant. La tête, légèrement penchée vers l'avant, repose sur un cylindre et le front et le menton font saillie. La tête est lourde et le cou doit être assez fort pour la soutenir.

2 Le torse est un tube légèrement aplati en haut pour recevoir le cou et évasé vers la taille. Le bassin est toujours un tube mais il s'élargit ici pour s'articuler avec les cuisses. N'oubliez pas que le corps est, en gros, symétrique, de part et d'autre d'une ligne verticale imaginaire qui descend le long du tronc.

▼ Essayez de réaliser ces silhouettes géométriques (1 et 2 ci-dessous). Dans l'art occidental, il est convenu que la lumière éclaire par au-dessus et ne provient que d'une seule direction. Ici (2), j'ai imaginé que l'unique source lumineuse venait d'en haut à gauche.

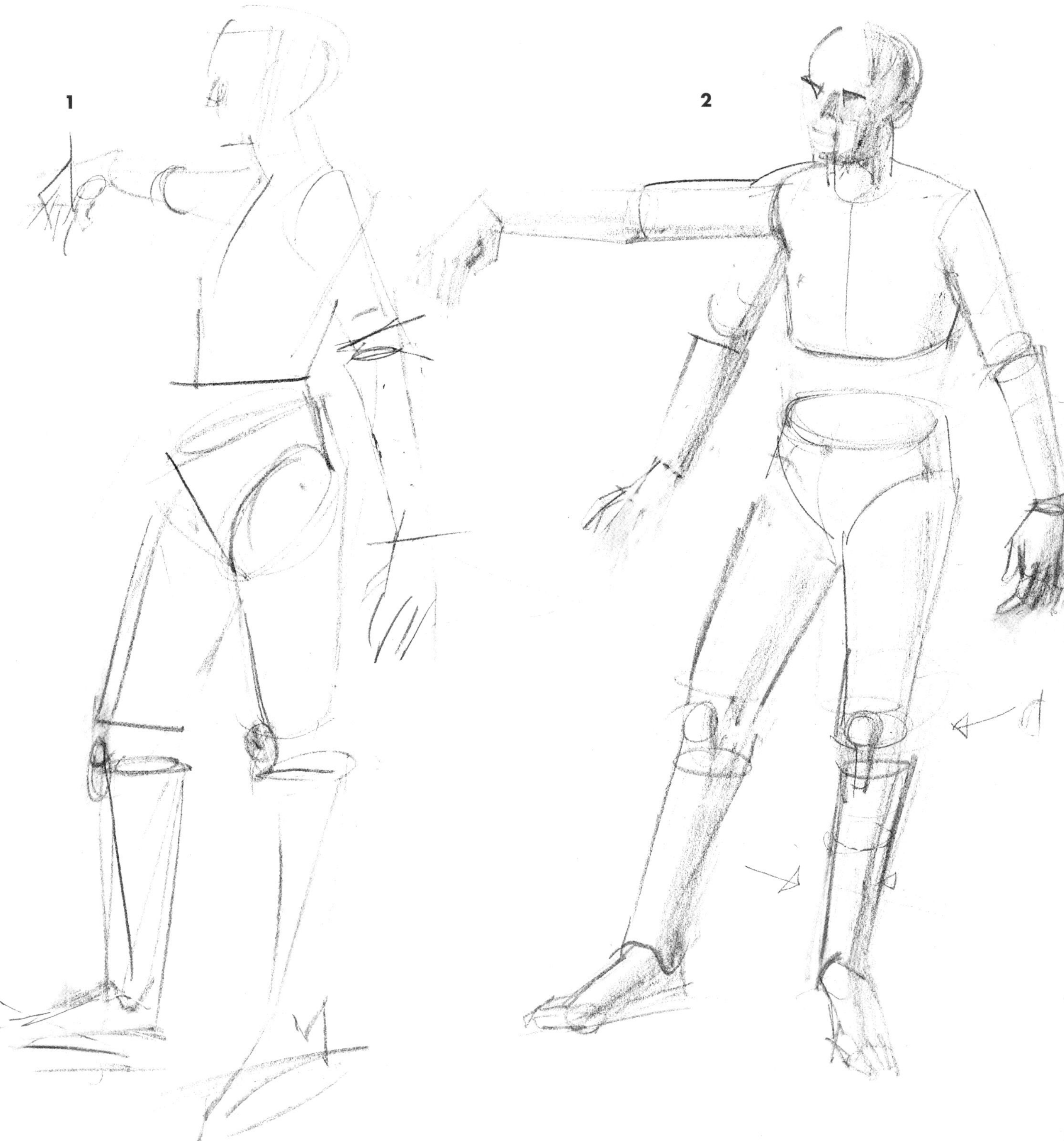

3 Au bout des bras ballants, les mains arrivent à mi-hauteur des cuisses. Les mains, les doigts, les pieds et les orteils se réduisent ici à des formes géométriques, comme le reste du corps.
4 Le personnage est de trois quarts – on dirait qu'il s'est tourné vers nous, après avoir été de profil. La moitié la plus éloignée du torse – derrière la ligne centrale – semble plus petite que la moitié la plus proche, en raison de la perspective.
Le plus simple est de commencer par dessiner des silhouettes statiques. Mais le découpage en figures géométriques reste valable pour les silhouettes en mouvement (**5**).

► **Attention au respect des proportions ! Si les bras sont trop courts, par exemple, le personnage ne sera pas crédible. S'ils sont trop longs, votre bonhomme ressemblera à un gorille.**
La connaissance théorique peut être utile, mais rien ne remplace l'observation. Si vous voulez observer la position du coude par rapport au reste du bras, regardez-vous dans un miroir.

3

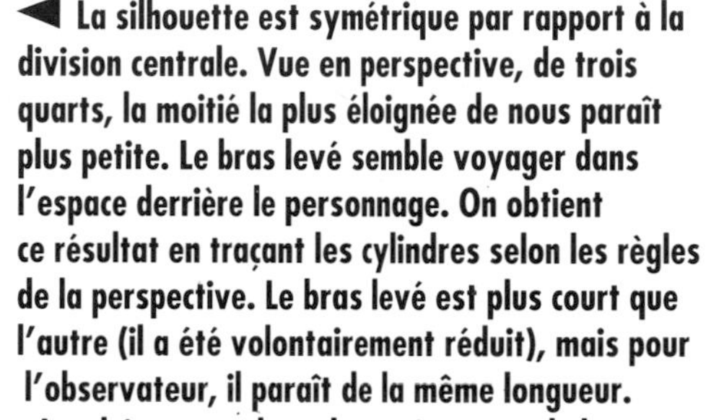

◄ **La silhouette est symétrique par rapport à la division centrale. Vue en perspective, de trois quarts, la moitié la plus éloignée de nous paraît plus petite. Le bras levé semble voyager dans l'espace derrière le personnage. On obtient ce résultat en traçant les cylindres selon les règles de la perspective. Le bras levé est plus court que l'autre (il a été volontairement réduit), mais pour l'observateur, il paraît de la même longueur. Les doigts sont des tubes qui partent de la paume aplatie. Le pouce s'oppose aux autres doigts, pour que la main puisse saisir un objet. Les pieds apparaissent comme des plates-formes cambrées. Ils sont petits, mais chacun des deux a sa propre position. Le poids du corps peut être envisagé de différentes façons.**

4

5

▲ **Le personnage est en mouvement. Les membres s'opposent les uns aux autres, pour une raison d'équilibre – ici, jambe droite et bras gauche. Les membres peuvent se mouvoir grâce aux articulations du squelette ; ce sont les muscles qui fournissent la force nécessaire aux mouvements.**
La connaissance du squelette et de la musculature aide à comprendre la morphologie du corps humain, mais l'observation reste primordiale.

▲ **Le nez est la partie la plus proéminente. Envisagez-le comme un cylindre qui pénètre dans une sphère – entre les narines – avec des quarts de sphères pour les ailes du nez.**

Dessiner la tête et le visage

Pour dessiner la tête d'une personne, chassez de votre esprit les expressions de son visage : sa façon de sourire, de froncer les sourcils, de rire, de pleurer, etc. Attachez-vous d'abord à construire un volume sur l'espace de la feuille. Vous éviterez ainsi de tomber dans le piège consistant à dessiner une sorte de masque surmonté de cheveux. (Nous étudierons les expressions et les ressemblances ultérieurement.) Cela dit, placez quand même les différents éléments du visage, lequel ne doit jamais être laissé blanc.

Vous remarquerez que comme pour le corps, les éléments du visage se répartissent de part et d'autre d'une ligne médiane.

► **La construction du corps humain à partir de figures géométriques a pour but de suggérer les volumes. Pensez toujours à la tête comme à un volume dans l'espace.**

► **Bien sûr, les traits du visage ne ressemblent pas à ceux d'un personnage de dessin animé. Ils sont bien intégrés à la face – comme s'ils avaient été sculptés dans un bloc de bois.**

▼ **Le crâne est une structure sphérique qui protège le cerveau et représente une grande partie du volume total. Les traits sont répartis symétriquement (ou presque) de part et d'autre d'une ligne médiane.**

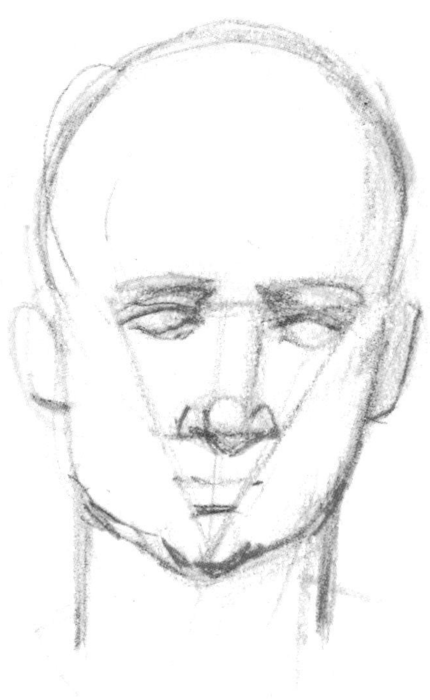

▼ **Les traits du visage obéissent aux mêmes règles de la perspective que le reste du corps. La moitié la plus éloignée paraît plus petite, et la distance entre les yeux – de la largeur d'un œil – a été raccourcie.**

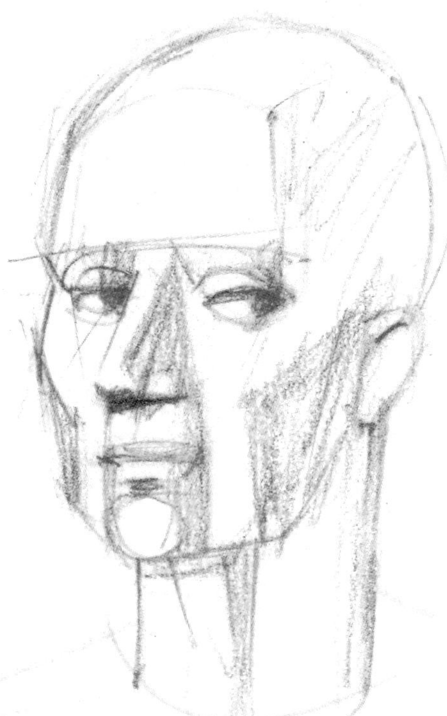

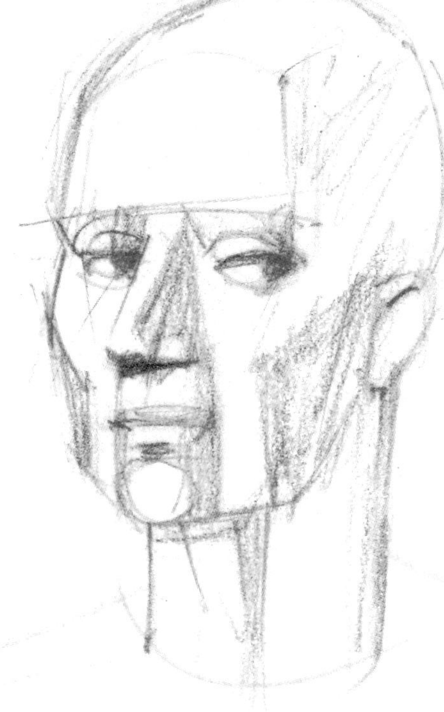

▼ **La lumière venant d'en haut crée des ombres dans les orbites, sous le nez, la lèvre supérieure et le menton. Elles constituent une sorte de code qui fait qu'un visage est immédiatement reconnaissable.**

Verticales et horizontales

Stan Smith a choisi un coffre à jouets comme support à une nouvelle méthode pour dessiner avec précision. Ici, il vous propose de travailler en imaginant que vous regardez le sujet à travers une grille.

« Danseuse », Edgar Degas, 1872, mine de plomb tendre, crayon de graphite noir et craie blanche sur papier ocre quadrillé, 41 cm x 28 cm (Fogg Art Museum, Harvard University, legs de Meta et Paul J. Sachs).

Pour parvenir à la précision, il faut dessiner comme si on regardait à travers une plaque de verre sur laquelle serait dessinée une grille. Cela aide à repérer les horizontales et les verticales, ainsi que les rapports qui existent entre elles.

Imaginez que vous observez une maison d'un endroit précis. Les fenêtres et les angles des murs sont verticaux. L'arête du toit et le rebord des fenêtres sont horizontaux. Cet état de fait doit apparaître dans votre dessin. Toutefois, si vous regardiez à travers une grille, vous remarqueriez d'autres choses.

« Imaginez que vous regardez à travers une plaque de verre sur laquelle est dessinée une grille. »

Par exemple que la verticale du tuyau de cheminée coïncide avec le pot de fleurs qui est sur la pelouse et qu'une verticale qui passe par le pot de fleurs traverse aussi le nain de jardin. Vous verriez qu'en prolongeant le bord vertical de la fenêtre, il passerait par la bouteille de lait qui se trouve sur le seuil de la porte. Vous noteriez aussi que la hauteur de la maison correspond à cinq fois la hauteur de la porte d'entrée. En d'autres termes, bien que ces verticales et ces horizontales soient imaginaires, elles vous permettent de voir les rapports qui existent entre elles. Avec un peu de pratique, vous serez capable de visualiser de telles lignes, de noter celles qui sont importantes et de les utiliser pour construire votre dessin.

► Ce dessin a probablement été quadrillé avant d'être peint – nous étudierons ce procédé plus tard –, ce qui permet de constater que certains traits coïncident.
La verticale qui passe par l'épaule de la danseuse devrait traverser son coude et sa main gauche, ainsi que la semelle de son chausson droit. Ses mains sont placées de telle façon qu'une ficelle tendue entre elles devrait être parfaitement horizontale.

Le coffre à jouets

Il vous faut

- ☐ Une série de crayons, du HB au 4B.
- ☐ Un morceau de papier cartonné A3 de bonne qualité.
- ☐ Une planche à dessin et un chevalet.
- ☐ Une gomme douce.

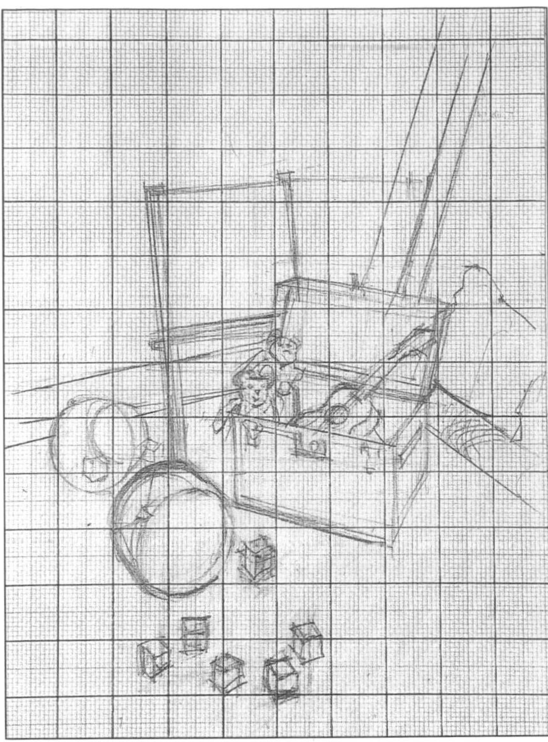

Le sujet Choisissez-le avec des lignes droites et des courbes, de façon à travailler le dessin des angles, des intersections et des bords.
Ces jouets ont, pour la plupart, des formes géométriques, ils conviennent donc mieux à notre exercice qu'un bouquet de fleurs, par exemple. J'ai réalisé un rapide croquis sur du papier millimétré. Pensez aux carrés comme à une grille imaginaire. Suivez les traits des yeux et notez comment certains coïncident. (Essayez avec la verticale qui traverse le tambour.)

1 La façon de démarrer votre dessin dépend de votre sujet et de votre angle de vue. De façon générale, il est conseillé de commencer par une verticale et une horizontale. J'ai tracé au beau milieu de mon papier une verticale qui part de l'angle supérieur droit du tableau noir et effleure l'oreille gauche de l'ours en peluche le plus près de nous. Pour que mon dessin soit bien équilibré, j'ai utilisé mon crayon pour mesurer horizontalement (voir Apprendre à dessiner 11), de la verticale au bord extérieur du seau, tout à fait à gauche.

2 Avant de dessiner l'angle gauche du tableau noir, tracez d'abord la verticale. En regardant votre sujet, vous constaterez que la verticale partant du coin supérieur gauche du tableau noir passe par le côté gauche du tambour. Le pied du tableau « traverse » le centre du tambour. Je sais où arrive le haut du tableau, parce que je l'ai déjà mesuré. Il m'est donc facile de joindre les deux points.

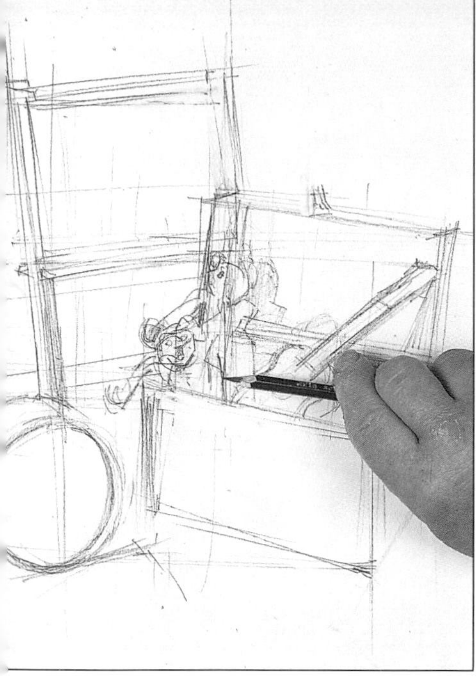

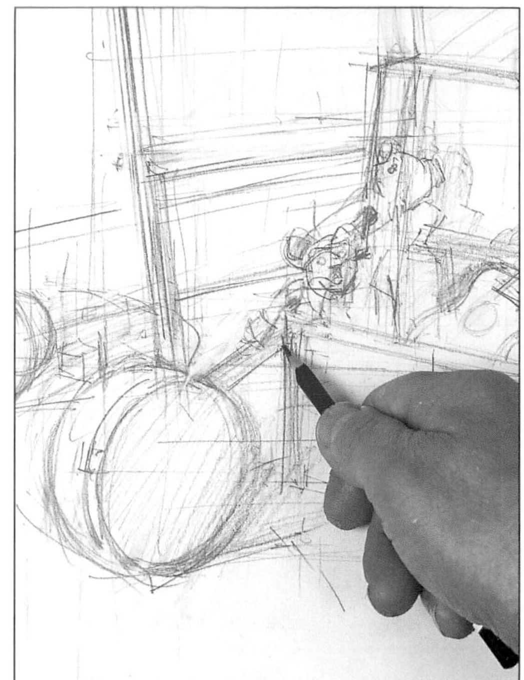

▲ **3** Prenez conscience des rapports : longueur d'un objet ou d'un espace égale à la longueur d'un autre, ou à deux fois cette longueur, ou à la moitié de sa hauteur, par exemple. L'observation attentive de ces rapports aide à réaliser un dessin précis. Ici, la hauteur de la face du coffre la plus proche de nous est à peu près égale à la hauteur du tambour.

▲ **4** Une ombre a parfois autant d'importance que l'objet qui la projette. Ici, l'ombre qui est derrière le tambour s'allonge sur le plancher jusqu'au côté du coffre. Elle décrit ces surfaces et les relie entre elles. D'autres ombres aident à créer l'atmosphère d'un coin de grenier.

▲ **5** Le petit espace triangulaire limité par le tambour, le coffre et l'ombre du pied du tableau sert à ancrer mon point de vue. Les formes négatives de ce type devraient rester constantes lors de votre travail. Si elles vous paraissent avoir changé, c'est que vous avez bougé.

▲ **6** J'estompe avec le doigt les endroits que j'avais déjà ombrés – après avoir tracé les contours – pour obtenir des gris moyens uniformes. C'est une bonne façon de rehausser les contrastes et de donner du volume à l'ensemble. Il est toutefois conseillé de nettoyer son dessin auparavant.

▲ **7** Après avoir estompé le tableau pour obtenir un gris tendre, j'ai essayé d'esquisser la maison en la dessinant avec une gomme douce. Mais, n'ayant pas obtenu le résultat escompté, j'ai donc laissé le tableau vide et me suis contenté d'utiliser une valeur foncée pour donner une idée de sa couleur.

Astuce

Gommer la construction

Une fois votre travail achevé, n'effacez pas tout de suite vos traits de construction, ils vous aideront à voir la route que

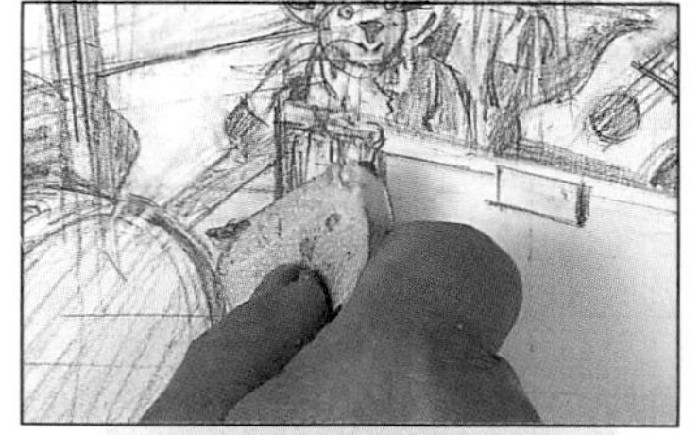

vous avez suivie. En fait, s'il en reste quelques-uns dans le dessin terminé, cela peut créer un effet intéressant.

8 En général, je recommande de commencer par les objets situés au premier plan. Mais il y a des exceptions. En effet, ici, les cubes de construction sont beaucoup plus simples que le coffre à jouets. Il est donc plus logique de commencer par le coffre et de ne dessiner les cubes qu'après. Pour les placer, j'ai tracé une verticale à partir du groupe central (ci-contre). Compte tenu de la perspective, les cubes les plus proches paraissent plus gros que celui qui est près du coffre. Vous remarquerez que j'ai dessiné les ombres des cubes en harmonie avec celles des autres objets.

9 Si vous vous êtes guidé avec les verticales et les horizontales et si vous avez bien calculé, chaque objet doit être à sa place. Les jouets sont bien dans le coffre, sans être trop serrés ou trop éloignés les uns des autres. Les cubes, le tambour, le seau et le coffre semblent être sur le même plan. Si je place une grille sur mon dessin (ci-dessous), je vois que ce dernier correspond à mon croquis original.

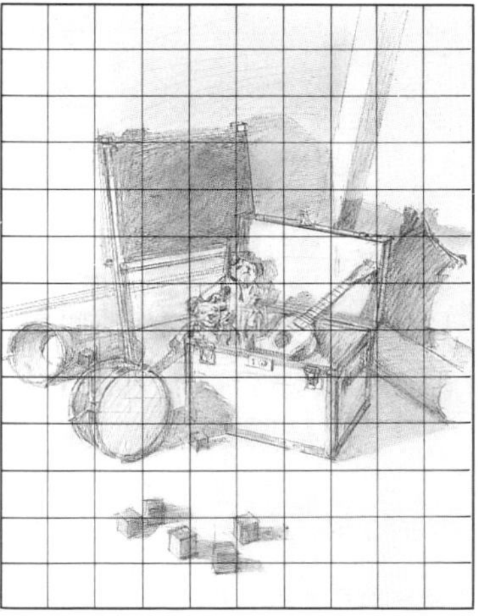

Une exactitude optimale

Une place pour chaque chose et chaque chose à sa place... Stan Smith vous livre tous les trucs grâce auxquels vos dessins gagneront en exactitude.

Qu'il s'agisse d'un relevé architectural, de la transcription formelle d'une scène de tribunal, ou que vous tentiez de tracer un cercle à main levée dans une composition abstraite, rationalité et exactitude dans le dessin ne pourront que servir votre travail. Je récapitulerai ici les méthodes déjà évoquées et vous en proposerai d'autres. De manière générale, concentrez-vous dès le début du dessin sur les proportions et la disposition des éléments de la composition dans l'espace.

« Si l'objet que vous dessinez a une fonction, tenez-en compte. »

Les détails, la couleur et la matière pourront être traités plus tard, mais ce travail du traitement ne compensera jamais une évaluation erronée des volumes et de l'espace. Dessinez avec logique – ainsi, si vous dessinez une râpe à fromage, faites en sorte qu'elle paraisse effectivement coupante. En d'autres termes, si l'objet que vous dessinez a une fonction, tenez-en compte. Ne recourez aux accessoires de dessin industriel tels que règles et équerres que si vous en avez un besoin réel, mais rappelez-vous que ces outils à eux seuls ne vous garantissent en rien l'exactitude.

De toute façon, l'habileté technique ne saurait se substituer à l'imagination et à l'originalité. Si l'exactitude est votre seul souci, une photographie fera aussi bien l'affaire. Déterminez le degré d'exactitude souhaité et fixez-vous des limites correspondant à cet objectif.

► Servez-vous de coches et d'autres signes pour positionner les éléments déterminants. Ne vous inquiétez pas s'ils ne disparaissent pas : les marques de construction renseignent sur l'élaboration d'un tableau. Ici, les repères rouges et noirs font partie intégrante de l'œuvre de l'artiste.
« Oranger 1 », William Coldstream, huile sur toile, 91 cm x 71 cm, avec l'aimable autorisation de la Tate Gallery, Londres.

Neuf tests infaillibles

Dès que vous devez faire un dessin objectif, appuyez-vous sur des mesures, tracez des horizontales ou des verticales (lignes tombant à plomb) et inspirez-vous des formes négatives, de la logique, de l'espace et du temps.

Le dessin par mesures est une bonne méthode pour vous maintenir sur les rails. Tendez votre crayon à bout de bras pour prendre vos mesures avant de les transférer sur le papier. Cherchez l'unité de mesure qui convient. On sait, par exemple, que la longueur du bras équivaut à peu près à trois têtes et demie. Prenez toujours vos mesures à partir du même point.

Des horizontales et des verticales (à plomb) traversant de part en part les éléments dominants vous aideront à les disposer précisément les uns par rapport aux autres. Pour tracer une ligne oblique, localisez les deux extrémités en vous servant des horizontales et des verticales, puis reliez les deux points. Cette méthode est très efficace lorsqu'elle est associée au dessin par mesures.

▲► Pour prendre une mesure, tendez votre crayon en regard de l'élément concerné (ici la cheminée). Puis glissez votre pouce le long du crayon pour fixer un repère. Transférez cette mesure sur votre dessin (ci-contre, à droite). Ici, c'est la hauteur de la cheminée qui sert d'unité de mesure verticale pour cette vue sur les toits.

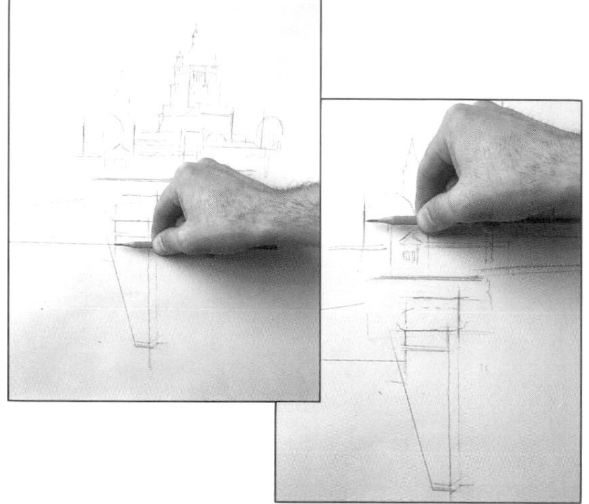

▲ La largeur du corps de la cheminée (ci-dessus, à gauche) fournit une unité de mesure horizontale pratique – la largeur de la cheminée est égale au diamètre du petit dôme (ci-dessus, à droite). Ces mesures sont le meilleur moyen d'éviter la confusion optique qui peut résulter des changements d'échelle imputables à la perspective. Par exemple, comparé à la masse monumentale du musée Victoria et Albert, le corps de la cheminée est petit. La grande tour du musée paraît cependant à peine plus grande que la cheminée située au premier plan.

Justesse des formes négatives

Non seulement les formes négatives qui séparent les objets interviennent dans la composition, mais elles constituent également des repères sûrs pour dessiner avec exactitude. Observez l'espace qui sépare les œufs du bas. Si je lui donne une taille trop petite, trop grande, ou en tout cas erronée dans mon dessin, je suis sûr de rater au moins un œuf. De même, la forme qui sépare les œufs du bord du bol m'aide à tracer correctement l'ellipse de ce dernier.

Les formes négatives offrent un bon moyen de contrôler les formes positives dans un dessin. Si les formes négatives ne sont pas justes, les positives ne le sont pas non plus !
Retournez votre dessin la tête en bas pour avoir un nouveau point de vue. Cela vous aidera à repérer des erreurs auxquelles votre œil s'était accoutumé. Ne vous contentez pas de regarder : vous obtiendrez des résultats intéressants en travaillant effectivement à l'envers !
Inversez l'image pour l'examiner par transparence et mieux repérer les fautes. Cette méthode est utile pour dessiner des formes géométriques comme l'ellipse du bord d'une cruche. Dès que l'on inverse l'image, les erreurs apparaissent dans la direction opposée à celle à laquelle vous vous êtes habitué – de sorte que la faute devrait littéralement vous sauter aux yeux !

◄ **Vous vous souvenez sans doute de ces masques vénitiens – je les ai utilisés pour l'exercice des techniques mixtes (Apprendre à dessiner 23). S'il s'agit bien de masques et non de visages, il importe néanmoins de les dessiner soigneusement en observant les règles de la perspective. Bien que j'aie finalement utilisé une peinture très diluée appliquée avec la plus grande liberté pour obtenir une image très colorée, l'ensemble repose sur un dessin au fusain des plus rigoureux.**

▲ **Une ligne verticale, partant du milieu du bec du masque central, tombe à plomb sur le côté gauche du masque ovale placé dessous. Une ligne horizontale, partant du creux de l'œil du masque central, traverse la pointe du nez du masque situé sur sa droite. Toutes ces incidences m'ont aidé à positionner correctement les masques les uns par rapport aux autres dans la composition.**

Une construction logique

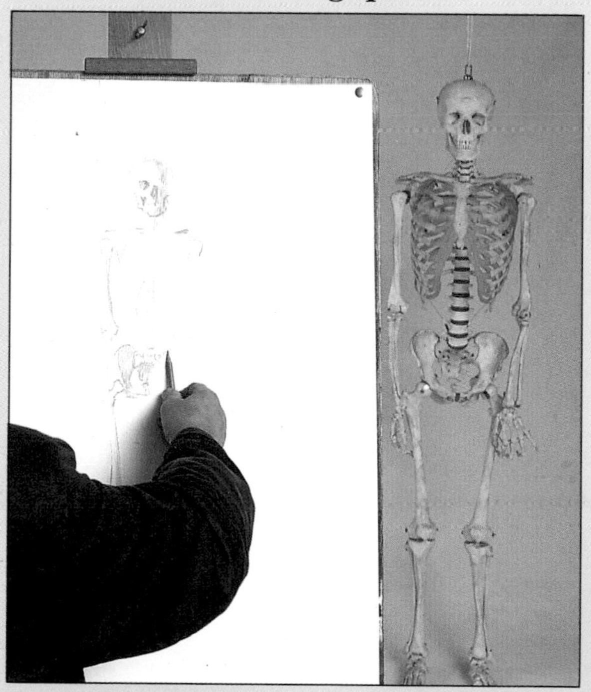

Que vous dessiniez une moto ou un personnage, vous devez avoir conscience de ce qui se passe « sous la peau ». Ce qui, sans signifier que vous devez nécessairement faire des études d'ingénieur ou de médecine pour obtenir un dessin satisfaisant, implique en revanche que vous dessiniez de façon rationnelle en établissant les relations appropriées entre les différents éléments – vous veillerez ainsi à ce que la moto ait l'air utilisable et à ce que le personnage semble bien bâti et capable de supporter son propre poids.

Une image en miroir produira un résultat similaire. Installez votre peinture dans un coin de la pièce, placez-vous à l'opposé et regardez-la dans un petit miroir. Outre que vous repérerez ainsi les erreurs (des verticales bancales, par exemple), vous devriez vous faire de votre composition une impression neuve et impartiale.

Faites de la logique votre alliée et, le cas échéant, comptez les éléments de votre sujet – dans un immeuble, le nombre de fûts de cheminées, de fenêtres ou de colonnes ou, pour un pont, le nombre de piliers. Vous éviterez sans aucun doute le genre d'erreur qui amène à ajouter un pouce aux cinq doigts de la main !

Prenez du recul par rapport à votre dessin et regardez-le à distance de temps à temps : vous serez surpris de constater à quel point les erreurs deviennent évidentes !

Laissez reposer une heure. En revenant à votre dessin, vous ne devriez pas manquer de voir ce qui ne va pas et serez à même de corriger les erreurs sur le champ.

Un regard neuf

Les figures courbes et symétriques sont parfois trompeuses. Vous pouvez parfaitement ne pas remarquer que quelque chose ne va pas. La solution est de renouveler votre point de vue.

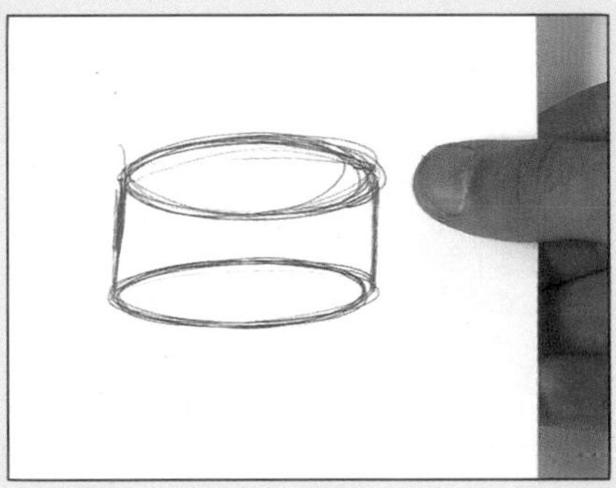

Retournez le dessin la tête en bas. Vous constaterez alors que l'ellipse du bas (qui était au-dessus) n'est pas symétrique et que le cylindre part en biais sur le côté droit et n'est donc pas parallèle.

Par transparence, vous aurez une autre perspective. C'est l'ensemble qui part en biais sur la gauche. Identifier vos erreurs, c'est avoir déjà fait la moitié du chemin dans votre travail.

▼ **Si vous travaillez sur une peinture opaque ou à une esquisse sur papier épais, vous ne pourrez pas distinguer l'image par transparence. Dans ce cas, il vous suffira d'utiliser un miroir pour voir votre travail à l'envers.**

► **L'image en miroir vous donne un point de vue entièrement neuf sur votre peinture. Non seulement vous verrez, par exemple, que les verticales ne sont pas droites, mais la composition vous apparaîtra sous un jour nouveau et, dans le cas d'un autoportrait réussi, vous aurez l'occasion de vous voir comme les autres vous voient ! Pour le vérifier, accrochez votre dessin dans un coin de la pièce et examinez son reflet dans un miroir depuis l'angle opposé.**

LES COULEURS

Découvrez la couleur

Dans un tableau, la couleur est évidemment l'un des éléments essentiels. Il est donc important de la connaître et de la maîtriser.

Nous avons tous un sens de la couleur qui nous est tout à fait personnel et qui se traduit dans le décor de notre intérieur, le choix de nos vêtements, et dans bien d'autres domaines encore.Ces goûts subjectifs expliquent nos réactions face à un tableau, et, à plus forte raison, nos choix quand il s'agit de prendre le pinceau.

Effets de couleur

Par définition, tout sujet est coloré... même s'il est noir ou blanc ! L'art consiste à savoir interpréter sur sa palette les teintes du monde extérieur. La couleur joue un rôle important dans la composition. Au-delà des résonances émotionnelles, elle produit de puissants effets physiques. Il est donc indispensable de savoir pourquoi et comment les couleurs agissent les unes par rapport aux autres. On parle souvent de couleurs « chaudes » et de couleurs « froides ». Les premières sont le jaune, le rouge et l'orange; les secondes, le bleu, le violet et le vert. La classification est cependant relative : il existe des bleus chauds et des rouges froids. Cette notion de température correspond à une impression et non à une réalité physique, mais elle n'en n'est pas moins d'une grande importance pour l'artiste. Les couleurs chaudes semblent «bondir» sur le spectateur, tandis que les couleurs froides semblent s'éloigner. Il est donc possible d'exploiter cette caractéristique et de créer une illusion d'espace en utilisant des couleurs froides pour les lointains et des couleurs chaudes pour les premiers plans.

Le langage des couleurs

Toutes les couleurs existant dans la nature se définissent par trois caractéristiques : la teinte, la tonalité et l'intensité.
La **teinte** est le nom commun de la couleur : rouge, jaune ou bleu, par exemple.
La **tonalité** désigne sa nature plus ou moins sombre. On assombrit une teinte en ajoutant du noir, on l'éclaircit en y ajoutant du blanc. C'est ce qu'on appelle un **dégradé.**
L'**intensité** se réfère au brillant ou à l'éclat d'une couleur. Une teinte intense semble « claquer » sous les yeux, tandis qu'une couleur éteinte apparaît terne. Ce dernier mot n'exprime nullement un jugement de valeur, il signifie tout simplement « contraire de brillant ».

▼ C'est l'usage parfaitement maîtrisé des couleurs chaudes et froides qui donne à ce tableau son effet de profondeur.
« Eaux calmes, Grèce », par Donald Hamilton Fraser. Huile sur papier, 53 x 38 cm

La roue des couleurs

Un diagramme circulaire permet à la fois de montrer comment les couleurs peuvent se mélanger et de mettre en évidence leurs rapports réciproques.
Les trois couleurs clés du schéma sont les couleurs **primaires** : rouge, jaune, bleu. Elles sont importantes, parce que ce sont des couleurs pures : aucune combinaison d'autres couleurs ne permet de les obtenir. On trouve ensuite sur le diagramme les couleurs **secondaires**, orange, vert, violet, ainsi dénommées parce qu'on les obtient en mélangeant deux couleurs primaires : rouge + jaune = orange, jaune + bleu = vert, rouge + bleu = violet. En mélangeant en quantités égales toute couleur primaire avec une couleur secondaire immédiatement adjacente, on crée un autre groupe : celui des couleurts **tertiaires**. Par exemple, bleu + vert = bleu-vert.
Théoriquement, il est parfaitement possible d'obtenir une infinité de nuances en mélangeant dans des proportions variables les trois couleurs de base. Mais, dans la pratique, l'opération serait beaucoup trop longue.

▼ Cette « roue » montre les couleurs primaires (rouge, jaune, bleu) et secondaires (orange, vert, violet), les secondes s'intercalant entre les premières. Couleurs chaudes et froides se répartissent à égalité sur le cercle : rouge, orange et jaune, d'une part; vert, bleu et violet, d'autre part.

▲ Dans ce détail du tableau présenté au recto, les petites touches de rouge, de bleu et de jaune presque purs sautent immédiatement aux yeux. De même, à gauche, le jaune de la coque du bâteau attire le regard vers le centre de l'œuvre.

◄ Dans cette peinture, tout est mouvement. Les couleurs vibrantes de la moitié supérieure et l'étonnant cramoisi du ciel confèrent une grande énergie à la composition.

« Grand Vent », par Donald Hamilton Fraser. Huile sur papier, 48 x 35 cm

Les paires complémentaires

Dans un tableau, vous voyez rarement les couleurs indépendamment les unes des autres. Certaines ont si proches qu'on peut les regrouper – elles forment des paires complémentaires.

Les couleurs complémentaires sont des paires de couleurs qui sont liées entre elles d'une manière fondamentale. Lorsqu'elles sont l'une à côté de l'autre, elles se rehaussent et s'intensifient mutuellement. Les rouges paraissent plus rouges s'ils sont placés à côté de leur complément, le vert ; et le bleu semble plus vif et plus vibrant à côté de l'orange. L'utilisation de ces paires de couleurs permet d'insuffler beaucoup de vigueur et de vitalité à un tableau.

Le terme « complémentaire » vient de ce qui se produit lorsqu'on additionne les couleurs d'une de ces paires. On obtient alors ce qu'on appelle un complément – ce qui signifie dans ce contexte quelque chose de complet. En théorie, ce mélange produit du noir – en pratique cependant, parce qu'aucune couleur n'est jamais absolument pure, le résultat ressemble plutôt à du gris ou à du marron. Lorsqu'on mélange des paires complémen-

Les opposés s'attirent

Vous pouvez savoir d'un seul coup d'œil quelle est la complémentaire d'une couleur en regardant les six portions élémentaires du cercle chromatique (à gauche). Les complémentaires sont directement placées les unes en face des autres. Ceci vous montre que le rouge est le complémentaire du vert, le jaune celui du violet et le bleu celui de l'orange. Le cercle chromatique est constitué des trois couleurs primaires (le rouge, le jaune et le bleu), et des trois couleurs secondaires intercalées entre elles. Les couleurs primaires sont les plus importantes pour l'artiste. En théorie, on peut produire toutes les autres couleurs à partir d'un mélange de couleurs primaires – les trois couleurs secondaires par exemple. Ces dernières résultent du mélange de deux couleurs primaires : on obtient l'orange avec une quantité égale de rouge et de jaune ; le vert est un mélange de jaune et de bleu ; le violet, enfin, est une combinaison de bleu et de rouge.

▼ **De grands aplats de violet et de jaune complémentaires, et des petites zones de rouge et de vert expliquent la formidable émotion visuelle que produit ce tableau.**
« Vahine no te Vi », de Paul Gauguin, huile sur toile, 70 cm x 45

Voyez-le vous-même : l'effet « after-image »

Vous pouvez tirer parti du fonctionnement de l'œil pour voir les complémentaires des quatre couleurs qui sont présentées ici. Fixez le point situé au centre des carrés colorés ci-dessus pendant environ une minute. Puis regardez le point qui se trouve sur le carré gris ci-dessous. Dans chaque quart de ce carré vous allez voir la couleur complémentaire de celle qui se trouvait au même endroit dans le carré supérieur. Par exemple, au lieu du rouge il y aura du vert puis, en suivant le sens des aiguilles d'une montre, de l'orange, du rouge et du bleu. On appelle ce phénomène un contraste successif – après avoir regardé un moment les couleurs originales, votre œil voit automatiquement leur complémentaire.

taires en différentes proportions, on peut produire une merveilleuse gamme de couleurs neutres qui donnent de la profondeur et de la subtilité au tableau.
En apprenant quelques règles simples qui gouvernent la façon dont les complémentaires réagissent entre elles, vous serez en mesure d'utiliser au mieux la couleur dans votre propre travail – et vous verrez comment les artistes du passé et du présent s'en servent chacun à leur manière.

► **Dans ce tableau, le fait d'avoir peint le chapeau rouge sur un arrière-plan de vert complémentaire attire immédiatement l'attention du spectateur – c'est le point focal de ce tableau.**
« Nature morte au jouet », de Donald Hamilton Fraser RA, huile sur toile, 28 cm x 36 cm

Comment les couleurs primaires et secondaires se complètent

Le double cercle chromatique ci-dessous permet de mieux faire apparaître les relations entre les couleurs primaires, les couleurs secondaires et leurs complémentaires. Les couleurs primaires se trouvent dans le cercle central et les couleurs secondaires dans le cercle extérieur. Remarquez bien que les couleurs complémentaires sont toujours situées les unes en face des autres. Ce double cercle vous montre aussi que la complémentaire d'une couleur primaire est une couleur secondaire qui est composée des deux autres couleurs primaires. Par exemple, la complémentaire du rouge (qui est une couleur primaire) est le vert (qui est une couleur secondaire obtenue à partir du mélange des deux autres couleurs primaires : le jaune et le bleu).

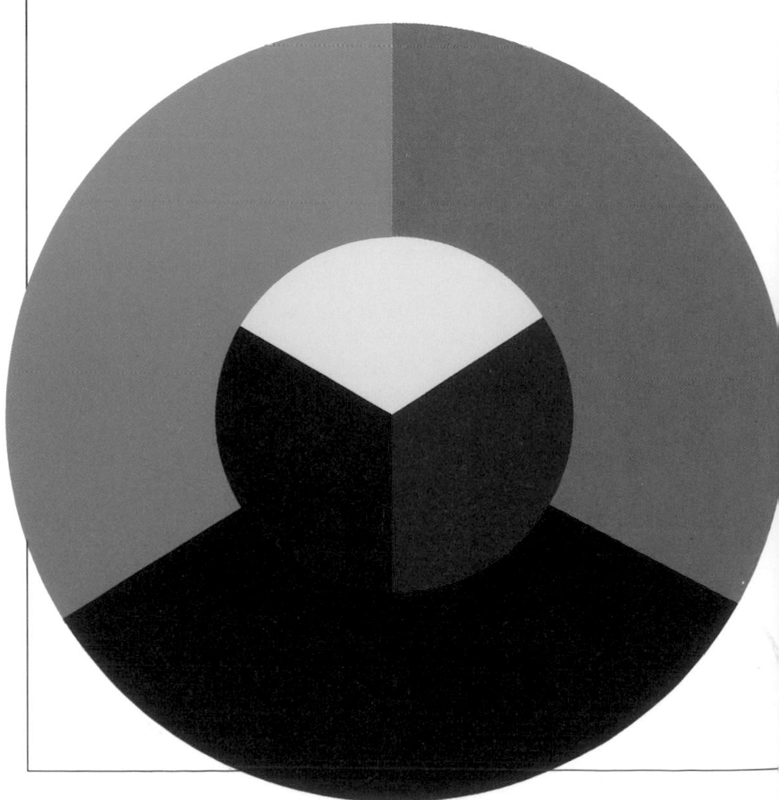

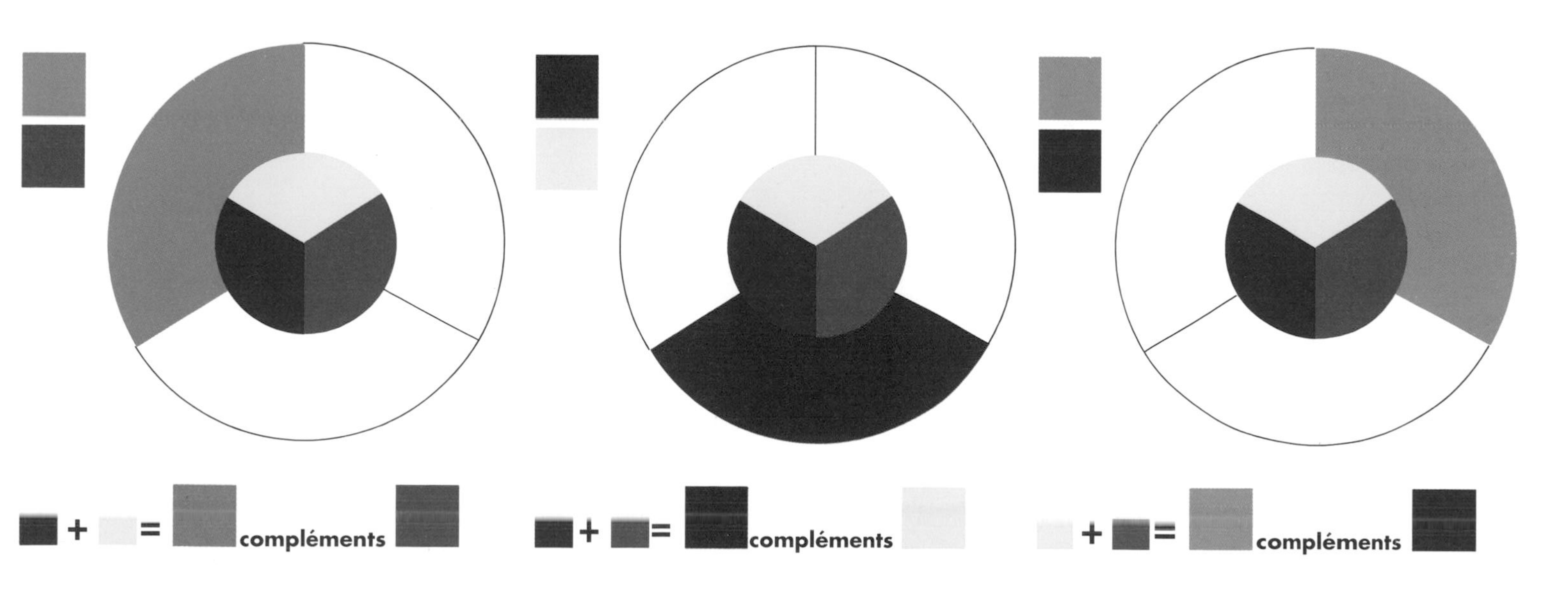
+ =
compléments
+ =
compléments
+ =
compléments

Mettez une ombre verte sur une pomme rouge.

Mettre la théorie en pratique

On considère trop souvent que les ombres sont un aspect négligeable d'un tableau, et qu'il suffit pour les représenter d'utiliser le même type de gris dans tout le tableau. Il n'est donc pas étonnant qu'elles puissent paraître plates et ternes. Quelques règles simples permettent de créer des ombres vivantes. Il faut peindre ces ombres en utilisant la couleur complémentaire de l'objet. Ainsi, peignez en bleu l'ombre d'une orange ; en vert celle d'une pomme rouge ; et en violet celle d'une banane.

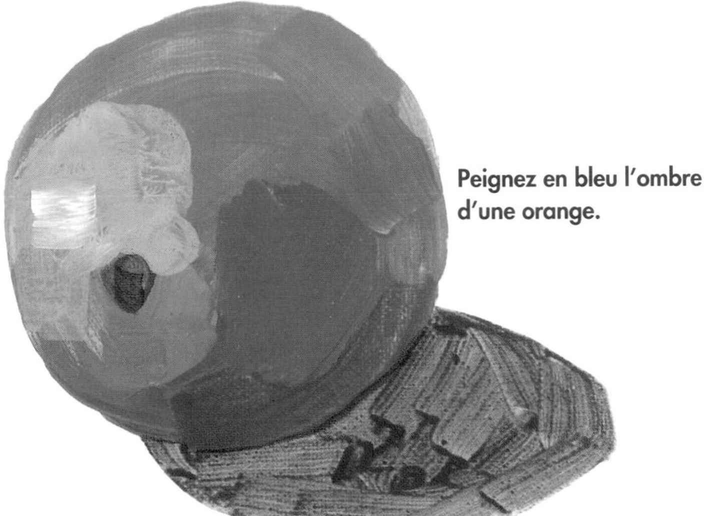

Peignez en bleu l'ombre d'une orange.

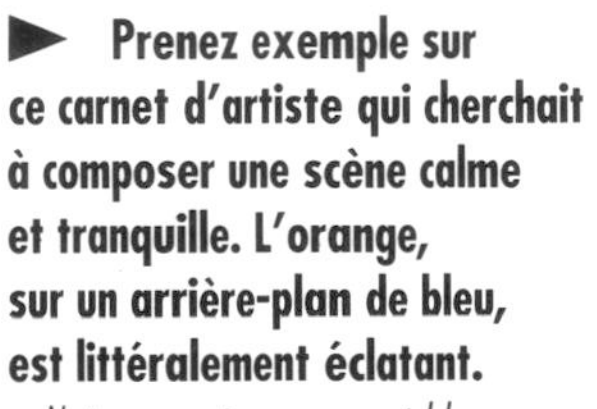

Utilisez le violet pour l'ombre d'une banane.

► Prenez exemple sur ce carnet d'artiste qui cherchait à composer une scène calme et tranquille. L'orange, sur un arrière-plan de bleu, est littéralement éclatant.
« Nature morte orange et bleue », de Caroline Mills, aquarelle, 76 cm x 56 cm

Jouer avec les couleurs complémentaires

Les couleurs complémentaires sont étroitement liées. Cependant, l'influence qu'elles exercent l'une sur l'autre n'est pas toujours évidente. Placées l'une à côté de l'autre, elles s'intensifient mutuellement, mais, mélangées, elles produisent des effets atténués et subtils.

▼ Tout ce tableau exploite des relations complémentaires très vives, particulièrement dans le peignoir du personnage de gauche. Remarquez aussi comment le rouge est mis en valeur par le vert.
« Autoportrait avec modèle », par Ernst Ludwig Kirchner, 1913, huile sur toile, Kunsthalle, Hamburg

Par exemple, dans ce tableau, le peintre expressionniste allemand Ernst Ludwig Kirchner a choisi de placer les couleurs de cette paire complémentaire l'une près de l'autre, il a utilisé le contraste de couleurs maximum et l'effet du bleu et de l'orange attire vraiment l'œil. L'efficacité de ce contraste repose sur un processus appelé « contraste simultané », qui s'explique par la manière dont fonctionne l'œil humain. Lorsque vous regardez une couleur, votre œil voit en fait aussi sa complémentaire comme une « ombre » près d'elle. Par conséquent, lorsque vous regardez du bleu, vous voyez aussi de l'orange. Lorsque cette couleur complémentaire est effectivement présente sur la toile (comme dans le tableau de Kirchner), les deux couleurs paraissent plus brillantes et plus intenses : vous voyez en fait deux couches – la peinture elle-même et, au-dessus d'elle, l'ombre de sa complémentaire.

Voir deux bleus ?

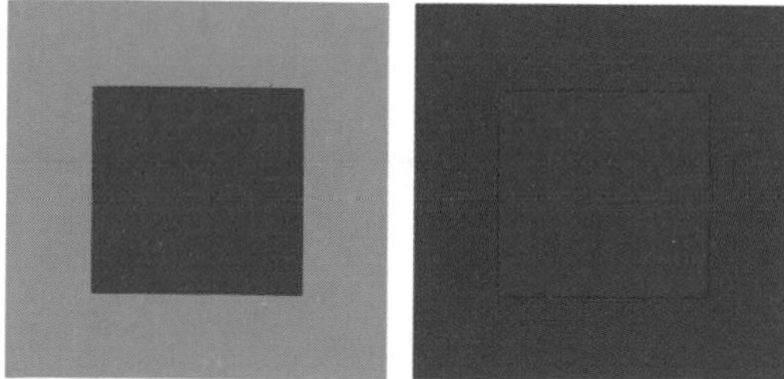

Regardez attentivement le centre de ces deux carrés bleus – sont-ils ou non de la même couleur ? Ils sont en fait identiques, mais celui de gauche semble plus bleu parce qu'il est entouré par de l'orange, qui est complémentaire du bleu. Lorsque vous regardez le carré bleu de gauche, vous appréhendez aussi l'orange. Vu de la façon dont votre œil fonctionne, vous voyez aussi une « ombre » du bleu complémentaire autour de l'orange, ce qui a pour effet d'intensifier le bleu. Ce phénomène ne se produit pas dans le deuxième carré, le violet et le bleu n'étant pas des couleurs complémentaires.

Donner de la vigueur

Vous pouvez utiliser pleinement le contraste simultané pour donner de la vigueur à votre tableau. Ajouter des touches de rouge dans les zones de feuillage vert ou d'herbe les fait paraître plus vivantes. Si vous placez une paire de couleurs complémentaires à un endroit stratégique du tableau, vous pouvez attirer l'œil sur un point focal.

Une étonnante gamme de gris

Le contraste simultané n'est pas la seule influence que des paires de complémentaires peuvent exercer l'une sur l'autre. Lorsque vous les mélangez, elles produisent un effet tout à fait différent – elles se neutralisent, et donnent naissance à toute une gamme de gris. Mais ce ne sont pas des gris ordinaires – atténués et subtils, ils sont plus intéressants et plus utiles que les gris acier obtenus à partir du noir et du blanc.
Examinez par exemple les complémentaires rouge et vert. En les mélangeant en diverses proportions, on obtient du rouge sale et du vert tirant sur le gris, des couleurs terreuses qui ressemblent à la terre de Sienne et à l'ocre. Si l'on ajoute du blanc à chacun de ces mélanges, on crée une série de très beaux gris, délicatement colorés. Ces gris neutres sont extrêmement efficaces et très agréables à utiliser, et mettent magnifiquement en valeur les couleurs plus brillantes et plus éclatantes. Ils sont doués d'harmonie et ne sont jamais criards.

Mettre de nouveau la théorie en pratique

On peut tirer de tout ce qui précède une règle simple : quand une couleur est trop dominante dans votre tableau, vous pouvez l'affaiblir en ajoutant un peu de sa complémentaire. Vous pouvez ainsi affaiblir un rouge avec du vert. En outre, vous pouvez tout autant tirer parti des influences qu'exercent l'une sur l'autre les couleurs complémentaires, en utilisant les couleurs atténuées et terriennes.

▲ Ce tableau est une véritable symphonie de contrastes complémentaires. Des taches de brun-rouge dans l'herbe (dont vous pouvez voir un agrandissement à droite) la font paraître plus verte et plus animée. Le bleu frais du ciel et l'ocre chaud de l'herbe se reflètent sur la robe de la femme.
« Femme au parasol tournée vers la gauche », par Claude Monet, 1886, huile sur toile, musée d'Orsay, Paris

Des gris étonnants !

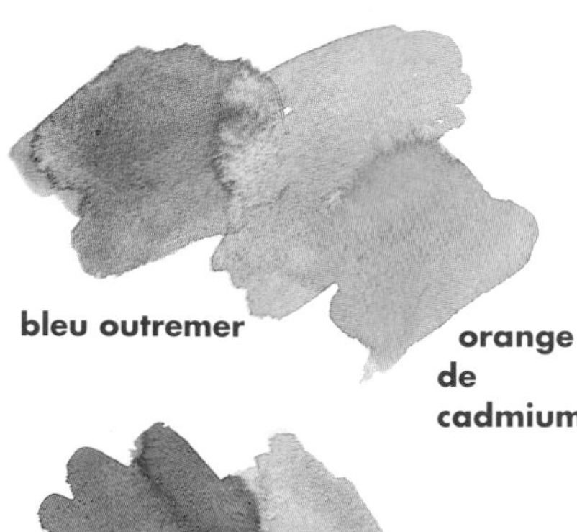

bleu outremer

orange de cadmium

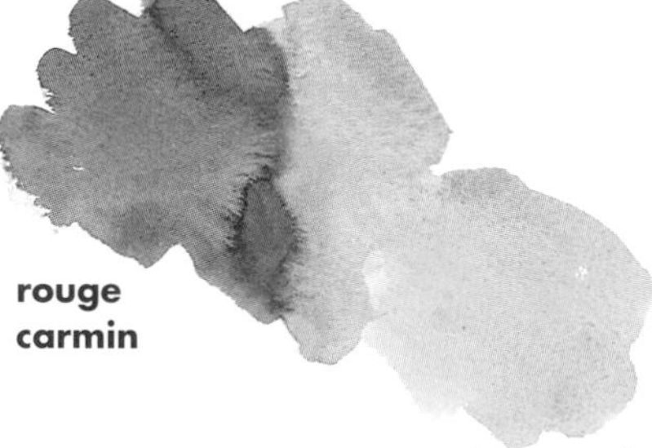

rouge carmin

vert émeraude

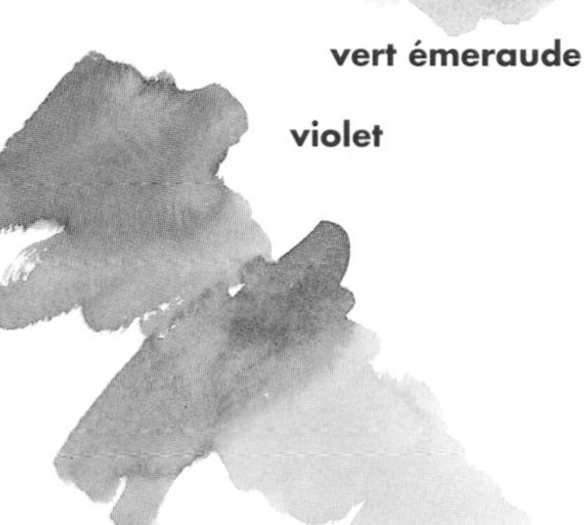

violet

jaune de cadmium foncé

noir

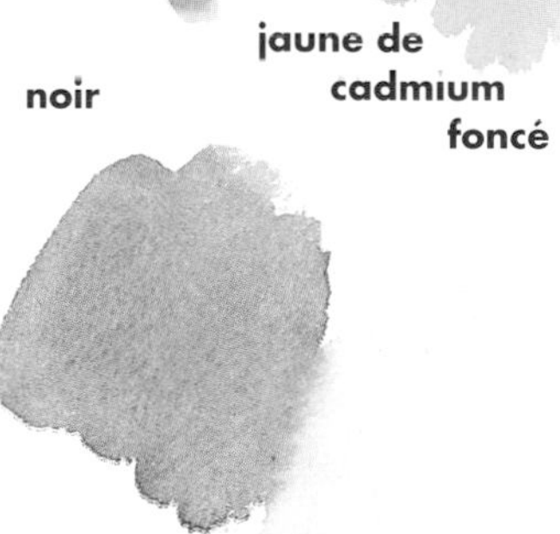

blanc de Chine

gris de Payne

En mélangeant des paires complémentaires, on produit des gris neutres, plus subtils que les versions tirant sur l'acier qu'on obtient en mélangeant du noir et du blanc, ou que ceux que vous trouvez en pot ou en tube.

▼ **Aucune boîte de peinture ne vous donne la palette de couleurs neutres et nacrées qu'on voit sur cette image – on les obtient par mélange. Certaines des plus belles couleurs neutres sont en outre composées à partir de paires complémentaires.**
« Les Tulipes », par Fred Cuming, 1993, Brian Sinfielf Gallery, Burford, Glos, 90 cm x 65 cm

Essayez, par exemple, d'associer un ocre rouge à un bleu céruléen ou un vert-jaune terreux à un gris-mauve. Si vous revenez au tableau de Kirchner, vous pourrez constater cet effet dans le coin supérieur droit.

Le mélange optique des couleurs

Au XIXe siècle, les pointillistes ont exploité les influences entre les complémentaires à des fins tout à fait différentes. Ils voulaient créer une couleur qui soit capable de saisir l'éclat de la lumière. Pour cela, ils étalaient des taches de deux couleurs (souvent complémentaires) ou plus en laissant entre elles des espaces réguliers minimum. Lorsque ces taches sont vues à distance, l'œil les mélange automatiquement, ce qui produit une nouvelle couleur, beaucoup plus brillante que la couleur équivalente obtenue en mélangeant les pigments. Vous pouvez essayer vous-même ce mélange optique des couleurs.

Le saviez-vous ?

Interpréter les bleus

Le bleu est censé évoquer un sentiment aérien de sérénité (regardez la femme en robe bleue ci-contre). Dans certaines circonstances, cette couleur peut également exprimer la tristesse et même le désespoir.

Les points de couleur créent une image qui semble scintiller sur le papier. Ici, pas de tons vraiment foncés. Les formes sont rendues par le jeu de couleurs chaudes et froides : bleus et mauves pour les zones d'ombre ; jaunes et orange là où les formes accrochent la lumière. Sur le chapeau, des points bleus et orange, d'une part, jaunes et violets, d'autre part, ajoutent encore à la qualité de la lumière.

« Le Chapeau de paille », par Théo Van Rysselberghe, huile sur toile, 63 cm x 80 cm

Les couleurs tertiaires

Nous avons vu jusqu'ici une roue de six couleurs, composée de couleurs primaires et secondaires. Nous allons maintenant introduire un troisième groupe – les couleurs tertiaires.

Pour créer une couleur tertiaire, il suffit de mélanger à parts égales une couleur primaire et une des couleurs secondaires adjacentes sur la roue de six couleurs. Si vous combinez le rouge avec son voisin de droite – l'orange – vous obtenez du rouge orangé ; si vous combinez du rouge avec son voisin de gauche – le violet – vous obtenez un rouge violacé. En faisant varier les proportions de couleurs primaire et secondaire, vous pouvez créer tout un éventail de couleurs « intermédiaires » – par exemple, un rouge orangé qui soit plus rouge qu'orange ou un rouge violacé qui soit plus violet que rouge (dans ce cas, vous l'appellerez probablement violet rougeâtre).

Une fois que vous avez mélangé chacune des primaires avec les secondaires voisines, vous obtenez une roue de douze couleurs, avec une tertiaire entre chaque primaire et secondaire. On peut dire de toutes ces couleurs – y compris les tertiaires – qu'elles sont « pures » parce qu'elles résultent du mélange de deux couleurs primaires.

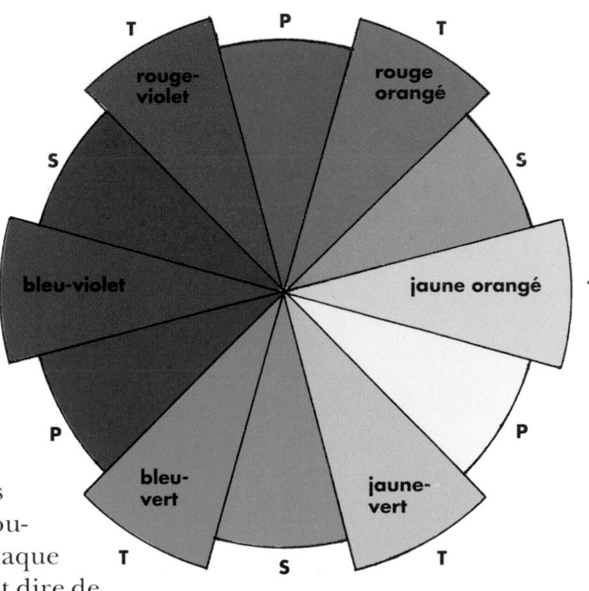

P = primaire ; S = secondaire ; T = tertiaire

▲ La roue de douze couleurs : trois primaires, trois secondaires et six tertiaires est la plus utile pour apprendre à connaître les couleurs car, pour la plupart d'entre nous, nous les visualisons précisément toutes les douze.

▼ La palette des couleurs tertiaires crée ici un effet coloré mais subtil – les verts bleuâtres, bleus verdâtres et les bruns roux et oranges brûlés des monnaies-du-pape.
« Nature morte aux pots et aux monnaies-du-pape », par Sarah Spackman, 45 cm x 50 cm, huile sur toile.

Donnez-leur un nom

Essayez de donner un nom aux échantillons de couleurs ci-dessous. Pour certaines, c'est facile, pour d'autres moins. Parmi elles, quelles sont les couleurs tertiaires ?

Les couleurs primaires sont les couleurs les plus stables visuellement, mais les gradations intermédiaires le sont moins. La raison en est que les couleurs secondaires et tertiaires sont faites de deux couleurs primaires, mais que le mélange tend vers une seule des deux. A de nombreux égards, ces nuances intermédiaires sont toutefois plus subtiles, plus expressives et plus dynamiques que les couleurs primaires. C'est pourquoi les artistes travaillent si souvent avec elles, gardant les couleurs primaires pour des usages spécifiques. Examinons successivement les couleurs tertiaires, deux par deux.

Les bleus-verts et les jaunes-verts

Cette famille de couleurs possède plusieurs caractéristiques intéressantes. Premièrement, il y en a beaucoup. Deuxièmement, savoir où situer la frontière entre le bleu et le vert fait l'objet d'un grand débat. C'est le principal sujet de dissension en matière de couleur ; et même des personnes qui estiment avoir une perception précise des couleurs ne s'accordent pas quand il s'agit de décider si une couleur est plus proche du bleu ou du vert. On peut en conclure que la couleur est inconstante et que le contexte influe toujours sur la manière dont elle est perçue. Vous pourriez être prêt à jurer qu'une couleur est turquoise et pourtant devoir changer d'avis en voyant un turquoise entièrement différent.

La pierre semi-précieuse appelée turquoise donne son nom à une version particulièrement intense des bleus verdâtres. L'aigue-marine et l'émeraude donnent aussi leur nom à des couleurs de cette gamme. Il y a ensuite les bleus-verts irisés de la queue du paon, les plumes de cou du colvert et le bleu tendre des œufs de cane. En dérivent des couleurs comme le céladon (un vert grisé qui vient des émaux utilisés dans la poterie chinoise), eau de Nil (qui tire son nom du fleuve Nil) et pistache.

Du côté des jaunes-verts, nous avons les verts vifs acides que sont le vert lime et le vert pomme et les couleurs éclatantes des feuilles de hêtre et de l'herbe tendre au printemps.

Les jaunes orangés et les rouges orangés

Cette gamme nous donne quelques délicieuses couleurs de fruits – pêches, abricots, mandarines. Elle comprend aussi les couleurs de terres chaudes comme la terre cuite ou le rouge brique. Encore une fois, elles sont difficiles à identifier prises isolément – une couleur qui paraît rosée dans un contexte peut paraître jaune sur un fond rougeâtre.

Les rouges violacés et les bleus violacés

Ce sont des couleurs de fruits et de fleurs – prune, raisin, mirabelle, lilas, bruyère, lavande. Il y a aussi des couleurs de terre comme le puce.

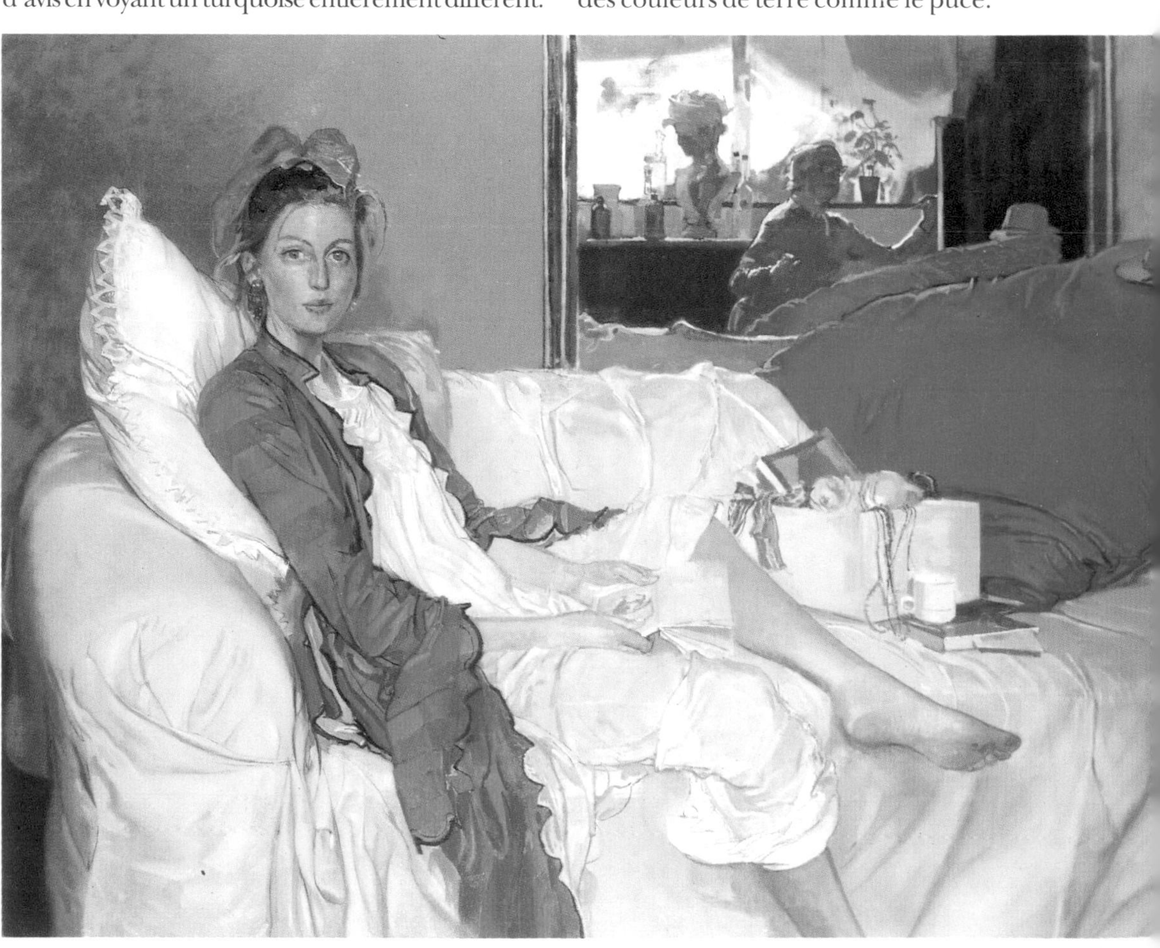

▶ Les bleus-verts tertiaires et les turquoises vibrent, mis en valeur par les tons neutres du lit blanc et les couleurs assourdies des murs. Des touches de brun roux et d'orange font un contraste chaud.
« Fiona à la robe turque », par John Ward CBE, RA, huile sur toile, 90 cm x 125 cm.

Couleurs chaudes et couleurs froides

Dans la gamme des couleurs, on distingue les couleurs chaudes, les couleurs froides et les couleurs rompues. Cela peut paraître arbitraire, cependant certaines règles définissent ce classement.

Ce premier chapitre consacré à la couleur a pour but de vous familiariser avec la roue des six couleurs partagée en deux. Une moitié contient les couleurs chaudes – rouge, jaune et orange – l'autre contient les couleurs froides – bleu, violet et vert. Pour nous, ces deux séries de couleurs sont associées à la nature : le rouge, le jaune et l'orange évoquent le soleil et le feu, alors que le bleu et le vert nous font penser à la neige, à la glace, à la mer, au ciel et au clair de lune. Mais la théorie des couleurs est un peu plus complexe !

Couleurs « froides » chaudes et couleurs « chaudes » froides.

Si l'on prend l'exemple du rouge, on voit, sur la roue ci-contre, un rouge chaud et un rouge froid. Le rouge chaud est le rouge de cadmium, qui tire sur l'orange chaud. Par comparaison, le carmin de garance est froid parce qu'il s'approche du violet (froid/rompu) sur la roue des couleurs.

Il en est de même avec le jaune. Le jaune de cadmium clair est chaud – il vire à l'orange chaud. Le jaune citron, lui, est froid – il est voisin du vert froid sur la roue.

Les couleurs secondaires, elles aussi, sont chaudes ou froides. Le vert est froid parce qu'il résulte d'un mélange de jaune froid et de bleu froid. Quant à l'orange, il est chaud (mélange de rouge chaud et de jaune chaud).

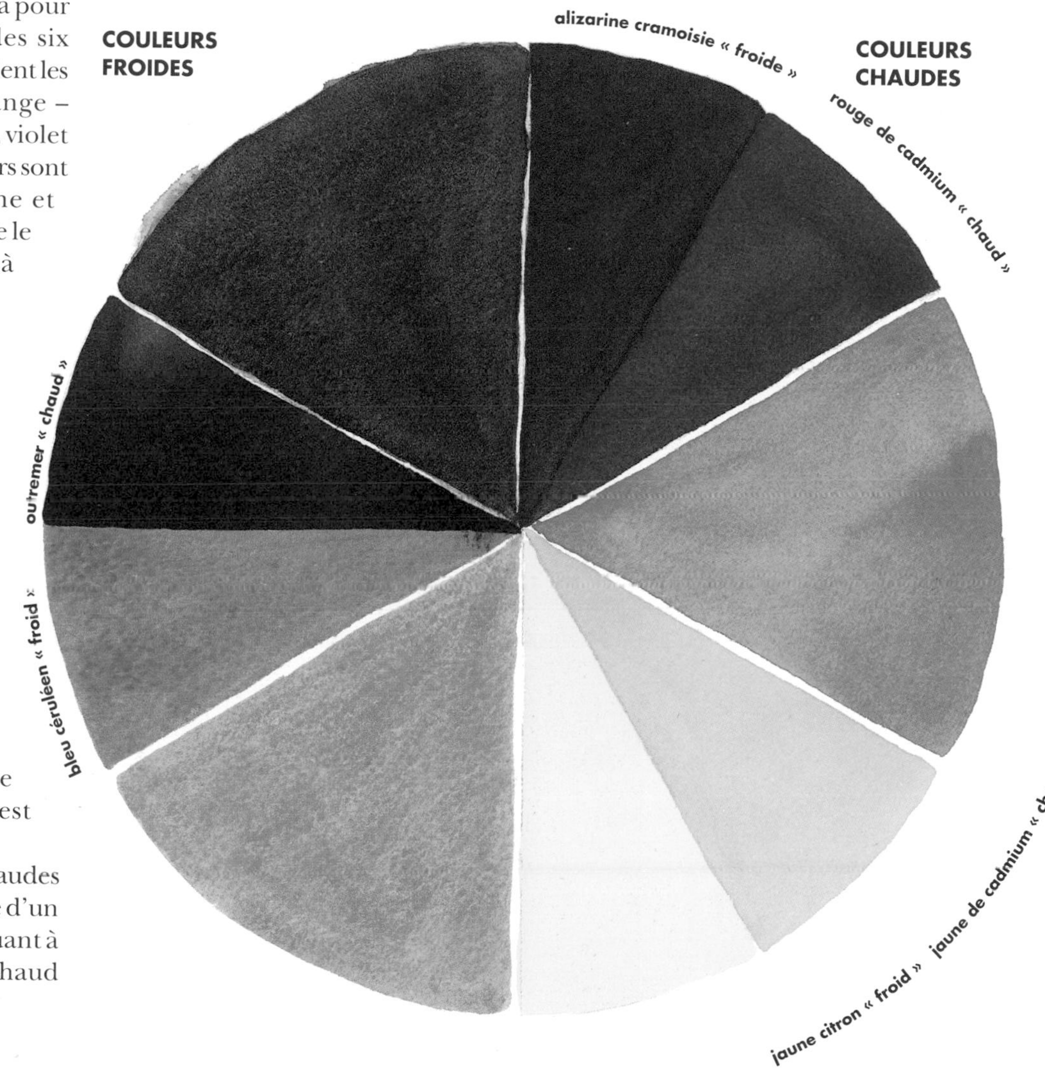

Influence du voisinage des couleurs

Une couleur apparaît comme chaude ou froide en fonction de la couleur qui la côtoie. C'est particulièrement vrai pour le violet, qui est un mélange de bleu froid et de rouge chaud. A côté d'une couleur chaude comme le rouge, il paraît froid, mais à côté d'une couleur froide comme le bleu, il semble chaud. De même si l'on voit, dans un tableau à dominante bleue et verte (couleurs froides), une tache de carmin de garance, elle nous semblera « brûlante » !

Utilisation de ces gammes de couleurs

Loin d'être fantaisiste, la théorie des couleurs chaudes et des couleurs froides constitue un outil de travail indispensable pour l'artiste. On peut dire que les couleurs chaudes avancent (elles viennent à notre rencontre) et que les couleurs froides reculent (elles semblent s'enfoncer dans la profondeur du tableau). En se basant sur ces affirmations, on peut construire des volumes.

Le saviez-vous ?

Les effets physiques

La « température » des couleurs n'est pas une simple vue de l'esprit : selon des expériences sérieuses, les gens augmentent la température d'une pièce peinte en bleue de 4° C, par rapport à une pièce peinte en rouge.

Voyez vous-même

Vérifiez que les couleurs chaudes avancent alors que les couleurs froides reculent, en regardant les deux carrés ci-dessous. Le rouge semble « venir » vers vous, tandis que le bleu semble « s'éloigner ».

Nous savons tous qu'une pièce peinte en rouge est chaude et douillette. Avec des murs bleu clair, la même pièce sera transformée en espace froid et impersonnel.

► La rondeur de ces oranges est bien restituée par l'utilisation judicieuse des couleurs chaudes et froides. On repère facilement les zones qui avancent – orange et rouge – et celles qui reculent – bleu et vert.

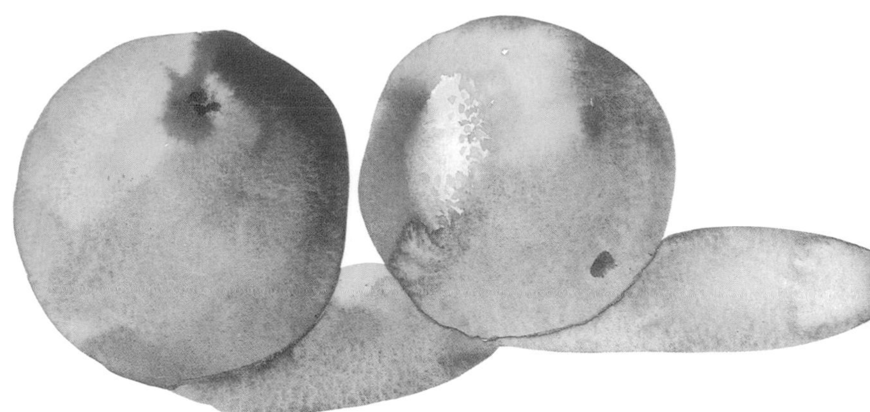

◄ Clignez des yeux pour percevoir encore mieux le volume créé par les couleurs chaudes et froides de ce collage. Notez comment le bleu-vert restitue les tonalités froides des rides autour de la queue (au sommet du fruit de gauche).

► La palette limitée de couleurs chaudes et froides restitue les volumes du corps de cette jeune femme ainsi que la luminosité de sa peau. Notez la chaleur des tons jaune pâle de l'épaule droite (et de la fesse droite) et la ligne beige rosé qui marque les points de contact entre le corps et le matelas et entre le bras et le torse. Le creux des reins est marqué par une nuance bleu lilas. Au premier plan, les plis d'une étoffe dorée font remonter cette zone dans le plan du tableau.

« Nu allongé », par Victor Pasmore, huile sur toile, 305 mm x 406 mm, 1942.

Osez les mélanges de couleurs !

Maintenant, vous en savez assez sur la théorie des couleurs. Passons aux choses sérieuses, c'est-à-dire aux joies de créer vos propres couleurs sur la base d'une palette de six teintes.

Dans de nombreuses occasions, on finit par en arriver à un stade où la lecture doit laisser place à la pratique. C'est particulièrement le cas en ce qui concerne la théorie des couleurs. Aussi, lorsque vous aurez achevé ce chapitre, armez-vous de papier et de peinture, et faites par vous-même vos essais de mélanges !

Ce qui est vrai en théorie ne l'est pas toujours en pratique

La théorie des couleurs vous a appris que, à partir du mélange des trois couleurs primaires, il vous est possible de créer toutes les autres couleurs ! «Alors, pourquoi ne pourrais-je pas me contenter de tubes de rouge, de jaune et de bleu plus du noir et du blanc pour avoir sous la main toutes les couleurs ? »

La réponse est très simple et consiste à comprendre qu'il n'existe pas quelque chose comme un pigment primaire « pur ». On peut trouver jusqu'à seize tubes de bleu qui se rapprochent de la couleur primaire, et ils ont tous quelque chose en commun : une tendance à tirer sur la couleur la plus proche. Prenons le cas des rouges : le tube de rouge de cadmium a tendance à tirer vers l'orange, alors qu'un autre, le carmin d'alizarine, par exemple, tire sur le violet. Tout ceci s'éclaire lorsque nous en venons au mélange des trois couleurs secondaires : le violet, l'orange et le vert.

Découvrez la couleur rouge...
Le rouge possède de nombreuses connotations dans nos cultures occidentales. Il est associé aux émotions passionnées, comme l'amour, la haine et la joie. Il va également de pair avec les célébrations : à Noël, nous décorons les maisons et les sapins d'ornements rouges. Considéré comme une couleur symbolisant l'énergie, le rouge évoque les idées de férocité, de force et de créativité (quand on dit de quelqu'un qu'il « a du sang bien rouge dans les veines », on entend par là que cette personne est virile et vigoureuse). A Noël, le rouge symbolise le sang du Christ et est associé à son martyre. En revanche, en Chine, le rouge évoque le mariage.

◄ Dans ce paysage abstrait, la plupart des couleurs sont utilisées en pigments purs, directement issues du tube. Mais l'artiste a aussi réalisé des mélanges, aussi bien sur la palette que sur sur la toile. Il s'est servi d'un bleu outremer, du rouge du spectre, d'un orange de cadmium et d'un vert japonais, vert particulièrement transparent et puissant obtenu par mélanges.

«Paysage», de John Barnicoat, 76 x 76 cm. Huile sur toile, 1993.

Mélanger couleurs secondaires pures et couleurs secondaires dérivées

Vous avez observé, grâce aux six segments de couleur de la roue, qu'il faut mélanger les trois primaires pour obtenir les trois secondaires. Passons maintenant à la pratique.
En réalité, il vous faut deux versions de chaque couleur primaire, l'une qui tire sur la couleur secondaire d'un côté, et l'autre qui tire sur la secondaire de l'autre côté. Pour le rouge, par exemple, il faut un rouge qui tire sur l'orange pour pouvoir obtenir de l'orange, et un autre qui tire sur le violet pour pouvoir faire du violet. Si vous ne disposiez que d'un rouge, vous n'auriez obtenu qu'une seule couleur primaire juste, et l'autre aurait été faussée. Il en va de même des deux autres couleurs primaires :
il vous faut un bleu-violet et un bleu-vert, un jaune-orange et un jaune-vert.
Les secondaires pures : pour obtenir des couleurs secondaires pures, il vous faut deux couleurs primaires qui tirent sur la couleur secondaire qui se trouve placée entre elles deux.

Secondaires pures et secondaires dérivées

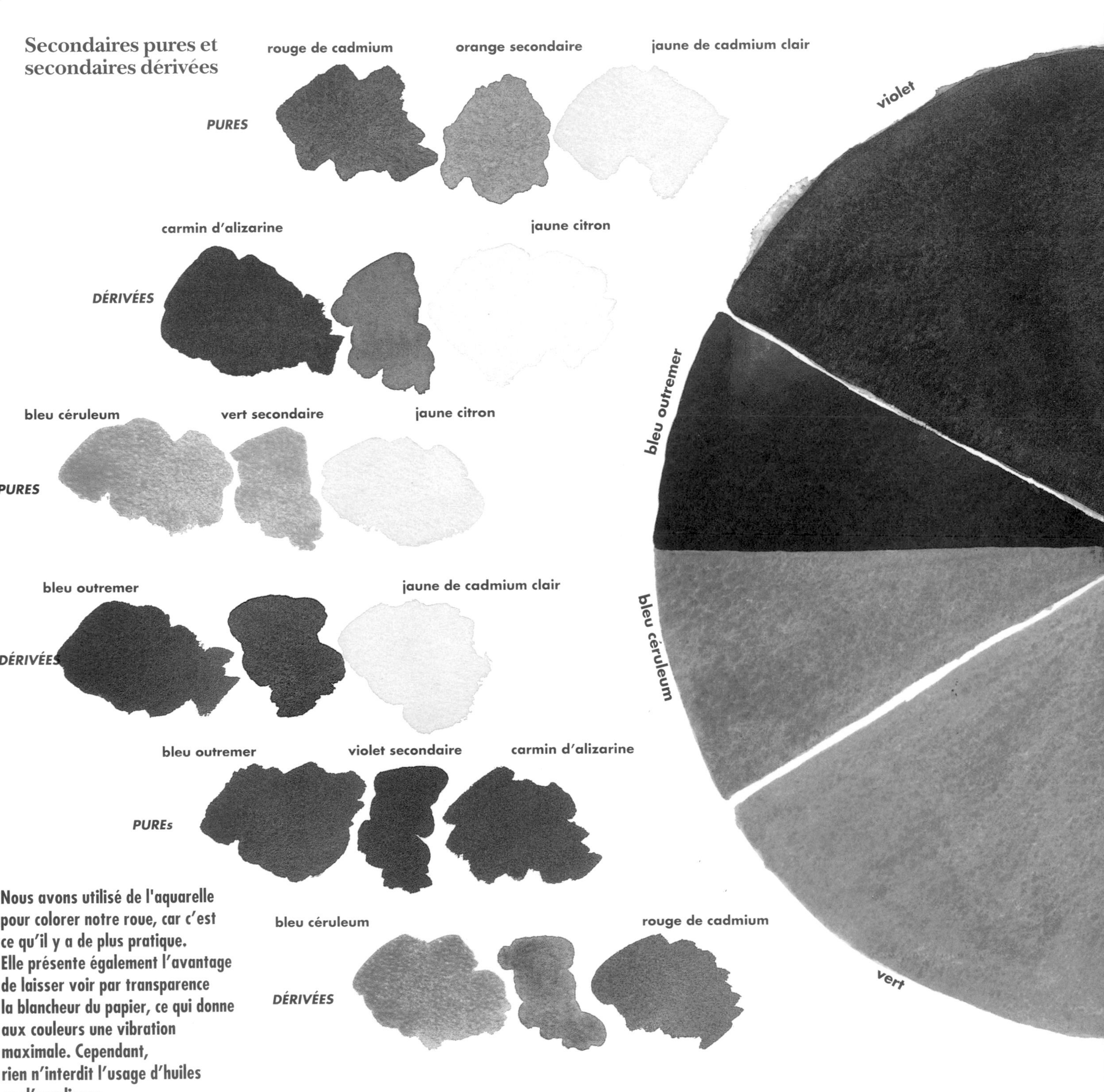

Nous avons utilisé de l'aquarelle pour colorer notre roue, car c'est ce qu'il y a de plus pratique. Elle présente également l'avantage de laisser voir par transparence la blancheur du papier, ce qui donne aux couleurs une vibration maximale. Cependant, rien n'interdit l'usage d'huiles ou d'acryliques.

Ainsi, un rouge orangé (rouge de cadmium) et un jaune orangé (jaune de cadmium clair) vous donneront un orange puissant, proche de la couleur secondaire pure.

Les secondaires dérivées :
si vous mélangez un rouge et un jaune qui sont plus éloignés sur la roue, cela n'a plus rien à voir. Un rouge-violet (carmin d'alizarine) et un jaune-vert (jaune citron) vous donneront une espèce d'orange brûlé. C'est parce que le carmin d'alizarine et le jaune citron ont presque un rapport de complémentarité.
Or vous avez déjà vu que les couleurs complémentaires se neutralisent l'une l'autre.
Les couleurs secondaires comme l'orange brûlé sont qualifiées de dérivées, de neutres ou de sales.
Ne vous laissez pas influencer par ces termes : ces couleurs sont charmantes et fort utiles, elles ne peuvent simplement pas bénéficier du nom de secondaires pures.

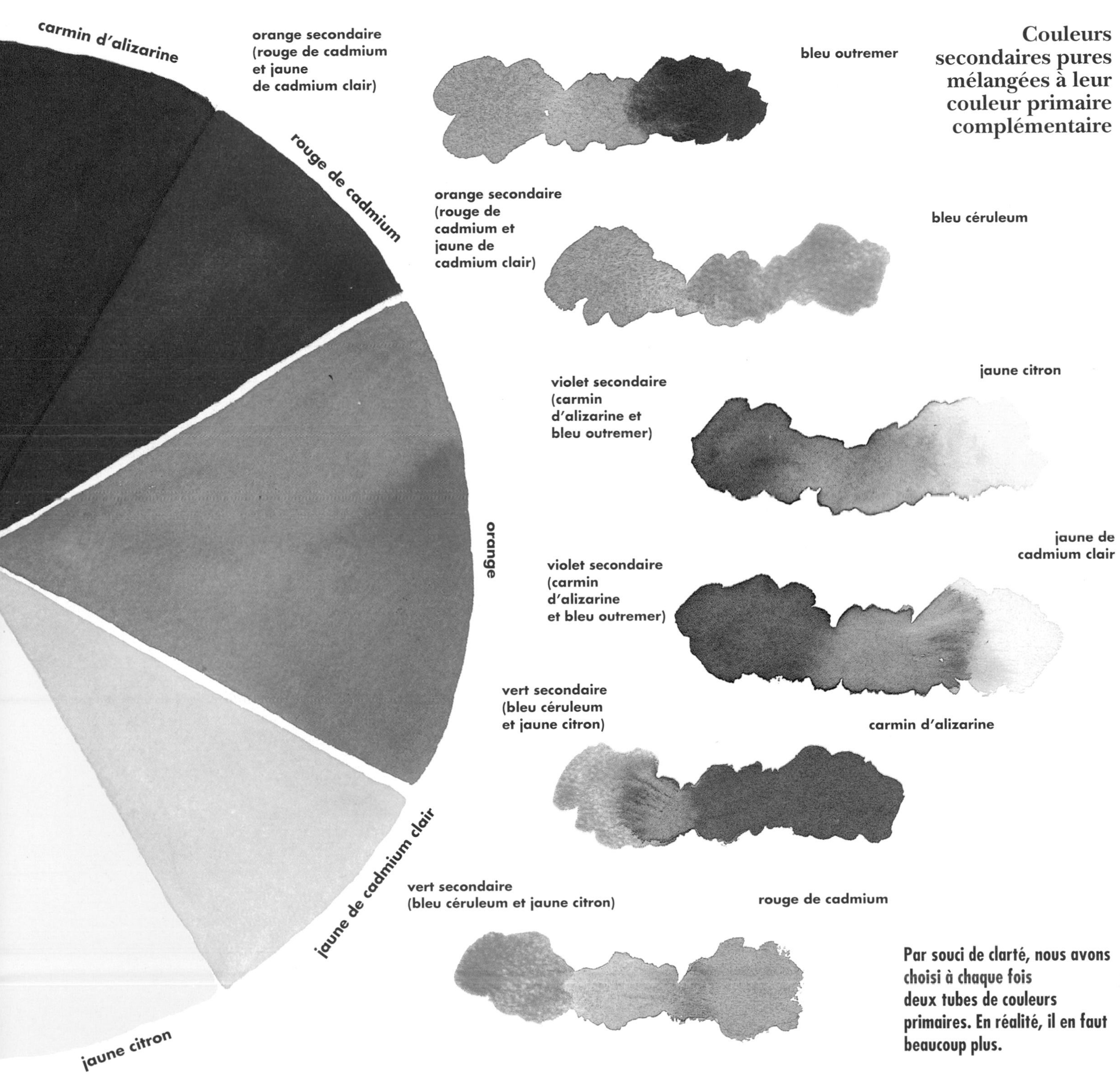

Couleurs secondaires pures mélangées à leur couleur primaire complémentaire

Par souci de clarté, nous avons choisi à chaque fois deux tubes de couleurs primaires. En réalité, il en faut beaucoup plus.

À vous de jouer

Si cela a l'air un peu compliqué, ne vous inquiétez pas : vous comprendrez beaucoup mieux lorsque vous aurez exécuté le tableau par vous-même. Et en travaillant, vous allez acquérir une réelle familiarité avec le fonctionnement des mélanges. Vous disposez également d'une palette extrêmement utile de six couleurs : rouge de cadmium, carmin d'alizarine, bleu outremer, bleu céruleum, jaune citron et jaune de cadmium clair. Avant de commencer, équipez-vous de tout ce dont vous allez avoir besoin.

Rappelez-vous que vous allez consommer beaucoup d'eau et de papier absorbant, car il est impératif d'être très soigneux. Nettoyez toujours votre pinceau avant de le plonger dans la peinture ou dans l'aquarelle, et gardez à part un bocal d'eau pour mélanger les jus des lavis. Commencez par faire des essais de mélanges pour obtenir les secondaires pures à partir des couples de couleurs primaires recommandées. Vous finirez par obtenir une couleur qui n'est pas une secondaire pure, mais qui donnera un vert dérivé quand même intéressant. Vous avez déjà vu comment on pouvait obtenir des gris neutres à partir d'un mélange de deux des couleurs complémentaires. Les aplats de couleurs utilisés sont tous formés de couleurs disponibles dans le commerce. Reproduisez par vous-même l'exemple, mais au lieu d'avoir recours à des tubes ou des pots de couleurs pour les couleurs secondaires, utilisez les secondaires pures que vous venez d'obtenir par mélange.

▼ Une palette riche mais subtile de couleurs dérivées dans des tons chauds et froids sert de fond pour mettre en valeur le rouge pur de l'ombrelle. Certains gris perle sont issus de mélanges, alors que d'autres ont été obtenus par superpositions.

« L'ombrelle rouge », de Ken Howard. Huile sur toile, 40 x 48 cm.

Le mélange optique des couleurs

Au XIXe siècle, les impressionnistes rompirent définitivement avec la tradition. Cette école de peinture se distingua surtout par sa façon – révolutionnaire – d'utiliser les couleurs.

Jusqu'à l'arrivée des impressionnistes, les peintres mélangeaient leurs couleurs à la manière habituelle, c'est-à-dire sur leur palette. Puis, ce fut la révolution. Cette révolution, nous la devons à un Français, Michel-Eugène Chevreul, qui publia, en 1839, une théorie des couleurs. Il formula notamment le principe du mélange optique des couleurs, suivant l'idée que l'œil humain était capable de combiner les couleurs entre elles.

Les impressionnistes s'empressèrent de mettre cette théorie en pratique. Ils se mirent à représenter des effets de lumière tout à fait uniques. Le mélange optique des couleurs leur permettait de capturer des qualités de lumière impossibles à obtenir par le mélange physique des couleurs sur la palette, qui, à force, finissait par produire une teinte d'un brun noirâtre.

Sur la toile, les impressionnistes juxtaposaient de petites touches de couleurs pures. Vues de loin, ces touches de couleurs « cassées » se combinaient entre elles. Il suffisait ainsi de juxtaposer des touches rouges et jaunes pour produire l'illusion du orange, ce procédé donnant une extraordinaire luminosité à l'ensemble.

▲ Directeur de la teinture à la manufacture des Gobelins, Chevreul se posa la question suivante : comment donner le maximum de luminosité aux couleurs sans la moindre déperdition ? Il découvrit qu'en juxtaposant les couleurs, celles-ci s'influençaient mutuellement. Ce phénomène est connu sous le nom de contraste simultané.

► Le mélange optique des couleurs apparaît sous une forme quelque peu outrée dans l'œuvre du pointilliste Georges Seurat. Dans ses peintures tardives – comme celle reproduite ci-contre –, il appliquait de minuscules points de couleur, ceux-ci devant se combiner dans l'œil de l'observateur. De près, la peinture n'est qu'une mosaïque de points. Il est par exemple très difficile de replacer le détail grandeur nature reproduit ci-dessus dans l'ensemble de la toile.

« Le Port et les quais à Port-en-Bessin », Georges Seurat, 1888, huile sur toile, 67 cm x 84,5 cm.

► **Au début du siècle, les Fauves explorèrent avec passion les potentialités du mélange optique des couleurs. Les premières peintures de Vlaminck combinent de petites touches de couleurs primaires et secondaires d'une grande intensité, parmi lesquelles la toile brute affleure par endroits. Ici, les coups de pinceau suivent les formes : traits et points pour les feuilles mortes, grands coups de pinceau pour le tronc des arbres, coups de pinceau gracieux pour les branches.**
« Paysage au bois mort », Maurice de Vlaminck, huile sur toile, 1906, 65 cm x 81 cm, @ ADAGP, Paris et DACS, Londres 1994.

Le saviez-vous ?

Dérision...
C'est un critique d'art, qui, par dérision, taxa les peintres comme Renoir, Monet et Degas d'« impressionnistes ». C'est un tableau de Monet, Impression, soleil levant, *qui lui inspira ce qualificatif ! Il serait surpris d'apprendre qu'en mai 1993 un paysage marin de Monet a atteint 8,8 millions de dollars, et que dans les années 80 un Renoir s'est vendu la bagatelle de 78,1 millions de dollars !*

Le pointillisme

La théorie des couleurs de Chevreul influença largement des peintres tels que Vincent Van Gogh et Camille Pissaro. Mais ce fut Georges Seurat qui en fit l'application la plus scientifique, la plus rigoureuse.

Il la poussa en fait à l'extrême, composant des tableaux entiers à l'aide de minuscules points de couleurs. Cette technique fut appelée « pointillisme » ou, plus rarement, « divisionnisme ». De près, on ne distingue qu'une masse de points et de traits ; lorsque l'on prend du recul, ces éléments se combinent pour former une image aux couleurs éclatantes. Seurat mourut jeune, et sa technique, par trop astreignante, fit peu d'émules. Toutefois, elle laissa un héritage important en ce qu'elle rendit les peintres plus libres. Cette liberté donna naissance à de nouvelles façons d'utiliser les couleurs, notamment chez les Fauves.

Les Fauves et leurs successeurs

Au début du siècle, on comptait parmi les Fauves des peintres comme Matisse, Vlaminck, Derain. Ils doivent leur nom à leur manière de peindre comme des « bêtes fauves ».

Éclatantes, leurs œuvres se caractérisent par une juxtaposition de touches de couleurs intenses, quelque peu outrées. Chez les Fauves, les ombres froides devenaient bleu de cobalt, le rose de la peau, carrément écarlate. Avec ces couleurs, ils exprimaient ce qu'ils ressentaient tout en décrivant ce qu'ils voyaient.

Pour tout savoir sur le mélange optique des couleurs

Il existe bien d'autres techniques de mélange optique des couleurs que celles utilisées par les pointillistes et les post-impressionnistes. Nous ne manquerons pas, d'ailleurs, de nous y pencher dans les chapitres ultérieurs de *Je peins, je dessine.*

Parmi ces techniques, citons :

- l'application d'une sous-couche ou l'utilisation d'un fond coloré, dont la teinte transparaît à travers la peinture ;
- le « frottement » plus ou moins appuyé de parcelles de fond coloré ou de zones préalablement peintes en blanc ou recouvertes de plusieurs couches de peinture ;
- le tracé, aux crayons de couleur ou aux pastels, d'un réseau de hachures ;
- la juxtaposition de touches et de petits traits de peinture à l'huile.

► **Seurat a peint ce tableau trois ans avant celui reproduit au recto de cette fiche. Là encore, il utilise la technique des couleurs cassées, mais ses coups de pinceau sont plus variés. La surface de l'eau est représentée à l'aide petits traits horizontaux. L'herbe, où l'on peut également remarquer des pointes de rouge complémentaire, est représentée au contraire à l'aide de traits partant en tous sens.**
« La Seine à Courbevoie », Georges Seurat, huile sur toile, 1885, 80 cm x 60 cm.

Casser une couleur

Casser une couleur peut signifier deux choses. Pratique séculaire, la première consiste à mélanger les couleurs sur la palette, et non sur la toile ou dans l'œil. On peut aussi « casser » une couleur en y ajoutant une infime quantité d'une autre couleur. Vous casserez un rouge en y ajoutant une pointe de jaune. Il deviendra plus chaud, plus lumineux. En ajoutant à votre rouge une quantité équivalente de jaune, vous ferez plus que le casser : vous créerez un orange.

▲ Dans cette peinture, l'artiste a utilisé des couleurs cassées, mais plus de librement que Seurat, par exemple. Les couleurs ont été appliquées de multiples façons : elles ont été mélangées sur la toile à de la peinture encore humide, frottées librement sur une sous-couche ou encore utilisées sous forme d'empâtements pour donner du relief.
« St Martin's », Gary Jeffrey, acrylique sur papier, 55 cm x 66 cm, avec la permission de Llewellyn Alexander Fine Paintings, Londres.

Mais c'est sans doute dans les œuvres des post-impressionnistes, Vuillard et Bonnard, par exemple, que l'emploi de la couleur cassée se remarque le plus. Du milieu des années 1880 au début du siècle, ils utilisèrent cette technique qui, chez eux, consista à casser chaque touche de couleur à chaque coup de pinceau.
En 1910, une exposition intitulée « Manet et les post-impressionnistes » fut organisée à Londres. Elle introduisit des idées nouvelles en Angleterre et fut à l'origine du Groupe de Londres, qui rassembla des peintres tels que Harold Gilman (voir ci-contre), Walter Sickert et Wyndham Lewis.

◄ L'artiste a composé cette peinture à l'aide de vigoureux coups de pinceau. Les premières couches ont été recouvertes de peinture quasi sèche. Les touches de peinture sont larges et très espacées. De ce fait, la peinture semble se désagréger lorsqu'on s'approche. De loin, les formes apparaissent, et la toile révèle toute sa fraîcheur et sa luminosité.
« Jeune fille devant une cheminée », Harold Gilman, huile sur toile, 30 cm x 40 cm.

Les gris et les couleurs neutres

Les couleurs neutres comptent parmi les couleurs les plus utiles et les plus variées de la palette du peintre et, ce qui ne gâche rien, sont d'une utilisation relativement facile. Découvrons-les ensemble.

Jusqu'à présent, nous avons étudié les nuances totalement saturées sur la roue des couleurs : les primaires, les secondaires et les tertiaires. Mais pour l'artiste, les couleurs complexes que nous appelons les neutres ou les gris offrent une palette plus fascinante. En termes artistiques, un neutre est une couleur qui a été atténuée, ternie, qui n'est donc plus une couleur pure (totalement saturée), mais qui garde une teinte identifiable. Les neutres constituent une très large palette de belles couleurs, allant du violet légèrement atténué au vert olive et ombres ocre brun, en passant par les neutres gris et bruns.

Certains pigments sont naturellement neutralisés. Les exemples les plus évidents sont les couleurs de terre (ocre jaune, terre de Sienne naturelle, terre d'ombre naturelle et terre verte), ainsi que les couleurs de terre qui ont été « réchauffées » pour produire de nouvelles couleurs comme le terre d'ombre brûlée et le terre de Sienne brûlée. Des couleurs comme le rouge vénitien, le rouge indien, le rouge Mars, qui sont à base d'oxyde de fer, sont aussi des couleurs neutres.

Une palette de neutres

Il existe différentes façons de neutraliser une couleur, la meilleure étant de mélanger votre couleur avec sa complémentaire. Regardez notre roue des couleurs, et observez-en l'organisation. Les couleurs extérieures sont « pures » – les primaires (magenta, jaune et cyan), les secon-

► Étudions ce tableau dans le détail. On y trouve une couleur mastic, un gris pâle, un gris lilas, un brun rouille, etc. Bref, des couleurs difficiles à décrire. Mais quelle évocation subtile des lumières du soir ! Notez comme les touches de couleurs pures contrastent avec le sol neutre – turquoise, jaune citron, rouge et orange.
« L'Atelier, le soir », Fred Cuming, huile, 61 cm x 51 cm, Brian Sinfiel Gallery, Burford, Glos.

alizarine cramoisie
rouge de cadmium
rouge-orange
orange
jaune-orange
jaune de cadmium pâle
jaune citron
jaune-vert
vert
bleu-vert
bleu-cæruleum
ultramarine
bleu-violet
violet
violet-rouge

► Sur cette roue, les couleurs extérieures sont pures – primaires (nous présentons une version chaude et froide de chacune), secondaires et tertiaires. Ce sont les couleurs les plus saturées, qui peuvent être modifiées mais pas intensifiées (par exemple, un orange pur peut être rendu plus jaune ou plus rouge, mais pas plus orange). Les couleurs du milieu sont neutres, tandis que celles du centre déclinent les gris et les bruns. Toutes ont été faites par l'ajout de la couleur complémentaire.

▼ Sickert était un maître de la couleur, et utilisait souvent des couleurs neutres comme base pour donner de l'emphase à des touches de couleurs superbes stratégiquement placées. Notez comme le jaune or des ornements est lumineux.
« Le Vieux Music Hall de Bedford », Walter Richard Sickert, 1894-95, huile sur toile, 59 cm x 38 cm.

daires (orange, vert et violet), et les tertiaires (couleurs restantes). Chaque couleur est mélangée à sa complémentaire dans la roue du milieu, et plus encore dans le centre. Remarquez que cela rend chaque couleur plus grise ou plus brune.

Si vous créez une couleur neutre de cette façon, elle sera composée d'un peu de chaque couleur primaire, dans des proportions différentes. Revenez à la roue : par exemple, le jaune est opposé au violet qui contient du cyan et du magenta. Si vous les mélangez pour obtenir une couleur neutre, vous aurez utilisé toutes les couleurs primaires. Faites l'expérience en utilisant toutes les couleurs de la palette. Gardez en mémoire que les couleurs secondaires et tertiaires contiennent respectivement deux couleurs primaires.

Vous pouvez également neutraliser une couleur (ou réduire sa saturation) en ajoutant un peu de blanc (pour obtenir un pastel ou une nuance), ou de noir (pour faire un ton).

◀ **Des bleu-vert tertiaires et des verts bleutés légèrement atténués s'opposent en douceur aux tons chauds de la peau des modèles. Même si les couleurs ne sont ni pures, saturées, elles n'en sont pas pour autant ternes ou fades. Elles illustrent très bien les couleurs vives que l'on peut obtenir à partir des neutres colorés. Notez que c'est le contexte qui donne son éclat à la tache rouge du premier plan, alors qu'elle est plutôt couleur terre cuite. Notez aussi qu'elle répond à la luminosité de la tache aquamarine sur le fessier de la jeune femme de droite.**
« Les Deux Modèles », Tom Coates, huile sur toile, 60 cm x 60 cm.

▼ **Walter Sickert était un coloriste fabuleux. Il montre ici que des tableaux exploitant des couleurs neutres peuvent être merveilleusement colorés. Il s'attache au contraste entre la lumière naturelle et la lumière artificielle, l'individu et la foule, le public et le privé.**
Des verts boueux, des lilas et des rouges couleur terre s'opposent légèrement au rose bonbon et aux touches de jaune citron. Dans ce contexte, de petites touches de couleur prennent un sens sans mesure avec leur taille.
« Le Pierrot de Brighton », Walter Richard Sickert, 1915, huile sur toile, 61 cm x 76 cm.

L'impression que l'on retire de ce tableau est celle d'un paysage ensoleillé. Les couleurs semblent plus vives qu'elles ne le sont à cause du jeu des complémentaires – les toits bleu-violet sur les buissons jaunes, et les nuances orange des vallées sur les champs et les arbustes verdoyants.
« La Maison de Burly Cobb, South Truro », Edward Hopper, huile sur toile, 61 cm x 76 cm. (Whitney Museum of American Art, legs de Josephine N. Hopper.)

Ce tableau est presque abstrait, même si son sujet est décrit avec réalisme. Là encore, l'œuvre est très colorée – des bruns chauds et riches, des terres à côté des gris ardoise froids et des blancs cassés. Ici, la palette des couleurs neutres est utilisée pour de nombreux objets disparates, afin de montrer un sujet d'ensemble plutôt que plusieurs éléments isolés.
« Étude en bruns et gris », Paul Newland, aquarelle sur papier.

Utiliser les neutres

La couleur est une affaire de choix très personnelle. Deux artistes face à un même sujet ne sélectionneront pas la même palette de pigments et travailleront avec des palettes de mélanges différentes. Certains optent naturellement pour une palette aux couleurs vives et vibrantes, d'autres choisiront un éventail de couleurs plus subtiles et plus sourdes. Votre humeur, votre intention et le sujet en lui-même auront leur influence.

Une palette tout-neutres

En atténuant ou en neutralisant les couleurs, vous réduisez leur saturation. Parce qu'elles sont moins intenses, ces couleurs ont une harmonie naturelle et sont plus faciles à utiliser que les couleurs à leur intensité maximale. Il faut beaucoup de talent pour équilibrer une palette de couleurs totalement saturées, chacune demandant une attention particulière.

Si vous utilisez des couleurs sourdes, vous irez naturellement dans le sens de l'harmonie. Un tableau aux couleurs pastel aura une cohérence intrinsèque – les couleurs se marient bien et rien ne vous agressera. Même si les neutres sont, pour plusieurs raisons, plus faciles à manier, vous risquez également de produire une image plate.

Vous pouvez créer l'emphase à partir d'une palette de neutres en exploitant les contrastes, les principaux étant les contrastes complémentaires, les contrastes de températures, et les contrastes de tons. Ceux-ci sont importants dans n'importe quel tableau, mais dans un tableau utilisant les neutres et les gris, ils sont encore plus significatifs. Ainsi, un rouge couleur terre dans un champ de verts complémentaires aura presque autant d'impact que le contraste rouge brillant – vert brillant dans un tableau plus saturé. Les ombres lilas et bleues donneront de la solidité aux briques d'un rouge chaud (les neutres froids sont les gris, les neutres chauds sont bruns).

Des artistes comme Gwen John ou Giorgio Morandi ont réalisé de très belles toiles en utilisant une palette limitée de couleurs sourdes. Elles nous ravissent avec les variances de couleurs infiniment subtiles et la façon dont les couleurs chaudes et froides sont utilisées pour décrire les formes et suggérer l'espace.

Les couleurs sourdes peuvent être utilisées pour attirer l'attention sur des couleurs plus fortes, plus saturées. Dans une palette de couleurs pures

▲ **En sélectionnant avec soin son angle de travail et en simplifiant le sujet, cette artiste met l'accent sur la qualité abstraite et décorative du vase de tulipes posé sur une table. La palette de neutres froids crée une image apaisante. En y regardant de près, on trouve une grande variété de nuances subtiles dans les couleurs et les tons.**
« Tulipes blanches », Anne-Marie Butlin, huile sur toile, 26 cm x 36 cm.

◄ **Whistler a mélangé de la peinture très fluide à une grande quantité de médium. Son « jus » était tellement fluide qu'il a souvent dû travailler par terre pour éviter les coulures. Il a rendu le caractère mystérieux de cette scène grâce à des coups de brosse très amples. Cette palette de bleu-gris foncés évoque la pénombre du crépuscule. La couleur des lampes guide l'œil vers les bateaux, tandis que quelques reflets attirent l'attention sur un groupe de silhouettes debout sur le ponton.**
« Nocturne ; Bleu et or ; Valparaiso », James Abbot McNeill Whistler, huile sur toile, 60 cm x 80 cm.

Le saviez-vous ?

Une accusation ruineuse

Whistler a peint plusieurs variantes de ses sujets nocturnes (voir à gauche). Cependant, tous n'ont pas été bien reçus. A propos du tableau « Nocturne en noir et or, la fusée qui tombe », Ruskin accusa Whistler de « lancer un pot de peinture à la face du public ». Whistler le poursuivit, gagna… une misère (le minimum qu'il pouvait obtenir), mais le coût des poursuites le laissa sans le sou.

et vives, l'œil est sollicité en permanence, chaque couleur demandant l'attention. Mais une touche d'un rose pastel éclatant contrastera sur un champ de roses atténués et de gris, et son impact sera hors de proportion avec son intensité et sa taille.

Si votre tableau est plat, vous verrez qu'en atténuant le fond, vous donnerez plus d'importance aux points centraux. Ce qui peut être fait en mélangeant un peu de la couleur complémentaire à celle du fond, ou en peignant par-dessus une couleur terre équivalente.

L'artiste Walter Sickert excellait à introduire des touches de couleur surprenantes dans ses tableaux. Néanmoins, quand vous les étudiez avec attention, ces couleurs apparemment brillantes sont en fait restreintes. Mais en les plaçant dans un champ de couleurs neutres il les fait vraiment ressortir.

◄ **Du linge qui danse sur un fil dans une jolie rue est un enchantement. Les tons chauds sépia de la maison créent un fond atténué pour les bleus et les tons rouille du linge qui, en comparaison, semblent éclatants. L'artiste utilise une palette restreinte pour créer une image pleine de retenue mais néanmoins très attirante.**
« Pitigliano », Alison Musker, aquarelle sur papier, 26 cm x 10 cm.

► **Tom Coates utilise une palette de couleurs neutres froides pour décrire les formes fondues et chatoyantes de Venise un jour d'hiver froid et pluvieux. Le brun chaud du support apporte des couleurs locales à certains endroits – comme pour le palais des Doges –, mais pour d'autres il agit comme un élément unifiant et un contraste chaud donnant de l'impact aux bleus et aux gris.**
« Le Palais des Doges en hiver », Tom Coates, huile sur toile, 36 cm x 51 cm.

LA COMPOSITION

Format : commencer par le commencement

Avant de commencer un dessin ou un tableau, il faut penser à la manière dont on veut le composer, en arranger les différentes parties.

A la base de toute composition, il y a le format de votre support. C'est un élément qui contribuera à l'atmosphère et à la réussite de votre tableau. Prenez donc le temps de réfléchir pour savoir quel sera le format le mieux adapté à votre sujet. On peut justifier tous les formats et toutes les tailles, mais, pour commencer, peut-être souhaiterez-vous vous en tenir aux formats les plus courants.

Deux choix possibles

Il existe deux formats traditionnels : le portrait et le paysage, tous deux basés sur le rectangle. Si le côté le plus long de votre support est vertical, on parle de « portrait ». S'il est placé horizontalement, il s'agit alors d'un « paysage ». Ces deux appellations viennent du fait que le format en hauteur est plus souvent utilisé pour les portraits, alors que le format en largeur est plutôt réservé aux paysages. En fait, vous aurez l'occasion de constater que la plupart des supports existent sous ces deux formes.

Ces choix s'expliquent par différentes raisons pratiques : le format horizontal permet une vue plus panoramique, mieux adaptée au paysage, tandis que le format vertical permet de suivre la verticalité naturelle de la personne humaine et, si vous le désirez, de « grossir » votre sujet en réduisant les « marges » à droite et à gauche du personnage.

► **Dans un portrait classique, les yeux sont situés assez haut sur la toile ou le papier et le format vertical attire automatiquement le regard sur les yeux du modèle – ce qui donne une impression immédiate d'intimité.**
« Professeur Francis Crick OM, FRS, BSc », par Tom Cates, aquarelle, 40 cm x 30 cm

◄ **Le format vertical de cette peinture attire l'attention sur le cheval et met en valeur la relation étroite existant entre l'homme et l'animal qu'il tient par la bride.**
« Arabe et cavalier, foire de Pushkar, Rajasthan », par Carolyn Piets, aquarelle, 30 cm x 43 cm

► **De ce format horizontal se dégage une impression d'espace et de calme.**
« Soir », par Joseph Farquharson (1846-1945), huile sur toile, 45 cm x 76 cm

format « portrait » (vertical)

◄ **Pour choisir rapidement le format qui convient, faites un cadre avec vos mains et regardez votre sujet dans ce cadre. Cela vous permet d'isoler votre sujet de tout ce qui est autour. Pour le cheval et son cavalier, le format en hauteur est certainement le meilleur choix. Essayez le format horizontal...**

Le choix du format n'est pas neutre

On ne porte pas le même regard sur l'un ou l'autre des formats, et l'artiste en est conscient. En effet, un rectangle haut et étroit attire le regard vers le haut, où se trouve ce qui est le plus intéressant : le visage. Un rectangle horizontal, long et étroit, donne un sentiment de paix et de calme. Les lignes horizontales qui traversent le tableau ont un effet apaisant, et le vaste horizon suggère l'espace et la tranquillité.

On peut, évidemment, obtenir des effets particuliers en choisissant les formats différemment. Certains artistes décident de peindre un portrait sur un format « paysage », d'autres choisiront le format « portrait » pour peindre un paysage. Tout dépend de votre sujet et de ce que vous voulez lui faire dire.

Par exemple, si vous peignez un personnage qui court, le format « paysage » convient à l'espace mis à la disposition du personnage et donne une impression de

mouvement et de liberté. Si, au contraire, dans un paysage, le ciel est l'élément dominant, mieux vaut choisir le format « portrait ».
Lorsqu'on choisit mal son format, on risque d'envoyer un message erroné à celui qui regarde le tableau – son regard s'éloigne du centre d'intérêt. Mieux vaut ne pas choisir le format « portrait », qui attire le regard vers le haut du tableau, si le centre d'intérêt se trouve en bas. Avec un peu d'habitude et de bon sens, on évite facilement ce genre de piège.
Quand le format est choisi, demandez-vous comment vous allez en tirer le meilleur parti. Pensez à l'espace vide dans votre tableau – est-il trop important ou pas assez, convient-il au message que vous souhaitez transmettre ? Suivez votre instinct et essayez de regarder votre sujet sous différents aspects. Votre but est de peindre un tableau agréable à regarder, qui suscite l'intérêt et pique la curiosité.

... et vous saurez tout de suite ce qui ne va pas. Le format « paysage » du tableau ci-dessus évoque la sérénité et la paix. Dessinez rapidement votre sujet en essayant divers formats, pour choisir en toute connaissance de cause.

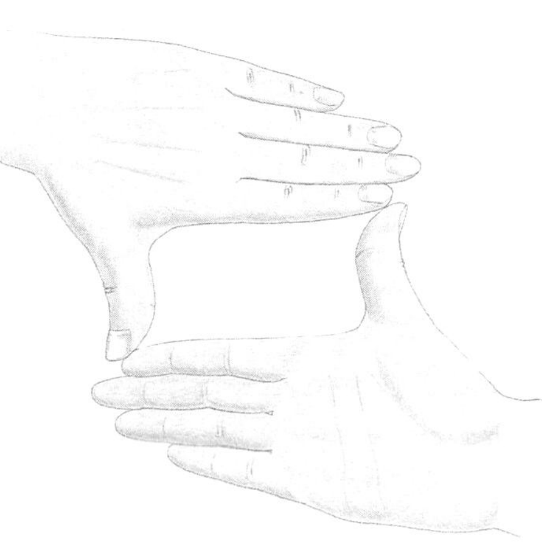

format « paysage » (horizontal)

◄ Rien ne vous oblige à utiliser un format horizontal pour un paysage. Si le sujet impose de choisir le format « portrait », n'hésitez pas, comme dans ce tableau où les méandres de la rivière constituent le centre d'intérêt.
« Prairie marécageuse », par Graham Painter, aquarelle, 56 cm x 76 cm

▼ Le format horizontal convient à certains portraits. Un personnage allongé, par exemple, peut y exprimer toute sa grâce et sa sérénité.
« Mrs Winston et sa fille Sarah » (détail), par sir John Lavery, huile sur toile.

Comment placer le point focal principal

En suivant quelques règles de base, vous apprendrez à savoir où placer votre point focal principal. Mais, avant de commencer, examinez toutes les possibilités qui vous sont offertes.

Chaque image a besoin d'au moins un point focal – un point qui attire l'œil – sinon l'œil ne sait où se fixer. Donc, avant de composer votre image, il est bon de vous demander pourquoi vous la faites. Pour quelle raison avez-vous choisi ce thème ? Avez-vous un sujet clair à l'esprit ? Que voulez-vous exactement saisir sur le papier ou sur la toile ?
Quand vous avez répondu à ces questions, vous pouvez commencer à penser à la composition – et à ce qui se produit si vous manipulez les points focaux, en les plaçant d'abord au centre, puis en essayant de les décentrer.

Chercher le meilleur point focal

Beaucoup de gens placent le point focal principal au centre de la toile. C'est là où l'œil regarde naturellement en premier, c'est donc l'endroit évident où situer les éléments importants d'une image. Il crée aussi une image paisible et bien équilibrée.
Cet emplacement est donc idéal pour représenter quelque chose de symétrique, un bâtiment classique par exemple. Traditionnellement cependant, les artistes ont souvent légèrement décentré un point focal central pour éviter le « clivage » inconfortable du support qui se produirait sans ce décentrage.
Toutefois, composer trop d'images organisées par un point focal central pourrait vite vous paraître statique et terne. Beaucoup de peintures et de dessins sont animés par une plus grande force lorsque l'intérêt principal est situé sur un côté. Cela vous permet aussi d'éviter les répétitions dans vos images.

▲ Placer le point focal au centre du tableau est acceptable, surtout si vous voulez accentuer la symétrie de l'image. Le décentrer légèrement permet malgré tout d'éviter un « clivage » inconfortable.
« Vue de Madrid », par Tom McNeely, 1989, aquarelle, 70 cm x 50 cm

Pourquoi la composition est-elle si importante ?

On néglige souvent la composition, mais on ne saurait pourtant sous-estimer l'importance d'une bonne composition. En arrangeant avec soin les éléments d'une image, vous manipulez les spectateurs, vous conduisez leurs yeux dans leur trajet sur la surface du tableau, tout en leur proposant aussi des points d'arrêt.
Les spectateurs regardent d'abord une partie de l'image, puis une autre, errant ou au contraire s'attardant selon votre intention. Grâce à une image bien composée, vous pouvez créer une impression de vive émotion ou un sentiment de calme.

► Lorsque le point focal principal est situé sur un tiers vertical, votre œil est guidé autour de l'image – vers le personnage et à travers la piscine d'abord, puis à nouveau vers le personnage – au lieu de demeurer au centre.
« La Piscine », par Andy Wood, 1983, aquarelle sur papier, 25 cm x 35 cm

► Quel que soit le format – vertical ou horizontal – que vous choisissez, mettre en pratique la règle des tiers vous permet de produire une image stimulante qui satisfait l'œil. Il est intéressant de constater qu'ici – comme dans l'image ci-dessus – la tête est encore le point focal, bien qu'elle soit vue de dos.
« Portrait de Charly de dos », par Henry Scott.

La règle des tiers

La manière classique de créer une composition satisfaisante consiste à diviser dans votre esprit une image en tiers verticaux, et de situer le point focal principal à peu près sur l'une de ces lignes.

Il n'est pas nécessaire que le point focal soit précisément situé sur l'une de ces lignes. Mais le décentrer ainsi vous permet souvent de créer une image plus dynamique que celles qui sont organisées autour du centre. Cette image est dynamique parce qu'elle fait bouger vos yeux autour de l'image lorsque vous la regardez.

L'utilisation de la règle des tiers vous permet aussi de présenter le contexte de votre sujet. D'ordinaire, il faut qu'un sujet central remplisse toute l'image pour qu'il ait un impact quelconque, alors qu'un sujet décentré fait aussi apparaître le contexte. Même lorsque le sujet est très grand, on peut voir ce qui l'entoure.

Les tiers horizontaux

On peut aussi diviser l'image en tiers horizontaux. Dans un paysage, par exemple, il peut être gênant que l'horizon coupe l'image en deux moitiés égales (bien qu'il soit possible de faire en sorte que cette division donne lieu à une composition valable). Placer l'horizon à un tiers du haut ou du bas de l'image est une solution facile pour trouver un arrangement satisfaisant.

◄ **Bien que vous puissiez être tenté de peindre l'horizon exactement au centre de l'image, vous pouvez vous rendre compte à quel point l'effet produit est puissant lorsqu'il est placé sur un tiers horizontal, particulièrement au tiers du bas de l'image. Ce grand ciel crée ici une formidable impression d'espace.**
« Coquelicots », par Rosalie Bullock, aquarelle, 30 cm x 42 cm

▼ **Parfois, ce qui ressemble à une ébauche que l'artiste aurait construite un peu au hasard est en fait le fruit d'une organisation attentive des éléments de l'image. Dans ce tableau, l'ampleur du premier plan repousse la femme étendue dans le tiers horizontal supérieur, ce qui crée un sentiment d'éloignement du personnage par rapport au spectateur. Remarquez que la femme est également placée sur un tiers vertical, de même que le point le plus bas du canapé.**
« Madame Hessel et son chien », par Édouard Vuillard, 1910, huile, 75 cm x 90 cm

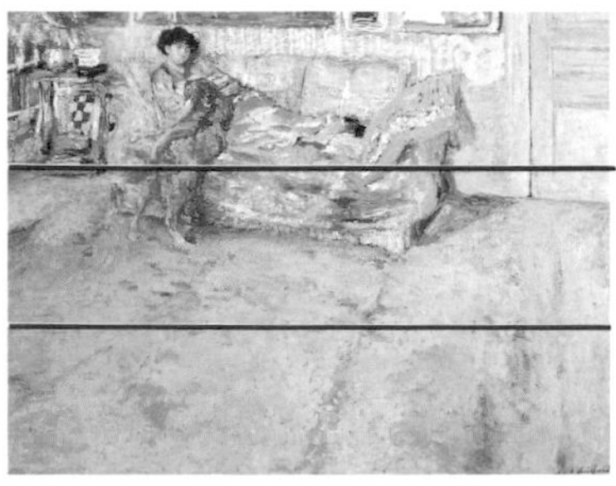

Les sujets en mouvement

Une autre raison décentrer le point focal principal : un sujet en mouvement paraît rarement bien placé lorsqu'il se trouve au milieu du cadre. Ce n'est pas seulement une question d'équilibre, cela tient aussi au fait qu'un sujet en mouvement a besoin d'un espace où se mouvoir. De même qu'il implique le spectateur, un sujet avec de l'espace devant lui suggère une activité et une direction. C'est la raison pour laquelle le point focal principal des images qui représentent des personnages ou des objets en mouvement est souvent décentré, et qu'ainsi on peut imaginer l'espace dans lequel l'objet peut se déplacer sur un côté du cadre ou au-delà de celui-ci.

► Un sujet en mouvement dont le point focal principal est placé au centre de l'image a tendance à paraître statique. Pour bien faire sentir le mouvement, il faut le placer sur un des côtés. L'artiste a ici créé une impression de mouvement en plaçant le bateau tout à fait à droite de l'image, de telle sorte qu'il soit coupé par le bord du tableau. Il suggère ainsi l'espace qui s'étend au-delà du tableau et sur lequel le bateau se déplace.
« La Station thermale de Scarborough », par Brenda Brin Booker, acrylique sur carton, 42 cm x 50 cm

Conduire l'œil

Guider l'œil du spectateur vers le point focal de votre tableau est facile – quand vous savez vous y prendre. Voici quelques-unes des techniques les plus utiles et les plus couramment utilisées pour y parvenir.

L'une des influences les plus importantes que vous pouvez exercer en tant qu'artiste sur les spectateurs est de conduire leur regard vers le point focal de votre tableau. La plupart du temps, il est étonnamment facile d'y parvenir.

Par un chemin

Tirez le meilleur parti d'un chemin, d'une route, d'une rivière ou d'une voie ferrée pour conduire l'œil vers un point important. Le mieux est de vous en servir pour rompre le cadre du tableau, autrement dit le chemin devrait pointer vers le spectateur et disparaître dans les profondeurs du tableau, au-delà du plan de l'image et vers votre point focal.

L'œil n'a aucun mal à se laisser guider de cette manière, car il suit naturellement un chemin pour voir où et à quoi il mène.

Les barrières, les murs, les haies et même les bâtiments ont tous des lignes droites bien marquées ou des formes serpentines que vous pouvez exploiter.

Si, par exemple, vous peignez ou dessinez directement un paysage, vous pouvez changer de position jusqu'à ce que vous voyiez un mur ou un ruisseau sous un angle intéressant.

Testez ces différentes possibilités de composition en réalisant de rapides croquis sur le vif. Vous vous apercevrez peut-être que vous devez supprimer un arbre ou le décaler légèrement

▼ Rien dans ce tableau n'est laissé au hasard. Le chemin conduit l'œil depuis l'espace situé de ce côté du plan de l'image jusque dans l'espace pictural au-delà du plan. Un chemin sinueux vous conduit jusqu'à l'horizon, où vous voyez le point focal, le cheval du titre.
« Val du cheval blanc », par Ronald Maddox, aquarelle, 380 mm x 545 mm.

pour que le lien entre le mur et le bâtiment soit rendu plus clair.
L'horizon est un autre élément naturel qui comporte une ligne marquée. Il peut s'agir d'une ligne parfaitement horizontale – comme dans une marine –, mais il peut aussi bien s'agir de courbes ondulantes dans une région de collines ou de formes angulaires escarpées dans une zone de montagne.
Dans tous ces cas, vous pouvez vous servir du contour pour guider l'œil du bord du tableau vers le point de convergence.

Encadrer le point focal

On peut aussi attirer l'attention sur une région particulière d'un tableau en l'encadrant d'une manière ou d'une autre. Dans un paysage, vous pourriez vous servir d'une paire d'arbres, d'un arbre unique surplombant la région de ses branches ou d'une allée d'arbres formant tunnel. Le pont constitue une autre possibilité – servez-vous de son arche ou de ses arches comme de cadres individuels.
Les intérieurs offrent également une foule de possibilités. Les portes et fenêtres en particulier créent une image dans l'image. Mais il existe aussi des éléments architecturaux plus classiques, comme les portiques, les arcs et les niches.

Couleur et ton

Une région de couleur soigneusement placée peut aussi faire un effet remarquable. Essayez par exemple de mettre en valeur une couleur éclatante par des tons assourdis ou utilisez une couleur chaude dans un tableau par ailleurs froid et vice versa. Même la plus petite tache de couleur peut avoir un impact spectaculaire.

▲ Le tableau encadré sur le mur attire votre attention sur la tête de la femme. En fait, elle est encadrée deux fois – la première par le cadre de ce tableau et la seconde par le paysage qu'il contient.
« Portrait avec nature morte », par George Telfer Bear, huile sur panneau, 1 003 mm x 742 mm.

► La tache de rouge vibre comme un cri sur une étendue de couleur plutôt assourdie.
« Lagune vénitienne », par Hercules Brabazon, aquarelle sur papier.

La troisième dimension

Le monde s'ouvre à nous en trois dimensions. Alors, comment donner le sentiment de l'espace quand on est réduit à la surface plate d'une toile ou d'une feuille de papier ?

Au fil du temps, on a imaginé de nombreuses conventions pour représenter l'espace et la position relative des objets.

Les artistes de l'Égypte antique, par exemple, se souciaient avant tout de fournir le maximum d'informations. Ils représentaient le visage de profil et les yeux de face, comme le torse, mais reprenaient le même angle que le visage pour les jambes, les pieds et les bras.

Les conventions auxquelles nous sommes habitués remontent au XIVe siècle, à l'époque du début de la Renaissance italienne. Il s'agit de représenter les objets à partir d'un point unique fixé dans l'espace. C'est ce que l'on appelle la perspective centrale ou classique. A l'époque moderne, de nombreux artistes ou écoles ont fait fi des règles en cours depuis la Renaissance. Cézanne, entre autres, faisait éclater l'espace en plans différents et multipliait les points de vue. Les cubistes sont allés encore plus loin en représentant des objets sous plusieurs angles à la fois.

Nous nous bornerons, pour l'essentiel, à décrire certains procédés classiques pour rendre compte de la profondeur de champ et de l'emplacement relatif des objets représentés. Vous pourrez choisir entre eux en fonction de vos intentions et de vos sujets. Par exemple, si votre regard se trouve flatté par les formes et les couleurs des composants d'une nature morte, vous pouvez attirer l'attention sur ces éléments en raccourcissant les dégradés et en aplatissant les volumes. En effaçant ainsi quelque peu les reliefs, votre composition insistera davantage sur les possibilités abstraites de votre sujet.

Dimensions relatives

Les objets paraissent de plus en plus petits à mesure que l'on s'en éloigne. Lorsque l'on doit représenter trois arbres de même taille mais alignés en profondeur, leurs dimensions sur l'image seront donc différentes : les plus petits seront plus éloignés que les plus grands.

Place du sujet dans l'image

Plus un objet est éloigné, et plus il faut le placer haut dans l'image. Ce procédé pour donner une impression de distance est très fréquent dans la peinture médiévale.

Ici, la représentation de l'espace cède le pas à l'abstraction décorative. Il y a cependant des rappels : le cheval blanc découpé dans la colline crayeuse est plus grand que le cheval broutant dans le pré, mais il apparaît clairement qu'il se trouve plus loin, parce qu'il se trouve plus haut dans l'image, et plus proche de l'horizon.
« Cheval blanc au cheval blanc », Ruth Stage, huile sur gesso, 50 cm x 60 cm.

Proportions dans le cadre

La relation entre l'objet représenté et le cadre de l'image donne également une idée de l'espace.
Si le sujet envahit toute la surface de l'image, et plus particulièrement quand il déborde, on l'imagine tout proche du premier plan. (Un peu comme un arbre apparaissant juste derrière une fenêtre.)
A l'inverse, s'il est placé au centre du tableau, on a l'impression qu'il se situe vers le fond de l'image. Dans ce cas, la dimension réduite de l'arbre accentue encore l'effet de distance.

Le cadrage serré de ces têtes de tournesols fait immédiatement penser que les premières fleurs sont à portée de main. L'importance de la différence de taille entre celles du premier plan et les autres produit un effet de relief saisissant.
« Tournesols », Godfrey Tonks, fusain, encres et pastel, 55 cm x 75 cm.

Le saviez-vous ?

Points de vue

Instinctivement, les enfants dessinent un objet sous l'angle qui fournit le plus d'informations. Ils représentent une maison de face, mais un camion de profil : c'est ainsi que l'on peut voir à la fois la cabine, la remorque et les roues.

Interprétations

Lorsque des objets sont presque en alignement, on les voit empiéter les uns sur les autres. Face à l'image immédiatement à droite, l'œil formé aux codes de l'art occidental voit généralement trois arbres entiers disposés en enfilade. On pourrait pourtant imaginer trois formes adjacentes : un arbre intact, et deux autres taillés. Mais l'imprégnation culturelle inconsciente est si forte que l'on n'envisage même pas cette dernière hypothèse.

Gradation des effets de texture

Plus on est proche d'un objet, et plus on y voit de détails. Par conséquent, quand on peint un arbre au premier plan, on s'efforce de figurer une à une le maximum de feuilles. A l'inverse, un arbre dans les lointains n'est plus qu'une tache plus ou moins verte dépourvue de texture. Allié à la perspective atmosphérique (voir ci-dessous), ce procédé rend très efficacement compte de l'espace dans un paysage.

◄ Les touches de couleurs vives au premier plan de ce tableau sont plus larges, plus nettes et plus texturées que celles du fond. Ce traitement différencié des textures privilégiant les avant-plans donne instantanément une forte impression de relief.
« Sans titre n° 124 », Trevor Neal, huile sur toile, 50 cm x 45 cm.

Perspective atmosphérique

Dans les lointains, les objets apparaissent plus petits, mais également moins brillants et plus vagues. Ainsi, on utilise un vert soutenu pour peindre les feuillages au premier plan, en revanche ceux des lointains sont bleutés.

▲ La perspective atmosphérique permet de produire un effet de profondeur dans un paysage dépourvu de lignes de fuites évidentes. En représentant les collines qui ferment l'horizon dans des tons plus bleus et plus pâles que celles situées à mi-distance, l'artiste a bien montré qu'elles se trouvent nettement plus loin. A l'inverse, les nombreux détails des arbres au premier plan indiquent la proximité de ces derniers.
« Le Lac de Garde », Greta Fenton, aquarelle sur papier, 55 cm x 45 cm.

◄ Les œuvres du peintre surréaliste Magritte sont souvent troublantes, parce qu'elles perturbent notre vision toute faite du monde. Ici, la composition comporte deux éléments traités de façon réaliste : une pièce d'habitation et une pomme. Mais leur juxtaposition sème l'ambiguïté : s'agit-il d'une pomme de taille normale placée dans une maison de poupée, ou au contraire d'un fruit monstrueux dans une pièce ordinaire ?
« Chambre d'écho », René Magritte, huile sur toile, (1958), 38 cm x 45 cm. Copyright ADAGP, Paris, et DACS, Londres, 1994.

Tonalité

La lumière révélant les formes, le traitement des ombres donne des contours et du corps à un sujet. En fait, on peut même donner du volume en n'utilisant que des dégradés, comme le montre le second des deux arbres à droite.

Dans cette étude de buste traitée avec une grande sensibilité, le jeu des ombres et des lumières sur les formes est traduit par des dégradés de tons, pratiquement sans recours à un tracé linéaire. Ces nuances de noirs subtiles produisent un saisissant effet de relief.
« Sally », Jacqueline Hines, graphite sur papier, 70 cm x 60 cm.

Perspective linéaire

C'est la façon la plus connue d'exprimer l'espace : les lignes parallèles convergent vers l'horizon. Les objets s'en trouvent déformés. Dans le cas d'un cube, les règles de la perspective centrale transforment ses faces carrées en trapèzes. Et un cercle devient ellipsoïdal. Ces distorsions ne nous en paraissent pas moins parfaitement réalistes.

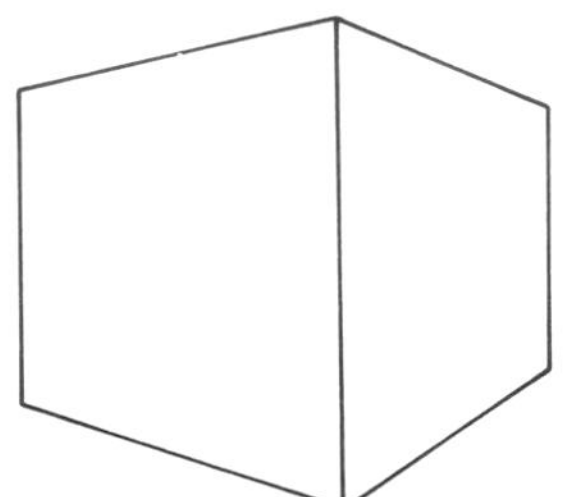

cube : vues de biais, les faces prennent une forme trapézoïdale

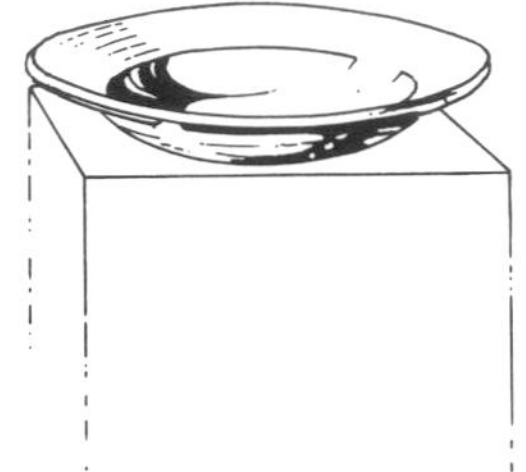

assiette ronde : vue sous un angle oblique, elle adopte la forme d'une ellipse

Cette œuvre bien connue est célèbre pour l'utilisation inspirée de la perspective centrale. Il ne s'agit pas seulement d'arbres plus petits à l'horizon qu'au premier plan. En regardant de près, on constate que les lignes virtuelles passant par le sommet des arbres et celles passant par leur base convergent toutes en un point unique.
« L'Avenue de Middelharnis », Meindart Hobbema, huile sur toile, 100 cm x 140 cm. (Avec l'aimable autorisation de l'administration de la National Gallery de Londres.)

Perspective : premiers pas

Contrairement aux idées reçues, la perspective linéaire n'est pas aussi difficile qu'elle n'en a l'air. De plus, vous allez le découvrir, vous avez sans doute déjà quelques notions.

Les principes de base de la perspective linéaire sont systématiques et incontournables, il suffit d'un sens de l'observation développé pour réussir. Mais avoir quelques connaissances solides en matière de perspective linéaire est quand même utile pour mieux comprendre ce que l'on voit.

Découvrons maintenant tous les secrets de la perspective linéaire. Il s'agit ni plus ni moins d'un système qui permet de créer l'illusion des trois dimensions (hauteur, largeur et profondeur) sur une surface plane.

Lorsque que cette perspective est réussie, la position et la taille relatives des objets dans le tableau semblent identiques à ce qu'elles sont dans la réalité.

Un des exemples les plus saisissants de la perspective linéaire est la manière dont des droites parallèles — telles que le haut et le bas du côté de l'immeuble dans le dessin ci-dessous – semblent se rejoindre en un même point à l'horizon.

Avant de poursuivre les explications, il est indispensable de définir quelques termes.

▼ Les techniques de base de la perspective linéaire sont faciles à comprendre. Imaginez que vous regardez un immeuble à travers une fenêtre et que vous dessinez sur la vitre. L'immeuble est parallèle à la fenêtre, et ses côtés sont à angle droit. Vous pouvez constater que la ligne supérieure du côté est en pente descendante, alors que la ligne inférieure est en pente ascendante.

Surface au sol, ligne d'horizon et niveau visuel

Le prolongement du sol sur lequel vous êtes est la surface au sol. La distance entre vos yeux et le sol est appelée niveau visuel, qui coïncide toujours avec la ligne d'horizon. Ainsi, quand vous êtes assis, vous avez moins de surface au sol dans votre champ de vision et la ligne d'horizon vous paraît plus proche que...

...lorsque vous êtes debout. Dans ce cas, vous distinguez une plus grande surface au sol, et la ligne d'horizon vous semble plus éloignée.

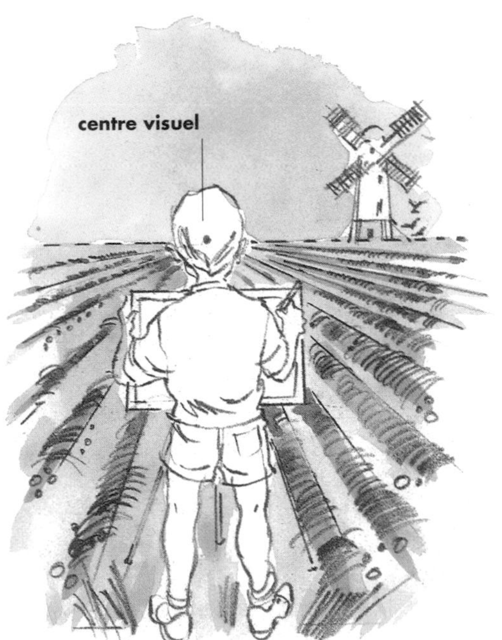

Le centre visuel

Un enfant voit moins de surface au sol qu'un adulte debout, mais il en perçoit à peu près autant qu'un adulte assis.
Le point situé sur la ligne d'horizon, juste devant les yeux du dessinateur, est appelé **centre visuel.**

Le point de fuite

Le point où les dignes parallèles, comme ces sillons, semblent converger vers la ligne d'horizon est le **point de fuite.** Toutes les lignes qui s'éloignent à angle droit sur le plan du dessin se croisent au point de fuite, qui correspond au centre visuel.

La perspective à un point

En regardant le dessin ci-contre, vous pouvez constater que les lignes convergentes d'un des côtés de l'immeuble se rencontrent au point de fuite. Ce point est le même que le centre visuel de l'artiste. Il est situé au niveau visuel sur la ligne d'horizon. Cette perspective est appelée perspective à un point parce que les lignes convergentes d'un des côtés de l'immeuble peuvent être prolongées jusqu'à se rencontrer en un point. Quant aux lignes horizontales et verticales de la façade de l'immeuble, elles resteront toujours parallèles, vues sous cet angle.
Cette perspective à un point est parfois appelée « perspective à centre parallèle », et c'est la forme de perspective linéaire la plus simple.

Cette œuvre pleine d'esprit joue avec les illusions utilisées en peinture traditionnelle, et plus particulièrement avec l'idée de plan d'image. *« Le Domaine d'Arnheim », de René Magritte. Huile sur toile, 1949.*

Définissons quelques termes

Le **plan d'image** est un plan vertical imaginaire qui coïncide avec la représentation plane de votre tableau. Une autre façon de la visualiser est d'imaginer un morceau de verre entre l'image à dessiner et vous-même (voir au verso).
Le **plan au sol** est le plan horizontal sur lequel vous, observateur, êtes positionné (ou seriez positionné).
Le **niveau visuel** est la distance séparant vos yeux du sol lorsque vous regardez le paysage. Le niveau visuel d'une personne de grande taille est évidemment plus haut que celui d'une personne de petite taille, et celui d'un adulte est supérieur à celui d'un enfant.
Le **niveau visuel** définit la distance de vision. Si vous êtes grand ou surélevé, vous pouvez voir plus loin que si vous êtes petit ou assis. Quand on parle de niveau visuel, on considère que vous regardez droit devant vous. Ce niveau ne change pas lorsque que vous renversez la tête en arrière ou quand vous regardez par terre. Il indique simplement à l'observateur à quelle hauteur vous vous trouviez lorsque vous avez fait votre dessin.
La **ligne d'horizon** est la ligne sur laquelle le ciel rencontre la terre. Elle est identique à votre niveau visuel (s'il change, la position de la ligne d'horizon se déplace). Si vous être grand ou surélevé, vous pouvez voir plus loin, de sorte que l'horizon vous semblera plus éloigné. Si vous êtes petit ou accroupi, vous ne pouvez pas voir aussi loin, l'horizon vous paraîtra donc plus proche.
Le **point de fuite** est le point où les parallèles semblent converger sur la ligne d'horizon.
Le **centre visuel** est un point sur l'horizon qui est droit devant le regard du dessinateur.

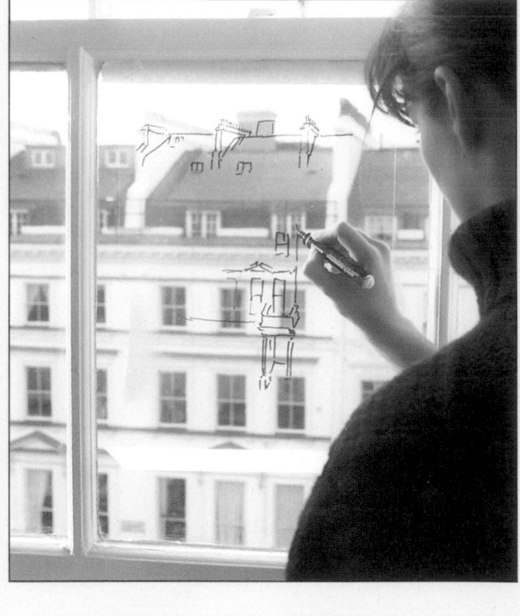

Une fenêtre pour plan d'image

Pour constater par vous-même les principes de la perspective linéaire, dessinez sur une vitre ce que vous voyez à travers la fenêtre. Il vous faut une surface transparente, comme du verre, du plexiglass ou – comme ici – du papier calque, et un crayon à encre, un marqueur ou de la peinture acrylique et un pinceau.
Fixez le film transparent avec du scotch.
Ce sera le plan de votre dessin.
Fermez un œil et tracez ce que vous voyez.

Il vous faudra rester très fidèle à ce que vous décalquez, sous peine de voir le dessin se déformer.
Une bonne idée :
sélectionnez une certaine ligne, l'angle d'un immeuble, par exemple, comme point de base. Après avoir défini ce point, vérifiez que la ligne de base est toujours sur la ligne dessinée.
Lorsque vous aurez terminé, vous découvrirez que les lignes parallèles convergent, que votre dessin répond aux lois de la perspective et qu'il est une reproduction réelle de ce que vous voyez !

▼La perspective à un point a deux fonctions dans cette peinture : elle crée une impression d'espace et agit à part entière dans la composition de l'ensemble. Le bâtiment est le point central du tableau, et il est placé sur le troisième tiers supérieur, laissant les deux autres tiers relativement vides. Le tronc d'arbre au premier plan constitue le lien avec l'arrière-plan, tandis que les pieds de vigne convergents attirent le regard vers le bâtiment.

Perspective à plus d'un point

Dessin ou peinture, vous êtes amené à travailler aussi bien en intérieur qu'en extérieur. Dans les deux cas, il est aussi important d'appliquer correctement les lois de la perspective.

La perspective centrale, ou à un point, est la forme de perspective linéaire la plus simple. Vous pouvez vous entraîner au jeu de la perspective à l'intérieur, dans une pièce carrée ou rectangulaire. Positionnez-vous le dos au mur, très précisément au centre du mur. Maintenant, depuis cette position, portez le regard jusqu'au point le plus éloigné. Vous pouvez constater que les murs des deux côtés semblent converger en s'éloignant. S'ils se prolongeaient indéfiniment, ils vous sembleraient se rejoindre. Ce point central où les lignes fuyantes semblent converger – la perspective centrale ou à un point – est appelé le point de fuite (voir étape 1 ci-dessous).

Maintenant, toujours le dos au mur, déplacez-vous vers un côté de la pièce. Vous voyez encore la perspective à un point (car le mur éloigné est parallèle au plan du tableau), mais votre champ de vision n'est plus le même. En effet, votre centre visuel s'est déplacé avec vous (voir étape 2).

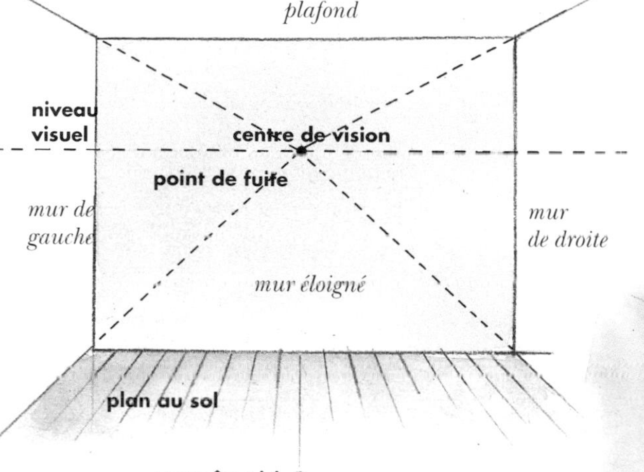

◄ **1** Le dos contre un mur, exactement au centre, portez le regard droit devant vous sur le mur en face. Vous pouvez constater que les murs latéraux semblent converger et que les lignes inférieures (en dessous de votre niveau visuel) sont en pente ascendante, alors que les lignes supérieures sont en pente descendante. Si ces lignes devaient se prolonger au-delà du mur éloigné, elles sembleraient se rejoindre en un point central, que l'on appelle le point de fuite. Vous remarquerez que ce point de fuite coïncide avec le niveau visuel.

▼ **2** Le dos toujours au mur, déplacez-vous vers un côté de la pièce. Maintenant, votre champ de vision n'est plus le même. En vous déplaçant, votre centre de vision a bougé avec vous. Le point de fuite aussi. Il se situe encore à hauteur de vos yeux, au niveau visuel, mais à présent les lignes des murs des deux côtés convergent selon des angles différents.

niveau visuel

point de fuite

ligne d'horizon

▲ **A travers une fenêtre dans le mur éloigné, vous pouvez constater que les lignes convergentes des murs des deux côtés se rencontrent au point de fuite, sur la ligne d'horizon – preuve, si besoin était, que la ligne d'horizon coïncide toujours avec le niveau visuel.**

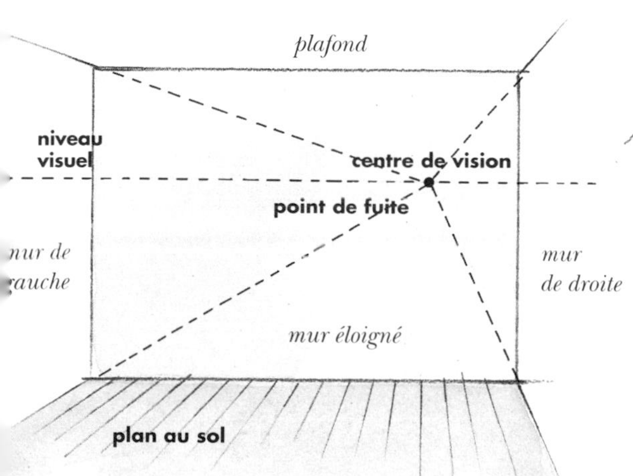

A vous de dessiner cette pièce vue dans une perspective centrale

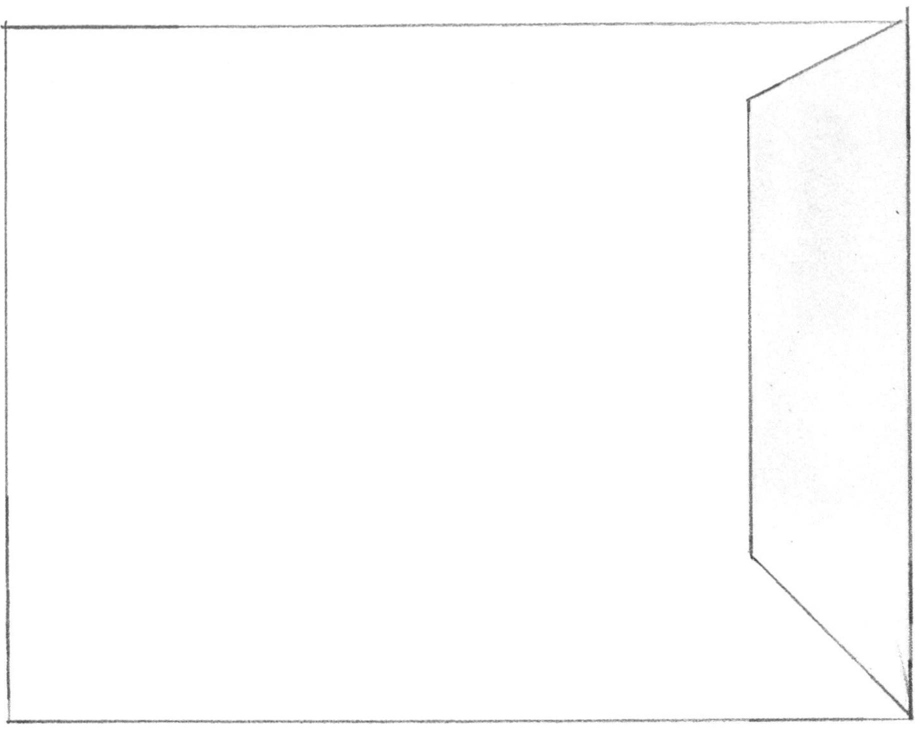

Voici le mur du côté droit d'une pièce vue dans une perspective centrale. Pour définir cette perspective, prolongez les lignes convergentes du mur jusqu'à leur rencontre en un point de fuite. Dessinez :

- ☐ le mur de gauche
- ☐ le mur éloigné
- ☐ une fenêtre dans le mur éloigné
- ☐ la ligne d'horizon/le niveau visuel

Dessinez maintenant une porte dans le mur de gauche, une fenêtre dans le mur de droite et les lattes du plancher. Poursuivez l'expérience en faisant un autre croquis là où votre centre visuel s'est déplacé d'un côté de la pièce (comme dans l'étape 2).

Une perspective à plus d'un point

La perspective à un point, si utile soit-elle, ne couvre pas toutes les éventualités. C'est que le mur éloigné de la pièce n'est pas toujours parallèle au plan du tableau. Mais avant de poursuivre les explications, observons la table et la boîte posée dessus, au premier plan de la pièce.
Si vous étiez entrain de dessiner la table, vous auriez à appliquer les lois de la perspective à un point puisque son bord, vu de face, est parallèle à la surface du tableau. Mais, s'agissant de la boîte, c'est une toute autre histoire. Si vous regardez la boîte, vous pouvez voir deux côtés à la fois, et aucun n'est parallèle au plan du tableau. La boîte est, en effet, dessinée selon une perspective bifocale ou à deux points. C'est cet autre type de perspective que nous allons découvrir.

► **Avec ses côtés convergents et son bord frontal parallèle, la table est nettement dans une perspective à un point. Mais la boîte posée dessus ? Elle comporte deux côtés avec des lignes convergentes en deux points de fuite : il s'agit de la perspective bifocale, que nous allons découvrir dans la fiche suivante.**

Perspective bifocale

Dans le croquis ci-dessous, vous pouvez voir deux faces du même bâtiment. Bien entendu, vous pouviez voir aussi deux côtés du bâtiment dans le croquis illustrant la perspective à un point. Mais la différence ici, c'est que les deux côtés ont des lignes convergentes : aucune n'est parallèle au plan du tableau. Et les deux faisceaux de lignes convergent en deux points de fuite – un de chaque côté du bâtiment.

Remarquez que les deux points de fuite sont sur la même ligne d'horizon, ce qui signifie qu'ils sont également situés au niveau visuel de l'observateur. Notez aussi que toutes les lignes verticales sont parallèles. Cette fois, cependant, le point de fuite ne coïncide pas avec le centre de vision de l'observateur.

Vous vous demandez peut-être comment se fait-il que notre pièce semble dans une perspective bifocale. Eh bien, pour obtenir deux points de fuite, imaginez-vous en train de vous déplacer dans un coin de la pièce, carrée ou rectangulaire, et, depuis cette position, vous regardez directement le coin opposé. Les lignes convergentes du mur de droite devraient se rejoindre en un certain point à votre gauche, alors que celles du mur de gauche devraient se rencontrer en un certain point sur votre droite. Ces deux points doivent se trouver au niveau de l'œil, sur la ligne d'horizon. Et ils ne doivent, ni l'un ni l'autre, coïncider avec votre centre de vision.

▼ Lorsque vous peignez un bâtiment qui n'est pas parallèle au plan du tableau, vous avez une perspective à deux points ou bifocale. C'est que les côtés visibles comportent tous deux des lignes convergentes – celles-ci se rencontrant en deux points de fuite distincts. Les points de fuite se trouvent sur la ligne d'horizon, et au niveau visuel. Ni l'un ni l'autre ne coïncident avec votre centre de vision.

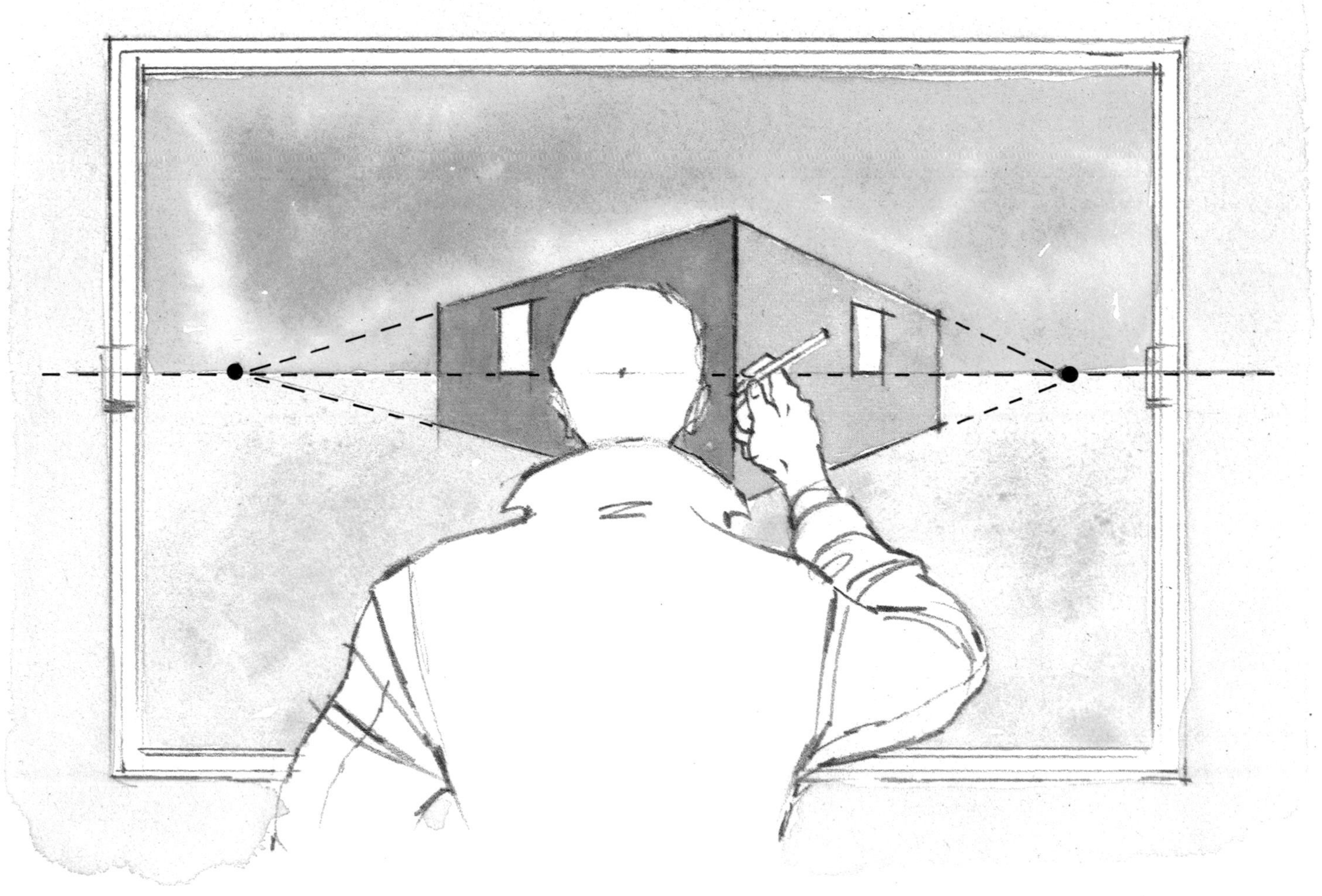

▲ Dans cette gouache représentant des bâtiments de ferme dans le Cumberland, il y a deux points de fuite – tous deux à l'extérieur de la surface du tableau.
Les angles très précis formés par les lignes du toit et des murs qui convergent vers le haut et vers le bas aux points de fuite sont d'une extrême importance. A coup sûr, on peut les mesurer avec des instruments de mesure d'angle.

Perspective en vue oblique ou à trois points

Si vous vous trouvez au bas d'un édifice très haut – un gratte-ciel ou une cathédrale, par exemple – et que vous levez les yeux, vous constaterez que les lignes verticales convergent. Aussi, en plus des deux points de fuite de la perspective bifocale, il y a un troisième point de fuite – c'est la perspective à trois points ou en vue oblique.
Vous voyez également les choses dans une perspective à trois points quand, à la manière d'un oiseau, vous regardez de haut un édifice élevé – depuis une position encore plus haute.
Bien sûr, vous n'allez pas passer votre vie à dessiner des objets vus en perspective à trois points – mais le cas peut se présenter, notamment si vous exécutez un dessin d'architecture en perspective.

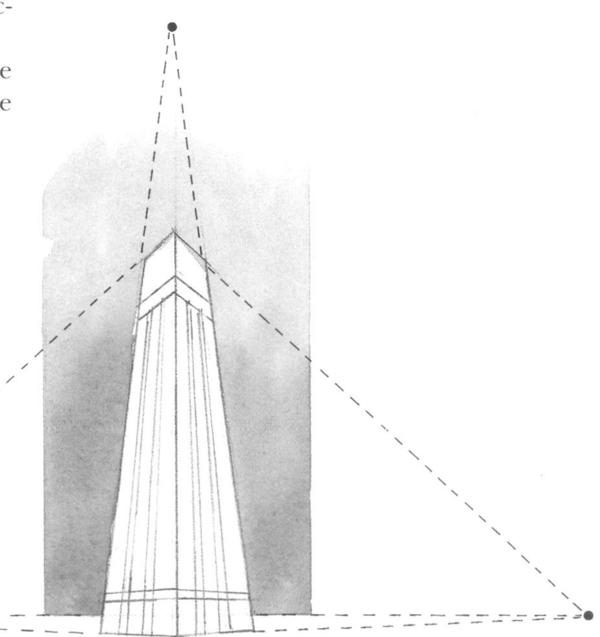

► Imaginez que vous regardez un édifice haut dans une perspective à deux points, puis levez les yeux. Outre le point de fuite sur votre droite et celui sur votre gauche, vous en avez maintenant un troisième dans le ciel, là où les verticales de l'édifice convergeant vers le haut se rejoignent. C'est la perspective à trois points. Comme vous pouvez l'imaginer, ses applications sont plus que rares.

Mesurer précisément un angle

Obtenir un effet de perspective est souvent une question d'observation. En fait, il faut savoir mesurer les angles correctement. Lorsque l'on regarde un bâtiment de face, c'est très facile puisque la plupart des angles sont droits (90°). Mais lorsque l'on regarde le même bâtiment de côté, cela devient un peu plus difficile, car l'ouverture des angles est maintenant supérieure ou inférieure à 90°. C'est à ce stade que l'équerre à branches mobiles est la bienvenue. Heureusement, c'est un instrument très facile à fabriquer, et encore plus facile à utiliser.

5 cm

25 cm

1 Pour fabriquer votre équerre à branche mobile, il vous faut un morceau de carton rigide et un attache-papier. Découpez deux bandes de carton de 5 cm de large et de 25 cm de long. Fixez étroitement ces deux bandes à l'aide de l'attache-papier. Vous êtes maintenant prêt à passer à l'action.

Mesurer avec un crayon

Peut-être avez-vous déjà croisé un dessinateur prenant les mesures de son sujet à l'aide d'un crayon. Cette

technique permet de prendre toutes les mesures nécessaires, y compris celles des angles. (Voir Apprendre à dessiner, Technique 11.)

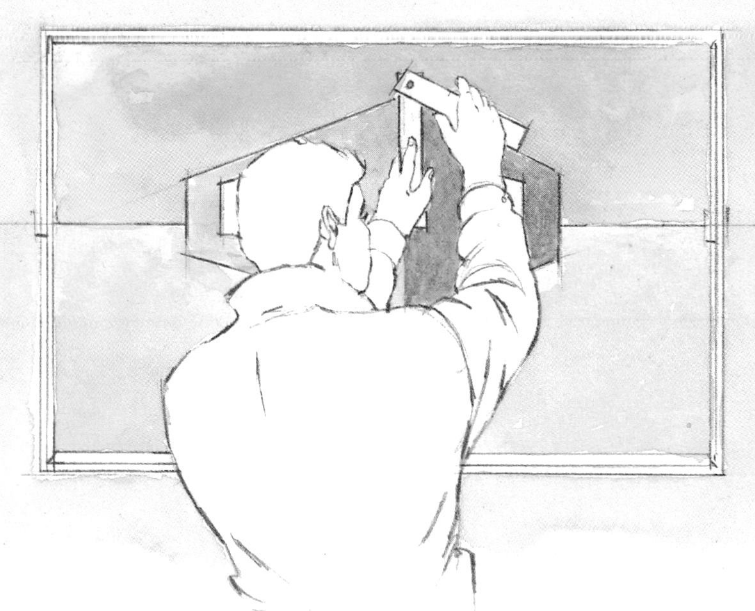

2 Pour utiliser votre équerre, commencez par imaginer que vous faites face à un panneau vitré. Tenez maintenant votre équerre à bout de bras et faites en sorte qu'elle soit posée bien à plat contre la vitre imaginaire.
A l'aide de votre main libre, ajustez les deux branches de votre équerre de façon à ce qu'elles viennent épouser l'angle qui vous intéresse. Ici, il s'agit de l'angle formé par la base du toit et une verticale. Souvenez-vous que l'équerre doit être posée bien à plat contre la vitre imaginaire.

3 Tenez fermement votre équerre de façon à ne pas perdre la mesure que vous venez d'effectuer et reportez-la à l'endroit correspondant sur votre support. Alignez la branche verticale de votre équerre sur le bord de votre support avant de tracer l'angle. L'angle du toit est correctement reporté !

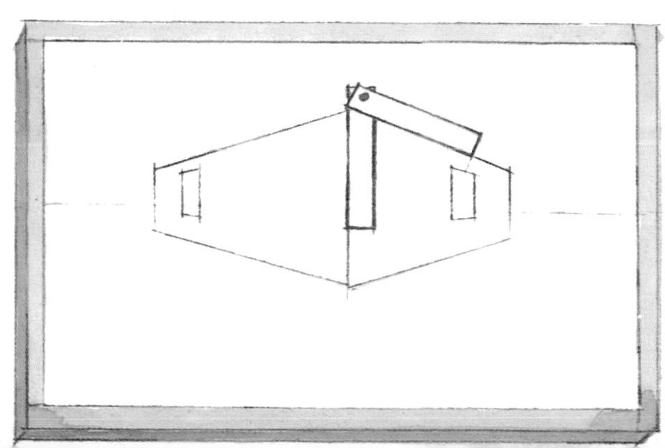

La perspective aérienne

Pour créer une impression d'éloignement dans vos paysages, imitez la perspective aérienne.
Ce type de perspective – appelée parfois atmosphérique – consiste à décrire la façon dont l'atmosphère affecte la lumière qui la traverse. Loin d'être un espace vide, l'enveloppe atmosphérique est composée de gaz, d'humidité et de particules – autant de facteurs qui modifient la lumière. Il existe plusieurs effets de perspective aérienne, qui varient tous en fonction du lieu, du moment de la journée et de la période de l'année.

● L'un des plus importants de ces effets est la façon dont les couleurs paraissent plus froides, plus bleues avec la distance.

le bleu intense du ciel devient plus pâle en approchant de la ligne d'horizon

de loin, les couleurs des pieds de vigne sont moins contrastées

au premier plan, les couleurs des vignes sont très contrastées

Vous pourrez vérifier par vous-même d'autres aspects changeants de la perspective aérienne.

● De loin, les couleurs perdent également de leur vivacité. Une boîte aux lettres rouge paraîtra plus brune avec l'éloignement.

● Avec la distance, les contrastes entre les zones claires et les zones sombres d'un objet s'atténuent.

● De même, les contours et les détails d'un objet apparaissent de plus en plus flous et indéfinis.

Nous avons reproduit ci-dessous un paysage à l'aquarelle. Notre peintre y a introduit les effets de la perspective aérienne pour créer une illusion d'espace des plus convaincantes. Voici comment il a procédé.

Le saviez-vous ?

Un océan aérien

Au XVe siècle, Léonard de Vinci ne considérait pas seulement la perspective aérienne et la représentation des effets atmosphériques dans un paysage comme un moyen de créer une illusion d'éloignement. Pour lui, l'atmosphère était un « océan » transparent, mélange d'air, d'humidité, de brume et d'ombre. Cet océan avait pour effet d'unifier, de rassembler le premier plan et l'arrière-plan de ses œuvres. Si Léonard de Vinci fut un important défenseur de la perspective aérienne, il ne fut pas le premier à remarquer ses effets. Deux mille ans plus tôt, le philosophe Aristote les commentait déjà.

Turner et la perspective aérienne

La perspective aérienne est l'occasion d'introduire la lumière et l'espace dans vos paysages peints, qui, sans elle, ne comporteraient que très peu d'indications d'espace. Cette technique fut largement exploitée par Turner, l'un des peintres anglais les plus célèbres.

Joseph Mallord William Turner (1775-1851) était un génie de la lumière. En particulier, l'atmosphère de ses dernières œuvres est si immatérielle, si fugitive que les objets solides semblent se dissoudre dans la lumière et que les détails sont pratiquement indistincts. La lumière du soleil se disperse dans une atmosphère brumeuse, vaporeuse, et le sujet est enveloppé – comme happé – par une lumière éclatante.

La façon dont Turner traita la lumière ne manqua pas de susciter l'intérêt des impressionnistes et des post-impressionnistes. Monet et Pissarro se rendirent à Londres en 1870-1871, et l'influence de Turner est visible dans leur œuvre. Comme lui, ils se consacraient à l'observation scrupuleuse de la nature, y compris des effets de lumière les plus fugitifs.

Henri Matisse (1869-1954) disait de Turner qu'il *« vivait dans une cave. Une fois par semaine, il ouvrait ses volets, et alors, quelle incandescence ! Quel éblouissement ! Quel flamboiement ! »*

▼ Cette toile est pleine de mystère. A peine commence-t-on à distinguer les vaisseaux que ceux-ci semblent se confondre avec le miroitement de l'eau. Toutefois, l'effet de perspective est très marqué : l'œil glisse à la surface de la mer avant d'être happé par l'horizon blafarde.

« Paix : funérailles en mer », J. M. W. Turner, 1842, huile sur toile, 87 cm x 86,7 cm, Tate Gallery, Londres.

Le recadrage créatif

Les décisions qui concernent la composition se prennent en général au début du travail de l'artiste, mais il arrive que celui-ci s'aperçoive beaucoup plus tard qu'il peut apporter certaines améliorations au cours des dernières étapes de sa progression.

Quel que soit le soin apporté à l'élaboration d'une composition, il arrive qu'on ait envie d'effectuer des modifications de dernière minute. Il arrive de trouver, en effet, que l'image est trop symétrique – la ligne d'horizon passe exactement au centre de la composition – ou trop déséquilibrée – avec un espace exagérément grand d'un côté. Ces problèmes ne peuvent être résolus par un simple coup de pinceau ou de crayon, mais il est possible de recourir au recadrage, qui implique une coupe franche d'une partie de l'image.

Il suffit parfois de couper une bande étroite le long d'un côté du tableau. On ira parfois même jusqu'à ôter des parties importantes de la composition à deux ou trois endroits différents. Certains artistes coupent leur œuvre en deux et se retrouvent avec deux toiles au lieu d'une. Et pourquoi ne pas décider de couper un grand format pour avoir plusieurs petites toiles ?

Le recadrage est créatif et amusant. C'est un exercice qui fait partie du travail de l'artiste et qui sert bien souvent à limiter les dégâts ! De nombreux artistes pratiquent le recadrage, pour donner une énergie nouvelle à leur travail. Mais il ne faut pas utiliser ce procédé par paresse, pour éviter de travailler sérieusement à la composition d'un tableau ou d'un dessin. De plus, il faut savoir que le recadrage ne résout pas tous les problèmes et ne corrige pas toutes les erreurs de composition.

▼ Ce portrait est tout à fait acceptable, pourtant l'artiste a préféré procéder à un recadrage en coupant juste au-dessus des coudes de son modèle et en rétrécissant alors le décor qui l'entoure – en haut et sur les côtés. Il crée ainsi une image qui capte mieux notre regard.
« Lydia », Dennis Gilbert, huile sur toile, 76 cm x 63 cm.

Lorsqu'on recadre une peinture ou un dessin, on crée une nouvelle composition. Le processus est le même que celui qui conduit à une bonne composition. On peut recadrer à n'importe quel stade du travail, mais il faut bien réfléchir à ce qu'on veut obtenir – et pourquoi – avant de commencer.

Quand la décision est prise, éloignez-vous de votre travail et prenez le temps de réfléchir à votre nouvelle composition. Utilisez une équerre en L, que vous déplacerez sur votre image pour choisir le cadre de votre nouvelle composition. Sur un grand format, on peut se servir de bandes de carton ou de papier pour masquer les parties indésirables.

Agissez avec prudence, ne taillez pas trop sans réfléchir. On peut toujours réduire davantage, mais on ne peut pas remettre ce qui a été ôté !

▲ Cette peinture d'un jardin public au bord de la Tamise comporte de multiples possibilités de recadrage. On peut y imaginer une série de petits tableaux, qui remplaceraient le grand.
« Big Ben », Dennis Gilbert, huile sur toile, 102 cm x 76 cm.

► Ne tombez pas le piège qui consiste à ne penser qu'en termes de format figure ou paysage. Certains formats longs et étroits ne manquent pas de charme. Cette vue du fleuve à travers les arbres est tout à fait délicieuse.

◀ Ici, l'artiste a recadré sa composition sur l'élément le plus reconnaissable de sa toile : le palais de Westminster, de l'autre côté de la Tamise. Le fleuve coupe l'image en suivant un tiers horizontal ; Big Ben est très légèrement décentrée sur la gauche, ce qui donne une impression d'équilibre naturel.

▼ Cette partie du grand tableau ne constitue pas un véritable centre d'intérêt et il ne vous serait peut-être pas venu à l'esprit de la choisir ; cependant, l'artiste s'est aperçu, en déplaçant son équerre en L, qu'il pouvait en tirer quelque chose. Notre attention est attirée ici par les enfants qui jouent au premier plan et le mur en zigzag nous entraîne à travers les arbres jusqu'au fleuve.

▼ C'est le toboggan qui était le point focal de la scène de départ. L'artiste a donc choisi d'isoler cette partie du tableau. En fait, sa première toile, « Big Ben », lui a fourni les quatre toiles présentées sur cette page.

▼ Un endroit entouré de buissons fournit ici un abri tranquille à ces amoureux. L'image vole un moment fugitif de la vie de ce couple et nous fait prendre conscience que le grand tableau contenait une série de petites scènes – et chacune de ces scènes devient un tableau à part entière.

L'aquarelle ne permet pas d'effectuer des modifications substantielles, parce qu'on ne peut ni superposer les couches de peinture ni enlever de la couleur. Quand les choses tournent mal avec l'aquarelle, le recadrage est le seul recours pour apporter les modifications souhaitables. Heureusement, l'aquarelle sur papier ou sur carton fin est facile à découper. Préférez alors le cutter et la règle en métal à la paire de ciseaux.

L'acrylique et l'huile Avec des peintures opaques, telles que l'huile et l'acrylique, les modifications de la composition se font en enlevant ou en superposant des couches de peinture. Mais il peut arriver qu'on veuille modifier les proportions ou le format du support. On peut recadrer les travaux sur contreplaqué ou sur Isorel, à condition que la peinture soit complètement sèche. Pour cela il faut utiliser une scie à lame fine – la scie à chantourner électrique est idéale. Découpez le support avec la partie peinte tournée vers le haut et passez le bord coupé au papier de verre. Si vous encadrez votre nouveau tableau, il n'y paraîtra rien !

► Cette scène, qui représente Piccadilly Arcade, à Londres, nous montre des gens qui vaquent à leurs occupations – et chacun d'entre eux pourrait ainsi constituer le centre d'intérêt d'une toile plus petite. Les différentes parties architecturales du tableau pourraient aussi faire l'objet de recadrages. Le haut de la toile, par exemple, au-dessus du nom du passage, constituerait une image intéressante.
« Piccadilly Arcade », Dennis Gilbert, huile sur toile, 102 cm x 76 cm.

▼ L'artiste a recadré cette scène située à droite de la grande toile. Il y a deux agents de police, dont l'un désigne un passant mystérieux qui porte une toque de fourrure. Le grand carton à dessin qu'il porte le trahit : c'est l'artiste qui a peint le tableau. Si l'on regarde attentivement la toile intitulée « Big Ben », on voit le même personnage qui traverse la pelouse.

◄ Le passage proprement dit vaut la peine d'être isolé. Il se passe beaucoup de choses au premier plan : une dame quête pour une œuvre caritative, un monsieur attend, un bouquet de fleurs à la main. La diagonale du passage guide notre regard vers l'arrière-plan du tableau.

TRAVAILLER GRÂCE À DIFFÉRENTS SUPPORTS

Aides à la composition

Une bonne composition permet de capter l'intérêt de l'observateur. Voici quelques outils qui vous aideront à sélectionner, à « cadrer » facilement les éléments les plus intéressants de votre sujet.

Généralement, les instruments employés par les peintres et les dessinateurs coûtent cher. Mais pas toujours. C'est le cas notamment du « viseur », sorte de cadre en carton formé d'une seule pièce ou de bords amovibles en forme de L.

Un viseur est en fait un morceau de carton percé d'une fenêtre rectangulaire – comme le passe-partout d'un cadre – qui permet d'isoler et de cadrer un sujet. Face à un paysage, par exemple, vous ne savez peut-être pas toujours quelle partie exploiter car trop de possibilités se présentent à vous, de l'ensemble du panorama à la voûte céleste en passant par le sol à vos pieds. Un viseur vous facilitera les choses. En sélectionnant successivement différentes parties du paysage, vous pourrez ainsi choisir la plus exploitable sous forme de tableau.

Un viseur s'applique à tous les sujets : un intérieur, un paysage, voire un personnage. En fait, une fois que vous en aurez utilisé un, vous ne pourrez plus vous en passer.

▲ Un viseur est un instrument très utile qui permet à l'artiste de déterminer rapidement son sujet. Vous en trouverez dans le commerce à un prix tout à fait abordable. Vous pouvez aussi le confectionner vous-même avec du carton.
Le viseur de notre artiste mesure 20 cm x 17 cm, la fenêtre, 12 cm x 9 cm, ce qui donne un bord de 4 cm de large.
La fenêtre est divisée à l'aide de bracelets élastiques, formant un quadrillage qui permet de positionner plus facilement les différents éléments du tableau. Les bracelets élastiques sont fixés tous les 3 cm, à l'aide d'encoches pratiquées sur le bord extérieur du cadre.

► Notre artiste a réalisé plusieurs dessins à main levée avant d'opter pour la composition définitive.
Un croquis plus grand comportant quelques indications de couleur ainsi qu'une photographie serviront de bases au futur tableau.

Le viseur va aussi permettre à l'artiste de positionner son sujet sur l'espace du support. Le sujet doit-il occuper le centre ou plutôt le tiers inférieur du support ? Doit-il être traité pleine page ou être circonscrit sur l'espace de la toile ? En approchant le viseur de vos yeux, vous verrez un panorama plus large. Plus vous l'éloignerez, plus l'espace se restreindra. Quelques dessins à main levée vont vous permettre d'enregistrer ce que vous voyez et de choisir, même beaucoup plus tard, entre les différentes possibilités. Un viseur, c'est aussi l'occasion de tester différents formats. Votre composition doit-elle être traitée en format portrait, paysage ou en format carré ?

Les bords en forme de L, eux aussi en carton, vous permettent de former des rectangles ou des carrés de tailles différentes. Il vous suffit de fixer chaque bord à l'aide de pinces à dessin ou de vos doigts (voir ci-dessous). Grand avantage de ce type de viseur, il suffit d'ajuster les L pour varier la taille et la forme de la fenêtre. Les L peuvent aussi être appliqués sur des croquis préparatoires afin de vérifier la composition. Ils permettent encore d'isoler une partie d'un dessin pour voir si elle serait intéressante à exploiter sous forme de tableau.

Vos mains peuvent faire un excellent viseur, qui ne vous coûtera pas un sou. Pour cadrer vos images, utilisez le pouce et le majeur des deux mains de façon à former une fenêtre (voir ci-dessous à gauche). Toutefois, cette méthode n'est pas aussi facile et efficace que l'utilisation de L ou d'un viseur en carton.

▲ ► Notre artiste ajuste le cadre du viseur à l'aide de bords en forme de L maintenus à l'aide des pinces à dessin qu'il utilise pour fixer les pages de son carnet de croquis les jours de grand vent. Ses L mesurent 6 cm de large pour des branches de 20 cm de long.

▲ ► Si vous avez oublié votre viseur, vos mains peuvent aisément le remplacer.
Un viseur est un instrument facile à utiliser. En quadrillant la fenêtre à l'aide de bracelets élastiques ou de fils, vous positionnerez beaucoup plus facilement les principaux éléments de votre croquis (voir ci-contre). Notre artiste a placé les élastiques tous les 3 cm le long de la fenêtre. Cela peut aussi être utile si vous souhaitez positionner votre sujet dans le respect de la règle de trois.

◄ Ce rapide croquis indique à notre artiste le positionnement des principaux éléments dans un format paysage.

► Notre artiste essaie à présent un format portrait. Il a conservé du précédent croquis l'élément vertical (parapet + lampadaire), qui lui plaisait beaucoup, sans rien ajouter d'autre dans la partie supérieure de la composition. Il s'est en fait contenter de recadrer la version paysage.

▲ Pour ce troisième croquis, notre artiste a décidé de montrer la zone située à droite du lampadaire, qui occupe désormais une position plus centrale.

◄ Satisfait du dernier croquis, il en a réalisé une version agrandie et plus détaillée, ajoutant également des indications de couleur. Pour faciliter leur classement, il nomme et date chacun de ses croquis.

Croquis à main levée

Même lorsque vous êtes satisfait du cadrage obtenu à l'aide du viseur, il est intéressant de réaliser quelques croquis qui vous permettront de choisir entre différentes possibilités. Travaillez d'un geste rapide, tracez les formes géométriques de base, repérez les angles et les formes récurrentes, indiquez les zones d'ombre et de lumière sur l'ensemble du dessin. Dans tout dessin, dans toute peinture, la lumière est un élément essentiel. En plissant les yeux, vous distinguerez mieux les zones d'ombre et de lumière. Représentez-les visiblement, comme des motifs abstraits. Si la source de lumière est derrière vous, les couleurs seront plus vives mais les différents éléments auront moins de relief. Un éclairage latéral, en revanche, accentuera le relief de votre sujet.

► Un appareil photo s'avérera très utile surtout lorsque l'on travaille en situation. Bien qu'il soit toujours préférable de saisir un lieu sur le vif, les photos fournissent un excellent complément d'information, notamment pour les couleurs et les détails. Notre artiste a utilisé un Polaroid, ce qui lui a permis de comparer immédiatement ses photos avec le paysage.

▲ Notre artiste attaque maintenant l'Albert Bridge, pont aux lignes majestueuses et aux splendides couleurs qui enjambe la Tamise non loin de l'endroit où il a réalisé la première série de croquis. On le voit ici essayer un format à l'aide de son viseur.

▲ Ce pont suspendu est plus difficile à dessiner qu'il y paraît, en raison notamment de la complexité du réseau de câbles et de l'angle des tours par rapport à celui du pont et des marches au premier plan. Pour surmonter cette difficulté, notre artiste s'est servi du quadrillage de son viseur pratiqué à l'aide de bracelets élastiques.

► Notre artiste a essayé ici un format paysage, qui donne beaucoup plus d'espace au pont que le carré étriqué ci-dessus.

Travailler d'après photo

Si la scène que vous souhaitez peindre change constamment ou est très complexe, si les conditions climatiques ne sont pas clémentes ou, simplement, si le temps vous manque, une photographie s'impose.

L'utilisation de références photographiques en peinture n'a rien de nouveau. Voilà plus d'un siècle et demi, Turner (1775-1851) découvrit les premiers clichés photographiques. Il fut tellement impressionné par un tirage des chutes du Niagara qui montrait la réfraction de la lumière sur l'écume de l'eau, qu'il en conçut l'idée de rechercher le même effet en peinture. On voit généralement dans ses études sur la lumière et la couleur les travaux précurseurs de l'impressionnisme et l'une des inspirations essentielles de la peinture actuelle. Depuis lors, la photographie a exercé une influence réelle sur nombre d'autres artistes, dont les peintres français Corot (1796-1875) et Courbet (1819-1877). Tous deux se sont inspirés de la photographie pour recréer l'impression de lumière grâce à de minuscules taches de peinture blanche ; Courbet préférait la photographie à la réalité pour le surcroît d'objectivité qu'elle procurait.

De nos jours, les peintres bénéficient des progrès de la photographie – pellicule couleur, émulsions rapides, zoom, objectifs grand angle, etc. Le risque dès lors est que la photo l'emporte et que le peintre s'appuie exclusivement sur elle. Quoi qu'il en soit, la photographie ne doit jamais se substituer à l'observation du sujet lui-même.

▼ Il est notoire que Courbet s'est servi de plusieurs photographies pour effectuer ce tableau complexe. Elles l'ont aidé à obtenir le réalisme qui a fait sa réputation.

« L'Atelier du peintre », 1854-55, Gustave Courbet, huile sur toile, 359 cm x 598 cm.

► En prenant une série de clichés successifs à partir d'un même point de vue, comme ceux-ci, vous pourrez reconstituer un superbe panorama. Libre à vous d'ailleurs de prendre tous les clichés nécessaires pour disposer d'une vue à 360 degrés. Ces photos, bout à bout, font un excellent matériel de référence.

Tirer le meilleur parti des photos

Le format rectangulaire des photographies n'est pas nécessairement celui qui convient le mieux à votre composition. Pour vous assurer une plus grande marge de manœuvre, ne vous crispez pas sur votre sujet. En consacrant à l'arrière-plan une part plus importante que ce qui peut paraître nécessaire, vous garderez la possibilité de vous en inspirer et ainsi de jouer sur la composition.

Vous pouvez également rassembler une série de photos qui vous donneront une vue détaillée d'une zone relativement étendue. Pour ce faire, choisissez l'endroit d'où vous prendrez tous vos clichés et faites pivoter votre appareil de façon à ce que chaque image chevauche la précédente : vous pourrez de cette façon obtenir une vue à 360 degrés. Une fois les tirages assemblés, vous disposerez d'un puzzle panoramique que vous rassemblerez en une seule image, ou dans lequel vous choisirez un détail, exactement comme si vous travailliez sur le vif. Quant aux diapositives, en général, leurs couleurs sont plus naturelles parce que la transparence conserve les qualités de la lumière et des nuances. L'effet d'écrasement des tirages sur papier est ainsi diminué.

◄ Toutes les vues de ce photo-montage ont été prises du même endroit – à l'exception de celle de la cathédrale de Canterbury. Néanmoins, cette dernière s'inscrit parfaitement dans ce cadre, et l'illustration créée par John Harvey (ci-dessous) reconstitue le paysage urbain tel que le promeneur le perçoit en quittant les abords de la cathédrale.

Pourquoi travailler d'après photo ?

Le plus souvent, le travail d'après photo s'avère plus simple que le travail sur le motif. La lumière et la météo étant très changeantes, on peut très bien imaginer que, ayant commencé un paysage sous un soleil éclatant, vous constatiez que la lumière change du tout au tout, et que finalement une pluie battante s'abatte sur vous. Vous êtes littéralement trempé mais, surtout, la scène que vous avez sous les yeux est complètement différente de celle que vous aviez entrepris de peindre. Et même si vous travaillez à l'intérieur, la lumière peut varier, votre modèle changer de position ou les fleurs faner.

Une photo prise avant de commencer votre travail vous permettra, par la constance du témoignage qu'elle constitue, de terminer à votre rythme. Peut-être envisagerez-vous d'ailleurs d'investir dans un Polaroïd pour disposer de vos clichés immédiatement. Enfin, si vous peignez en extérieur, vous pouvez, par exemple, photographier le ciel : cela vous servira

► Observez ce tableau et le cliché ci-dessus et cherchez les différences que l'un et l'autre peuvent présenter. La référence photographique a permis au peintre de saisir avec exactitude les jeux d'ombre et de lumière. Mais vous remarquerez que tous les détails n'apparaissent pas sur la photo – les zones plongées dans l'ombre, comme les pains de la vitrine, restent dans l'obscurité. Il importe donc de faire également quelques croquis qui fourniront des repères supplémentaires.

de référence pour le peindre exactement comme vous l'avez vu la première fois, même si les nuages ont complètement disparu au moment où vous passez au travail de détail.

Même dans le cas d'un portrait, l'appareil photo sera très utile pour fixer le sourire fugace d'une jeune femme ou l'expression d'un bébé dans son sommeil.

Vous éprouverez sans doute aussi le désir de vous appuyer sur des références photographiques si votre sujet est très difficile. Vous est-il jamais arrivé de voir une peinture représentant des vagues ou le tumulte d'un torrent, ou de vous émerveiller devant les ondulations des piscines de David Hockney ? Ne vous êtes-vous jamais demandé comment l'artiste avait réussi à recréer aussi fidèlement les mouvements de l'eau ? Ces effets vous paraîtront plus faciles à réaliser si vous disposez d'une photographie montrant clairement les motifs que forment à la surface de l'eau la lumière, les ombres et la couleur. L'instant ainsi fixé dans le temps, vous pourrez étudier votre sujet à loisir et prendre les décisions appropriées pour transcrire le mouvement dans votre dessin ou votre peinture.

◄ **Pour peindre des détails complexes – les reflets aquatiques qui jouent sous ces gondoles, par exemple –, une photo (voir ci-dessous) est souvent précieuse. En effet, les mouvements incessants de l'eau compliqueraient votre travail si vous décidiez de peindre sur le vif. Notez que l'artiste ne s'est pas contenté de copier servilement la photo. Il a recadré la partie supérieure pour se concentrer sur les embarcations colorées du premier plan.**

En vacances également votre appareil photo pourra s'avérer très précieux. Le temps vous manque pour terminer une peinture ou même pour en commencer une ? Un croquis rapide, étayé par quelques clichés, devrait vous fournir les indications suffisantes pour vous mettre à peindre de retour chez vous.
Prenez l'habitude d'emporter votre appareil aussi souvent que possible pour compléter vos croquis. Photographiez les incidents et les scènes qui retiennent votre attention et enregistrez des détails empruntés à la vie quotidienne – tout ce qui vous paraît susceptible d'être intégré à un tableau. Vous vous constituerez ainsi une collection personnelle, source d'inspiration pour vos dessins ultérieurs.

▲ Vos photos pourront agrémenter vos peintures. Ici, le peintre avait pris deux clichés, l'un d'une pyramide (à gauche), et l'autre d'un homme monté sur un chameau (ci-dessous). Plus tard, en associant ces différents éléments, il a réalisé une peinture beaucoup plus intéressante.
Ian Sidaway est l'auteur de l'ensemble des photos et des toiles de ces pages.

▲ Cette peinture est une version retravaillée de la photographie ci-contre. A première vue, l'une et l'autre sont similaires. Vous remarquerez pourtant que, tout en tirant profit de la structure fournie par la photo, le peintre a développé et accentué le mouvement circulaire des ondulations de l'eau au premier plan, et qu'il a relevé les couleurs des éléments de l'arrière-plan. Voyez-vous d'autres différences ?

Les limites de l'appareil photo

Tout ceci laisserait entendre que l'appareil photo est la pièce maîtresse de l'équipement du peintre. Or, pour être important, il ne doit jamais prendre la première place. Après tout, si l'objectif se réduit à dupliquer une photo avec exactitude, vous pouvez aussi bien vous contenter de l'original : la photo elle-même.

Par ailleurs, les photos ne parviennent pas toujours à restituer les subtilités de la réalité, en particulier lorsque le contraste entre l'ombre et la lumière est prononcé. Alors que l'œil discerne tous les détails dans une pièce sombre, sans rien manquer de la vue extérieure pourtant en pleine lumière, l'appareil photo pourra certes enregistrer la même scène mais, pour capter la vue extérieure, il laissera l'intérieur de la pièce dans l'obscurité totale ou, pour se focaliser sur l'intérieur, laissera l'extérieur dans un halo blanc.

Lorsque vous peignez sur le vif, vous êtes en permanence amené à prendre des décisions, conscientes et inconscientes. Vous réagissez en fonction du sujet, accentuant certains éléments au détriment d'autres qui vous déplaisent. Les lignes, les tonalités, les formes, les matières et les couleurs peuvent être exagérées, simplifiées ou réorganisées. Toutes choses que l'appareil photo ne saurait faire. Cependant, si l'image qu'il produit est brute, vous pouvez la contrôler, l'exploiter partiellement, ou bien encore l'interpréter à votre guise.

Une journée au zoo

Rejoignons Stan Smith au zoo de Regent's Park, à Londres, pour une fructueuse journée de dessin.

Le zoo est une source inépuisable de sujets, un véritable paradis pour les dessinateurs. Dans celui qui nous intéresse aujourd'hui, on trouve plus de cinq cents espèces d'animaux, dont certains, comme le tigre de Sumatra, sont en voie d'extinction.
Équipés d'un carnet de croquis, de crayons, d'une gomme douce, d'un crayon Conté et de quelques tubes de peinture, nous sommes prêts pour une promenade dans le zoo, et nous nous arrêterons pour dessiner ce qui nous plaît. Il s'agit de réaliser des croquis rapides, pour capter les caractéristiques des animaux que nous choisirons. Plus tard, ces croquis pourront servir de point de départ pour un tableau. Dessiner des sujets qui se déplacent, se balancent, sautent, nagent, ondulent, ou se dandinent n'est pas une mince affaire ! Mais, avec un peu de technique et beaucoup d'attention, on peut donner à un dessin une impression de vie et de mouvement.
Un trait bien

◄▼ Première étape : l'enclos du manchot – pas de barreaux, un mur bas sur lequel appuyer le carnet de croquis et un animal tout à fait coopératif.

▼ Un trait fluide pour le ventre, un coup de crayon plus ferme pour le dessus de la tête et le bec et une oblique pour le dos de ce « bonhomme » trapu, affublé d'ailes-nageoires (ci-dessous, à gauche). Un « griffonnage » ajoute la corpulence et le volume.

▲ Chacun de ces deux croquis (ci-dessus) n'a pas pris plus d'une minute. Bien qu'insuffisants, ils pourront constituer des éléments vivants pour une composition plus élaborée.

rythmé, l'accent mis sur un ventre ou un dos valent cent coups de crayons hésitants. Avec de la pratique, on arrive même à suggérer un animal avec un seul trait. Ce trait constitue le point de départ à partir duquel on étoffe le croquis ; puis on met la couleur et on indique le mouvement des pattes ou de la queue. Au cours de cette démonstration, vous apprendrez à trouver rapidement la couleur la plus appropriée. Les animaux ont des postures et des mouvements répétitifs, ce qui constitue une aide précieuse, car on sait qu'on le reverra plusieurs fois sous le même angle – il suffit d'avoir un peu de patience.

« Les espèces animales ont survécu parce qu'elles ont évolué. »

Quelle que soit l'étrangeté de leur aspect, les espèces animales ont survécu parce qu'elles ont évolué pour trois raisons essentielles : se nourrir, échapper aux prédateurs et se reproduire. Si vous dessinez un oiseau de proie, par exemple, pensez que son bec est capable de lacérer la chair de sa victime.

La tête et les épaules bien au-dessus du sol

Cliché Ces deux girafes étaient en train de s'ébattre dans leur enclos quand notre artiste est arrivé ; elles se sont ensuite arrêtées sous l'acacia, comme pour faciliter le travail du dessinateur. Avant de commencer à dessiner, regardez l'animal pendant quelques minutes pour bien vous pénétrer de son comportement et de ses caractéristiques. S'il est en train de faire sa toilette ou de se nourrir (comme l'une de ces deux girafes), ses mouvements seront limités.

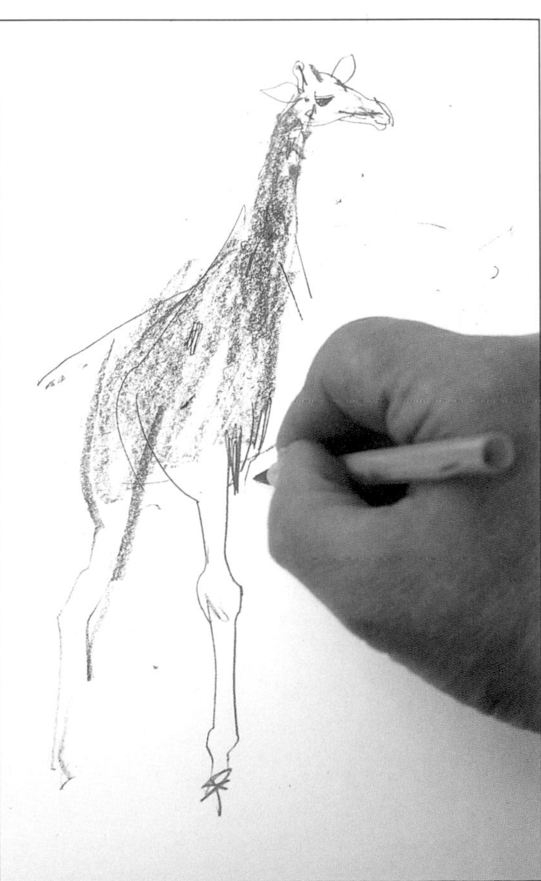

1 Commencez par la girafe de gauche comme si vous la regardiez pour la première fois (voir photo). Tracez la ligne qui part de la tête et qui descend le long du cou et du dos, de la croupe et de la patte postérieure. Puis, regardez la patte antérieure et tracez un trait qui remonte jusqu'à la tête. Vous remarquerez que la tête n'a retenu votre attention qu'après le reste du corps – peut-être en raison de sa petitesse. « Gribouillez » avec un crayon rouge-brun, pour donner du volume, suggérer la corpulence et donner une idée de la couleur de l'animal.

2 Les taches du pelage de la girafe (uniques pour chaque spécimen) constituent un camouflage contre les prédateurs. Ne cherchez pas à les restituer fidèlement ; esquissez-les, comme l'a fait notre artiste. Travaillez avec vivacité, mais sans brusquerie dans vos coups de crayon.

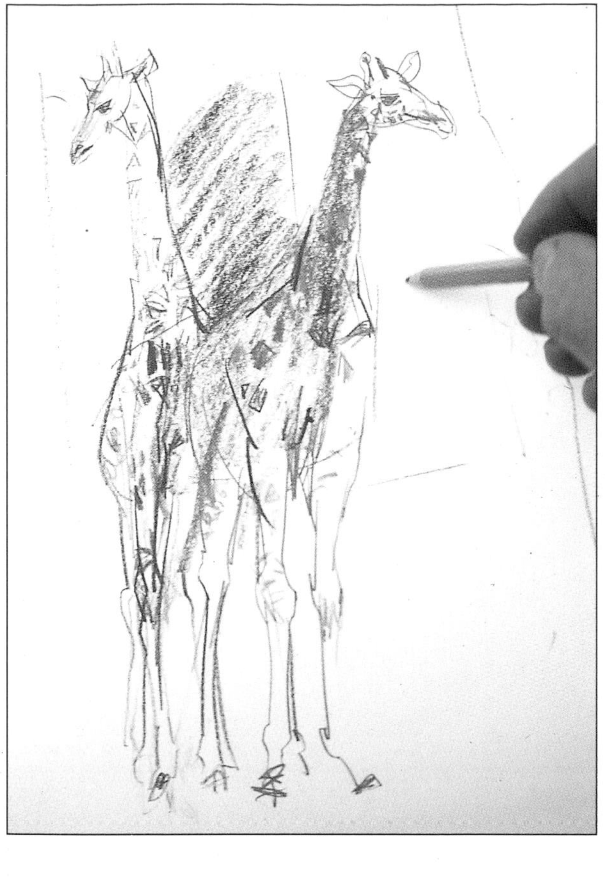

3 Si l'animal bouge (comme le font ces girafes), ne vous inquiétez pas. Ce que vous cherchez à faire est une sorte d'« arrêt sur image » et votre modèle ne gardera pas la pose pour vous rendre service. Quoi qu'il en soit, des « faux départs », des hésitations sur votre feuille, peuvent constituer un matériau vivant, qui capte le rythme d'un mouvement ou certains aspects de la personnalité de votre sujet. Gardez toujours à l'esprit la fonction des différentes parties du corps de l'animal. Les pattes de la girafe sont longues, mais pas grêles. De même, le long cou est flexible, mais puissant.

Un kaléidoscope de couleurs

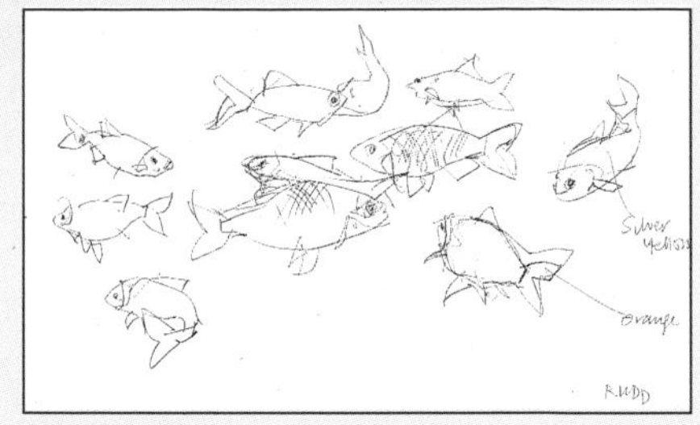

L'utilisation du crayon de couleur vous permettra de vous souvenir des couleurs de ces poissons. Vous pouvez également prendre des notes, en inventant votre propre langage descriptif, par exemple, le vocabulaire qui concerne la nourriture : brun caramel, jaune beurre...

4 Si vous avez le temps, essayez de dessiner une partie du décor dans lequel évolue l'animal. Ici, l'arbre et la porte arrondie donnent une idée de l'échelle (cela aurait été encore plus net si l'artiste avait dessiné les ardoises du toit – comme sur la photo). L'échelle est peut-être encore plus importante lorsqu'on dessine de petits animaux – oiseaux ou insectes.

La végétation renseigne aussi sur l'animal. Si votre modèle est un orang-outan qui se tient sur une branche, il va de soi qu'il faut dessiner la branche – et en profiter pour montrer avec quelle agilité la main de l'animal s'y agrippe.

La beauté du tigre

◄ **Cliché** Le tigre est considéré comme l'un des plus beaux animaux de notre planète. Malheureusement, la chasse a fait de lui un animal aujourd'hui en voie d'extinction dans de nombreuses régions. Au cours des siècles, l'homme a utilisé plusieurs parties du corps de cet impressionnant félidé pour soigner l'acné, la paresse, l'impuissance ou les fièvres. La proximité de cette tigresse et la régularité de ses mouvements ont fait d'elle un modèle exemplaire.

► **1** Notre artiste s'est servi d'un chiffon en coton qu'il a plongé dans un mélange de térébenthine et de peinture à l'huile orange de cadmium lumineux pour esquisser la silhouette de l'animal. Il a ensuite retravaillé au crayon Conté noir. Cette technique convient bien aux portraits de modèles incapables de rester immobiles, parce qu'elle permet de capter le mouvement très rapidement. Placez vos doigts à l'intérieur du chiffon et procédez comme s'il s'agissait d'une marionnette à gaine pour appliquer la peinture avec le maximum de précision – vous pouvez aussi procéder par tamponnement pour un effet plus flou.

▼ **La peinture au chiffon est une technique rapide et amusante. Si vous utilisez de la peinture à l'huile, travaillez sur un papier cartonné fort, de bonne qualité. Si vous préférez la peinture acrylique, rappelez-vous que le temps de séchage est court, ce qui rend les choses un peu moins faciles.**

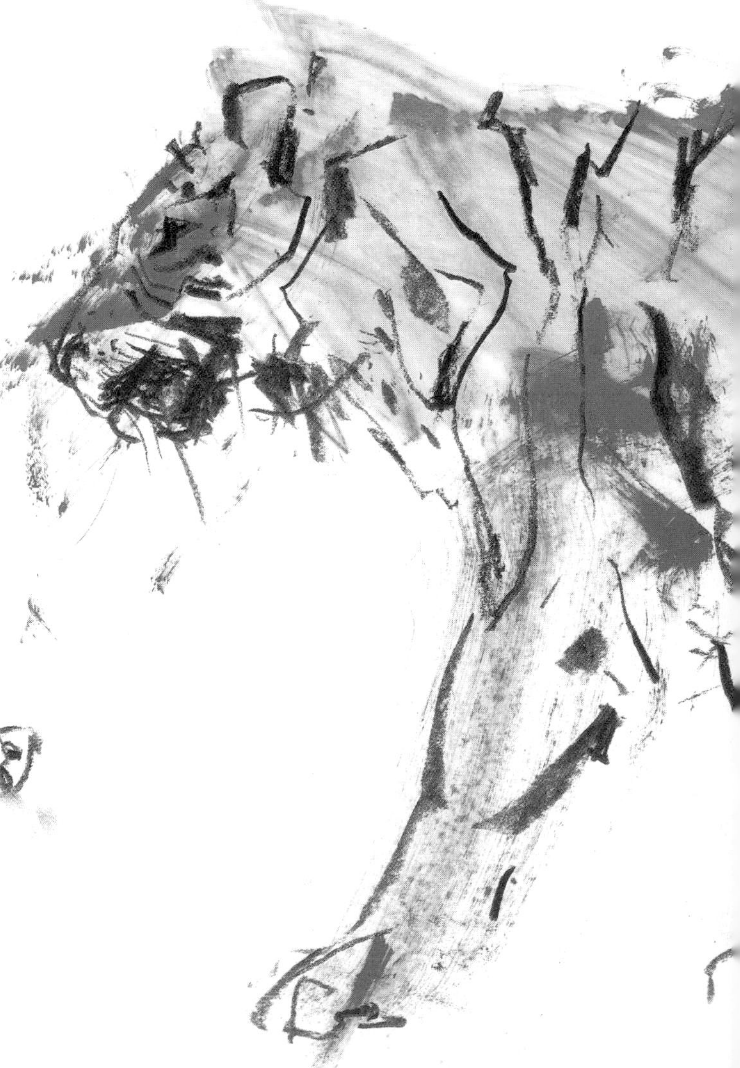

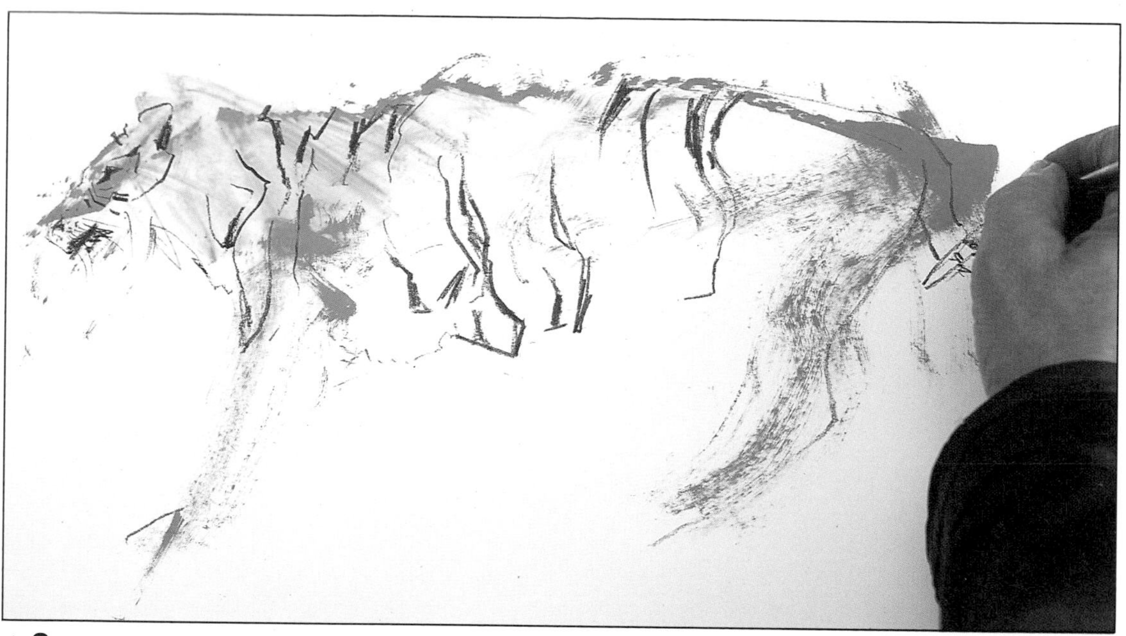

2 En laissant la partie inférieure du flanc blanche et en utilisant les rayures de l'animal pour suggérer le volume, notre artiste a réussi à suggérer le creux situé sous les côtes et même la couleur du ventre. Le tigre a continué sa « promenade » pendant que notre artiste le dessinait, mais, dans la mesure où il revenait régulièrement au même endroit, il a en quelque sorte facilité la tâche du dessinateur, qui a pu l'observer et recueillir de nouvelles informations au fur et à mesure.

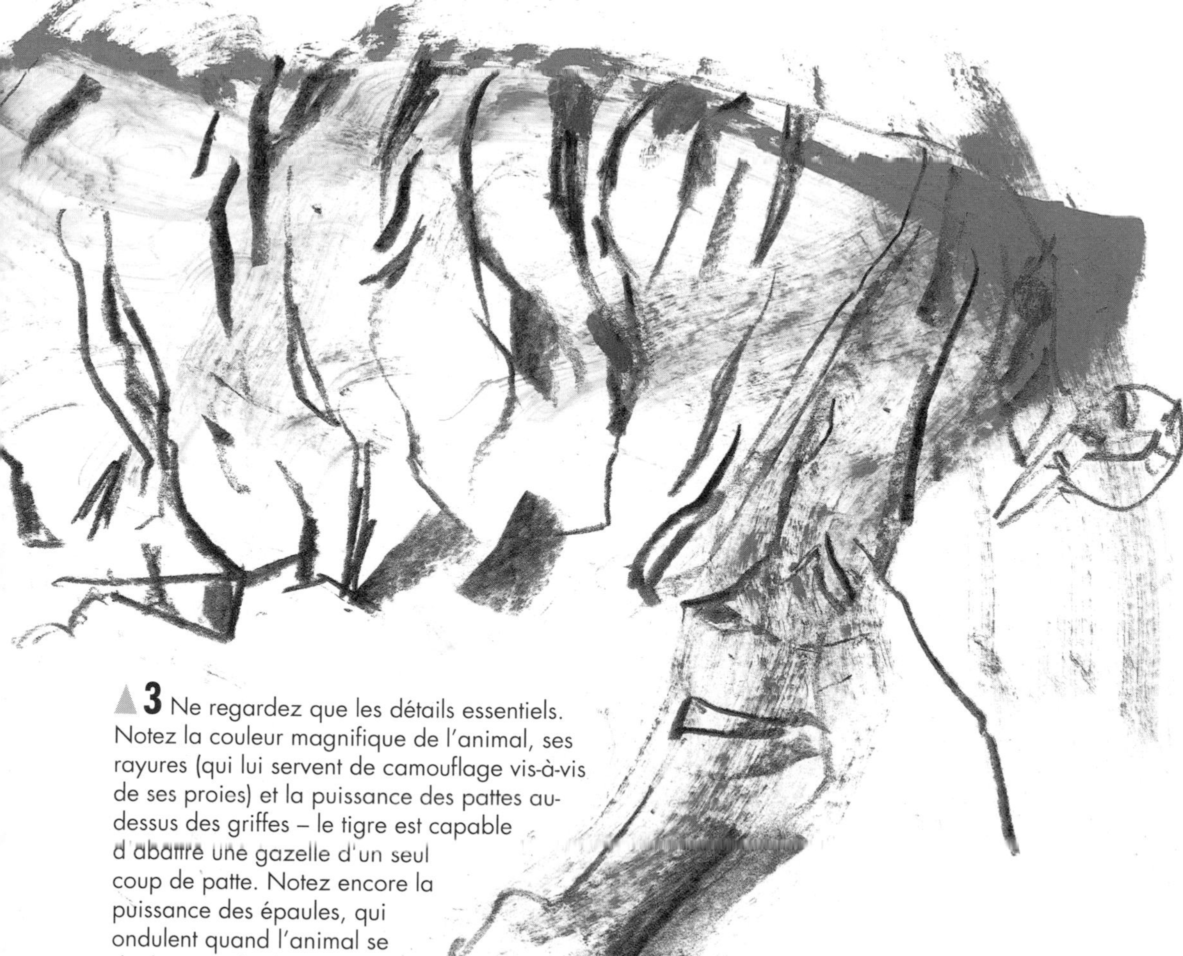

3 Ne regardez que les détails essentiels. Notez la couleur magnifique de l'animal, ses rayures (qui lui servent de camouflage vis-à-vis de ses proies) et la puissance des pattes au-dessus des griffes – le tigre est capable d'abattre une gazelle d'un seul coup de patte. Notez encore la puissance des épaules, qui ondulent quand l'animal se déplace, et des hanches, adaptées à la course.

Des croquis de poche

Le format du carnet de croquis est important. S'il est trop grand, il vous embarrasse et manque de discrétion. Utilisez plutôt un carnet de croquis de poche, qui fera parfaitement l'affaire et remplacera même, au besoin, un appareil photo.

Beauté et laideur

Ce ne sont pas forcément les animaux les plus beaux – grands singes, grands félins, éléphants – qui sont les plus intéressants à dessiner. Les oiseaux, les reptiles, les poissons et même les insectes, sont des modèles passionnants – et, quelquefois, plus faciles à dessiner. Une des caractéristiques des serpents et des lézards est leur immobilité. Ils sont la plupart du temps enfermés dans des espaces réduits et derrière des vitres, ce qui permet de les observer en détail. Vous pouvez passer une journée pluvieuse à dessiner des reptiles dans leur aquarium. Les poissons constituent, eux aussi, des sujets fascinants.

◄ **Ces vautours au bec crochu ne sont pas les plus beaux animaux de la création, mais on comprend que notre artiste ait eu envie de les dessiner. Leur tête chauve a une fonction : elle leur permet de se nourrir de charognes sans avoir les plumes pleines de sang.**

► **Les lents mouvements saccadés de cet iguane ont permis à notre artiste de le dessiner tranquillement, sous des angles différents. Les plis de la peau sont une aide précieuse pour restituer l'ovale de son volume.**

◄ **Ce petit alligator, originaire de Shanghai, est resté caché et, comme la plupart des reptiles, parfaitement immobile. En fait, la plus grande difficulté rencontrée par notre artiste a été le passage des gens entre son modèle et lui-même.**

Du carnet… à la toile

L'inspiration peut venir à tout moment : n'hésitez jamais à accumuler des croquis qui vous serviront par la suite.

Il arrive qu'on imagine une scène – un beau paysage d'été ou un marché grouillant – et qu'on veuille la peindre ou la dessiner sans attendre. Mais tous les artistes vous le diront, pour mener à bien une telle entreprise, il faut accumuler un grand nombre d'éléments dans lesquels vous allez « piocher » pour composer cette scène imaginaire.

Les croquis qui remplissent les carnets des artistes constituent une inestimable source d'inspiration et d'information. Ce matériau brut peut servir de base à la composition d'un tableau ou de référence pour certains détails. Il est utilisable à n'importe quel moment : dans l'immédiat ou des années plus tard.

Dans la plupart des cas, l'œuvre achevée sera le résultat d'un assemblage d'éléments de sources différentes, que l'artiste transformera et réunira de façon à créer une composition originale et réussie.

▼ Croquis n° 1. Voici le point de départ de notre artiste : un croquis rapide, sans travail de composition, d'une scène de rue, avec les maisons, les gens et les arbres pris sur le vif. Vous remarquerez que l'artiste a indiqué quelques ombres et quelques valeurs. Ce genre d'esquisse constituera une aide précieuse au moment où il travaillera les valeurs ou les tons qui donneront plus de vérité à son œuvre.

En règle générale, ne vous séparez jamais de votre carnet de croquis. A tout moment, quelque chose peut attirer votre regard : un paysage ou un quai de gare sur lequel vous attendez, une silhouette assise sur un banc ou un chien couché devant une porte, dans un rayon de soleil. Ouvrez votre carnet et dessinez ce que vous voyez, même si vous êtes pressé par le temps ; le plus simple des croquis vous aidera à vous remémorer la scène.

► Les photos aident à la composition et au choix des couleurs d'un tableau.

Si possible, ayez toujours un appareil photographique, même un simple appareil « jetable », en plus du carnet de croquis. Quelques clichés pris sous des angles différents vous permettront de retrouver des détails intéressants et de donner plus de vérité à votre œuvre. Vous pouvez aussi travailler d'après des cartes postales ou des affiches.

Avec tous ces éléments, vous allez pouvoir exécuter votre tableau ou votre dessin. L'important est que votre travail soit crédible, bien construit, et qu'il reflète la réalité de la scène qui a attiré votre attention au départ. Mais il s'agit de votre œuvre, alors n'hésitez pas à ajouter des détails ou à en supprimer. Ci-dessous, notre artiste a pris une silhouette dans un contexte différent pour étoffer sa composition.

► Croquis n° 2. Cette étude de groupe est l'un des nombreux croquis de notre artiste : il a « emprunté » la silhouette de droite pour la placer dans sa scène de marché.

▼ Croquis n° 3. Notre artiste a réalisé cette étude dans son atelier en utilisant plusieurs éléments trouvés dans différents carnets de croquis. Il a travaillé la composition et choisi un format presque carré, au centre duquel il a placé un arbre imposant.

Tous ces croquis proviennent de plusieurs carnets constitués au cours d'un séjour en province. Il est à noter que, de retour dans son atelier, notre artiste a « pioché » dans différents carnets pour effectuer plusieurs compositions. Son tableau définitif est la combinaison des images qu'il a voulu y incorporer. Le résultat reflète parfaitement l'atmosphère d'un marché de Provence.

Un travail d'assemblage

Le croquis n° 1 est une sorte de « pense-bête » pris sur le vif. Notre artiste a esquissé les principaux éléments de la scène : l'emplacement de chaque étal, des arbres, des maisons à l'arrière-plan et de certains personnages. Il a également noté quelques zones d'ombre et de lumière – par exemple les valeurs sombres des troncs d'arbres et des feuillages et l'ombre des deux personnages au premier plan.

Le croquis n° 2, représentant un groupe d'hommes, a été réalisé pendant les vacances de notre artiste, dans un contexte différent de celui du premier croquis. Il a finalement « emprunté » le personnage de droite pour l'incorporer à son dessin définitif.

L'étude n° 3 a été réalisée plus tard, dans l'atelier de l'artiste. A ce stade de son travail, il a effectué plusieurs essais de composition combinant divers éléments pouvant figurer dans une scène de marché. Il a également opté pour un format presque carré et placé un gros arbre au centre pour structurer définitivement sa composition en la divisant en deux plans.

L'étude n° 4 est la plus détaillée. Elle a été réalisée en atelier, d'après des croquis effectués en diverses occasions dans les carnets de notre artiste. Il s'est intéressé à la position nonchalante de l'homme assis sur un banc, ainsi qu'à la forme et à la matière des melons. Pour finir, il a incorporé avec bonheur ces deux éléments dans son tableau.

Le dessin n° 5 s'inspire du croquis n° 3. L'artiste a opté pour une composition fortement structurée par un axe perspectif central, constitué par des cagettes de légumes partant du premier plan pour rejoindre l'arbre au centre. Il a également ajouté certains détails comme les fenêtres et les volets des maisons à l'arrière-plan et le feuillage.

Il a voulu rompre la symétrie en plaçant le personnage debout, à droite de la composition – et en le décalant encore vers la droite pour laisser la femme assise sur un pare-chocs bien visible.

Sur le dessin n° 6, nous voyons comment l'artiste a rassemblé des éléments provenant de sources différentes. Le choix des couleurs est dû à sa mémoire, mais aussi à des notes et à des clichés pris sur le vif.

Croquis n° 4. Ces deux études retrouvées dans le carnet de notre artiste ont finalement été incorporées dans le tableau définitif (au verso).

► **Croquis n° 5. La scène est composée. L'axe central du croquis n° 3 a été conservé et renforcé par les cagettes de légumes qui guident notre regard du premier plan à l'arbre situé au centre. L'artiste a ajouté des détails aux maisons situées à l'arrière-plan ainsi que le feuillage.**

▼ **N° 6. Avec des crayons de couleur, l'artiste a recréé l'atmosphère grouillante et colorée d'un marché de Provence.**

Bébés et jeunes enfants

Absorbés dans leurs jeux, médusés par une nouvelle découverte, le visage éclairé d'un sourire malicieux ou apaisé par le sommeil, pleins d'innocence et de fraîcheur, les jeunes enfants font d'adorables sujets de croquis.

L'enfance offre un domaine d'exploration fascinant. Les résultats peuvent être touchants de sensibilité, parfois drôles et toujours attendrissants. De plus, si vous avez des enfants, vous garderez ainsi une trace originale de leur croissance, pour leur plus grande joie lorsqu'ils auront grandi.
Outre leur personnalité et leur singularité prononcées, les jeunes enfants sont une source constante d'émerveillement. Prenez-en pour preuve la quasi-transparence de leur peau, la délicatesse de ses nuances et de ses textures ; la rondeur de leurs traits et la douceur de leur carnation ; la rapidité à laquelle ils grandissent et développent leurs aptitudes ; l'étendue de leurs expressions ; et, surtout, leur incroyable vitalité.

► **Les traits fluides de ce charmant croquis au crayon soulignent la forme du corps du nourrisson dans les replis de son vêtement. Le léger pastel qui colore son visage produit un contraste heureux comparé à la vivacité des couleurs des vêtements et complète le travail au crayon. L'auteur a parfaitement saisi l'abandon des jeunes enfants endormis.**
Crayon et pastel, Malvina Cheek.

► **Comme ils ne peuvent pas bouger aisément, les très jeunes bébés sont beaucoup plus faciles à dessiner qu'un enfant de trois ans qui ne cesse de gigoter. A l'aide de rapides traits de plume, le dessinateur a esquissé la forme de la tête de ce bébé, ainsi que les ombres de son visage. Le tracé d'ensemble, lui, figure la position de grenouille caractéristique des nourrissons.**

Croquis au stylo bille, Stan Smith.

▼ **Un bon croquis saisit l'instant sur le vif. Ici, l'artiste ne s'est pas attardé sur les détails – ce n'était pas utile. Les contours, tracés avec assurance au stylo bille, fournissent de multiples indications et reflètent le calme d'un moment de relaxation partagé par la mère et l'enfant.**

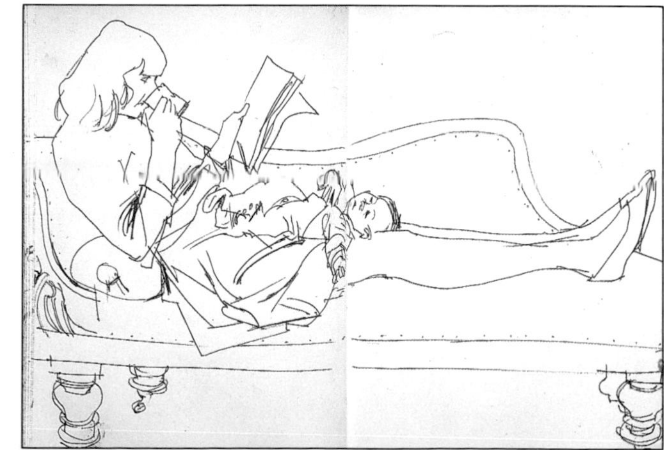

Observez bien la physionomie des enfants avant de vous mettre à dessiner. Ces derniers sont en début de croissance et leurs traits n'ont pas les proportions de ceux des adultes. Le crâne se développe plus vite que le reste du visage, d'où la largeur du front. Le nez, la bouche et le menton sont petits et moins développés, et la mâchoire est molle et encore informe. Les oreilles, elles aussi, sont grandes comparées à l'ensemble, et les joues sont généralement pleines et rondes. Lorsque l'enfant grandit, le nez s'allonge et le contour des yeux se dessine tandis que la mâchoire s'affirme. Il est important de transcrire ces proportions correctement si vous voulez que vos croquis d'enfant soient convaincants. Les cheveux des jeunes enfants peuvent être inexistants ou abondants : implantés en touffes de mèches folles, bouclés ou aussi raides que des baguettes. Quelques traits bien placés devraient suffire.

Attendez-vous à travailler rapidement. Il est à peu près vain d'essayer de les faire poser – vous n'obtiendriez qu'une position artificielle, alors qu'en quelques traits rapides vous saisirez leur humeur et leur expression véritables.

▲ Saisir le caractère est simple : guettez les habitudes propres à l'enfant. Celui-ci, par exemple, suce son pouce en dormant. Vous remarquerez que quelques traits délicats à la mine de plomb suffisent à rendre la profondeur de l'orbite. Notez également que la forme de la tête est clairement marquée sous les cheveux.

▲ Cette petite fille de huit jours a été amoureusement croquée par sa mère. Grâce à la précision de son observation, celle-ci a pu reproduire les traits du nourrisson – yeux bouffis, nez et bouche minuscules, doigts recroquevillés et rondeur du menton. Même les franges de la couverture ont été dessinées avec beaucoup de soin et de détails, ce qui accentue l'impression de chaleur et de quiétude de la scène.

◄ Lorsque l'opportunité se présente de dessiner un enfant à son insu, profitez-en pour capter des angles et des points de vue intéressants. Vous noterez ainsi comment, vue sous cet angle extrême, la tête du bambin paraît allongée. Travaillant à la mine de plomb, l'artiste a utilisé des traits appuyés, simples mais efficaces, pour représenter les cils magnifiques.

Si vous voulez travailler plus longuement à vos croquis et leur apporter davantage de détails, dessinez vos modèles pendant leur sommeil ! Même s'ils s'étirent, il est très vraisemblable qu'ils reviendront à la même position – sinon tout de suite, assurément lors d'une autre sieste. Comme les croquis reproduits sur cette page vous le montreront, les enfants endormis, détendus, prennent des positions de total abandon. Cherchez toujours à traduire à la fois l'expression du visage et le satiné de la peau.

Comme d'habitude, vous choisirez votre support en fonction de votre modèle. Pour ne rater aucune occasion, tenez-vous-en à quelques matériaux vite prêts dont vous pourrez vous servir sans délai. Outre qu'elle vous permettra de varier l'épaisseur des traits, la mine de plomb conviendra parfaitement au travail rapide des tonalités. Grâce à une sélection judicieuse de mines de plomb, vous pourrez au choix tracer des lignes frêles, légères ou des marques plus sombres et plus épaisses. Si vous voulez utiliser de la couleur, nul doute que la délicatesse des crayons de couleur vous paraîtra particulièrement indiquée.

Les croquis au fusain reproduits sur ces deux pages sont de Susan Pontefract.

▲ La mine de plomb, qui donne des lignes délicates et des ombres douces, reproduit fidèlement les lignes et les tonalités de chaque mèche de cheveux et du moindre repli du vêtement.

◄ Tout l'attrait du croquis réside dans le fait que vous pouvez faire exactement ce qui vous plaît – inutile de vous soucier des « finitions » de la peinture ou du dessin. Notre artiste s'est attachée à traduire l'expression de sérénité confiante de l'enfant.

▲ Voici un croquis simple, griffonné rapidement pour ce qui concerne le trait et, quant au travail des tonalités, esquissé avec le plat d'un fusain. Il n'en est pas moins frappant de réalité et restitue la rondeur joufflue des joues et le nez retroussé du bambin.
Tous ces croquis sont le fruit d'une artiste mère de cinq enfants – de quoi accumuler croquis et esquisses !

► Comme notre artiste, commencez un nouveau croquis dès que l'enfant bouge dans son sommeil. Ayez toujours votre carnet à portée de main afin de pouvoir reprendre vos dessins dès que l'enfant reprend une position identique ou similaire à celles déjà observées.

► En choisissant un support coloré, vous donnerez une dimension supplémentaire à vos croquis. Notre artiste a choisi de travailler avec des pastels qui, par leur douceur et le velouté de leur texture, convenaient bien à ses modèles.
Vous remarquerez que le visage de ce bébé n'est pas simplement rose, mais qu'il comporte un mélange subtil de bleus, de violets, de gris, de jaunes, de blanc et de rouges rosés.

Croquis au pastel et crayons de couleur, Humphrey Bangham.

◄ Bien que réalisés rapidement, dans l'objectif de saisir l'essence d'une expression ou d'un effet, les croquis ne doivent pas pour autant sacrifier la forme et la tonalité au trait.
On obtient des effets de couleurs et de tonalités tout à fait intéressants avec de simples lignes hachurées. Les rehauts, placés aux endroits où la lumière frappe la joue rebondie, contribuent à suggérer la forme de celle-ci. Le fond sombre, sur lequel la tête se détache, produit une impression de volume convaincante.

▼ De légers traits de couleurs superposés signalent la transparence des paupières de ce jeune enfant. Les lignes sombres et délicates des yeux fermés et de la bouche s'allient aux couleurs subtiles pour créer un dessin chaleureux, tendre et extrêmement expressif.

DESSINER
AVEC DES OUTILS VARIÉS

Redécouvrir le crayon

Rien n'est plus banal que le crayon à mine de plomb. Peut-être est-ce justement à cause de cela qu'on a tendance à négliger ce merveilleux instrument de création artistique.

Chacun a plus ou moins appris à tenir un crayon dans son enfance, pour oublier bien vite par la suite son efficacité et sa souplesse. Cet oubli est infiniment regrettable, surtout quand on considère la vaste panoplie disponible, depuis les modèles les plus durs, qui tracent des lignes d'un gris léger, jusqu'aux mines les plus tendres, idéales pour les ombres veloutées.
Mais le degré de dureté de votre crayon n'est pas le seul élément à prendre en compte. La pointe est plus ou moins pointue, arrondie ou anguleuse. Ajoutez encore la plus ou moins forte pression qu'on exerce sur l'instrument et sur le papier lui-même, et vous aurez presque fait le tour de ses possibilités. Le reste ne dépend plus que de votre talent. Les lignes tracées par un crayon peuvent être douces et sinueuses, vigoureuses et grasses, ou contenues et précises. Il est possible de réaliser des dessins subtilement détaillés, avec des ombres soigneusement dégradées, et d'autres où la vigueur du trait domine.

Du plus tendre au plus dur

Il existe vingt gradations de mines de crayon, allant de la plus tendre (8B) à la plus dure (10H), F et HB se situant au milieu.

► Avec ses différentes tonalités de gris, ce dessin est d'une grande expression.

« Maison à Séville », par Albany Wiseman. Crayon sur papier.

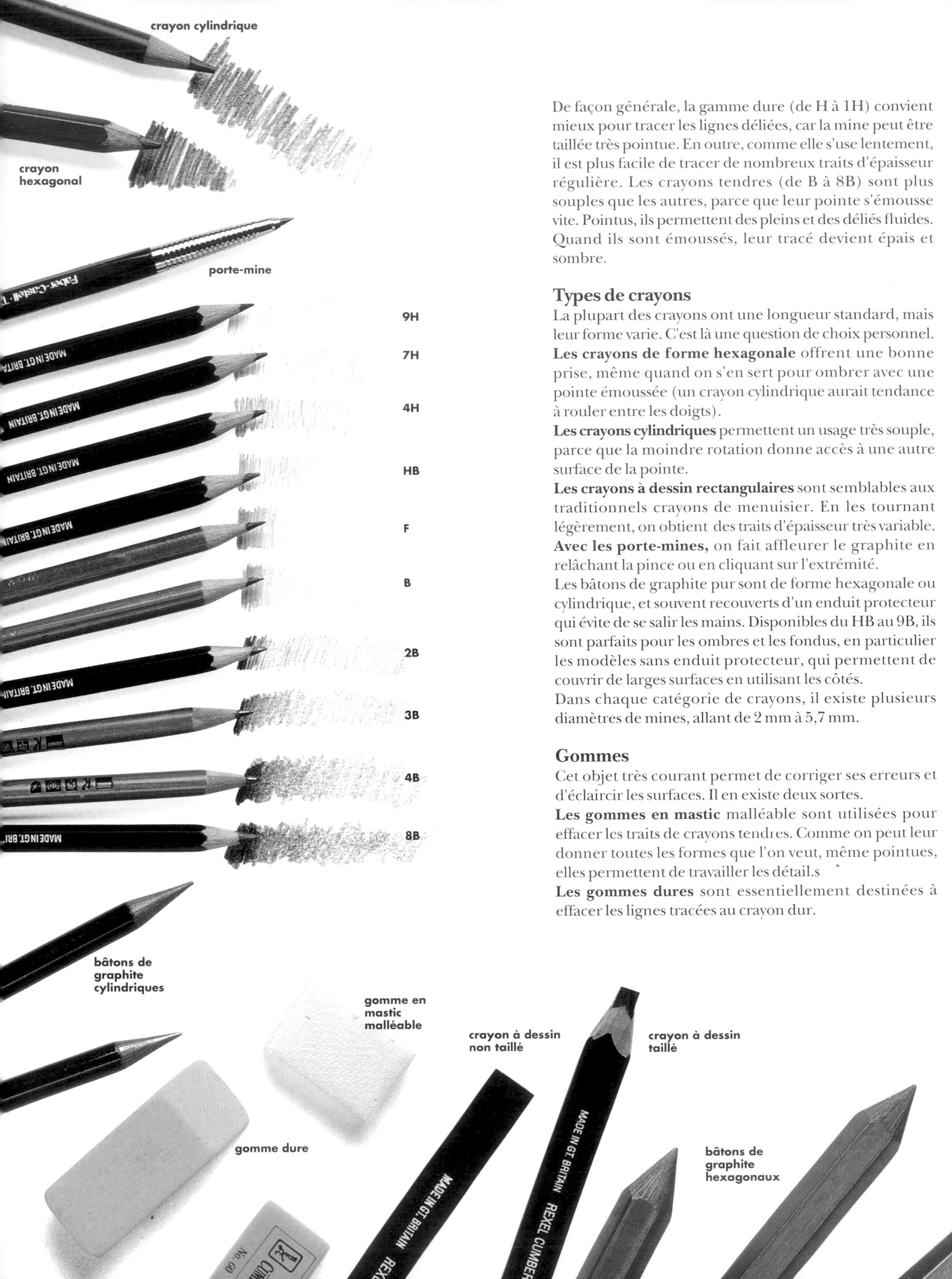

De façon générale, la gamme dure (de H à 1H) convient mieux pour tracer les lignes déliées, car la mine peut être taillée très pointue. En outre, comme elle s'use lentement, il est plus facile de tracer de nombreux traits d'épaisseur régulière. Les crayons tendres (de B à 8B) sont plus souples que les autres, parce que leur pointe s'émousse vite. Pointus, ils permettent des pleins et des déliés fluides. Quand ils sont émoussés, leur tracé devient épais et sombre.

Types de crayons

La plupart des crayons ont une longueur standard, mais leur forme varie. C'est là une question de choix personnel.
Les crayons de forme hexagonale offrent une bonne prise, même quand on s'en sert pour ombrer avec une pointe émoussée (un crayon cylindrique aurait tendance à rouler entre les doigts).
Les crayons cylindriques permettent un usage très souple, parce que la moindre rotation donne accès à une autre surface de la pointe.
Les crayons à dessin rectangulaires sont semblables aux traditionnels crayons de menuisier. En les tournant légèrement, on obtient des traits d'épaisseur très variable.
Avec les porte-mines, on fait affleurer le graphite en relâchant la pince ou en cliquant sur l'extrémité.
Les bâtons de graphite pur sont de forme hexagonale ou cylindrique, et souvent recouverts d'un enduit protecteur qui évite de se salir les mains. Disponibles du HB au 9B, ils sont parfaits pour les ombres et les fondus, en particulier les modèles sans enduit protecteur, qui permettent de couvrir de larges surfaces en utilisant les côtés.
Dans chaque catégorie de crayons, il existe plusieurs diamètres de mines, allant de 2 mm à 5,7 mm.

Gommes

Cet objet très courant permet de corriger ses erreurs et d'éclaircir les surfaces. Il en existe deux sortes.
Les gommes en mastic malléable sont utilisées pour effacer les traits de crayons tendres. Comme on peut leur donner toutes les formes que l'on veut, même pointues, elles permettent de travailler les détails.
Les gommes dures sont essentiellement destinées à effacer les lignes tracées au crayon dur.

Un crayon qui peut tout faire !

Le rendu des textures est toujours un défi pour l'artiste, et la nature morte ci-dessous en est un exemple réussi : entrelacs et tresses du panier, fibres du bois et grain des écorces. Il suffit pourtant pour la réaliser d'un seul crayon et de six types de tracé.

Il vous faut...

- ☐ Une feuille de papier de bonne qualité de 470 mm x 595 mm
- ☐ Un crayon B
- ☐ Une gomme de mastic

Le sujet

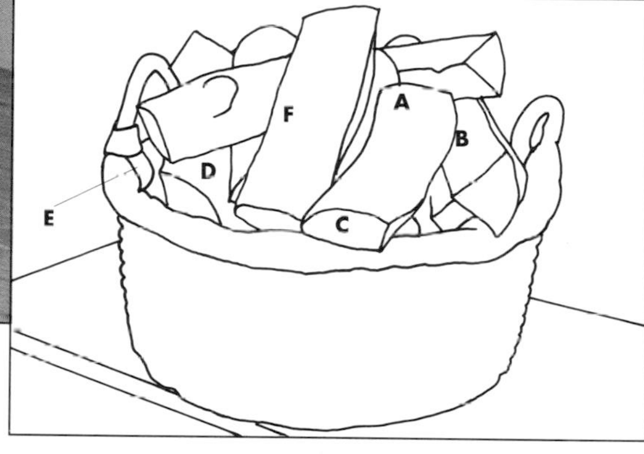

Les six tracés nécessaires

Exercez-vous d'abord à faire ces six tracés, mais ne vous attardez pas trop sur chacun, vous risqueriez de perdre en spontanéité. Travaillez au contraire par gestes rapides, avec un crayon B.

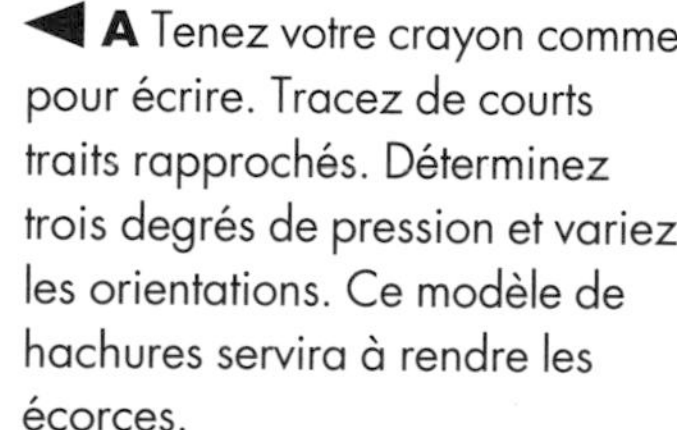

A Tenez votre crayon comme pour écrire. Tracez de courts traits rapprochés. Déterminez trois degrés de pression et variez les orientations. Ce modèle de hachures servira à rendre les écorces.

B Tenez le crayon légèrement et tracez de longues lignes flottantes pour représenter les fibres du bois.

C Aplatissez la pointe du crayon et ombrez légèrement en laissant transparaître la trame du papier. Voilà pour le grain du bois sur la tranche de certaines bûches.

D Émoussez la pointe du crayon et tracez des lignes brisées en appuyant fermement. Ce tracé servira à rendre certains contours nets.

E Tenez le crayon comme en A et tracez des séries de traits appuyés en tous sens. En accumulant les couches, vous obtiendrez des ombres parfaites.

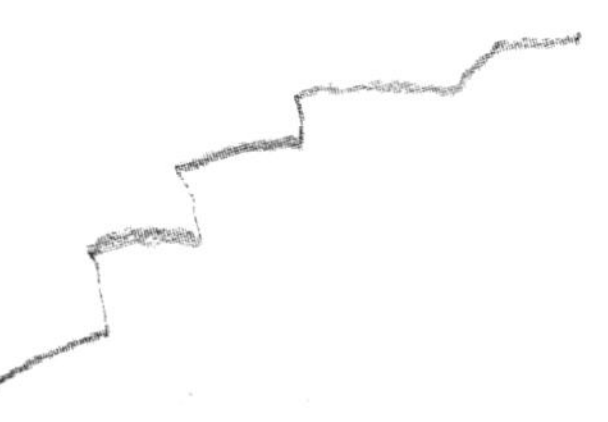

F Maintenez le crayon contre le papier tout en le faisant tourner entre vos doigts. En variant la pression, vous obtiendrez une ligne de pleins et de déliés qui rendra bien l'écorce de certaines bûches.

Étude

Maintenant que vous connaissez les tracés de base au crayon, faites comme notre artiste et prenez quelques croquis de détail.
Ce faisant, vous aurez l'occasion de mieux pénétrer votre sujet, et le travail ultérieur en sera facilité. C'est aussi le moment de choisir le meilleur angle.
De préférence, utilisez une mine émoussée. Après l'avoir taillée, frottez-la légèrement un moment sur du papier ordinaire ou abrasif.

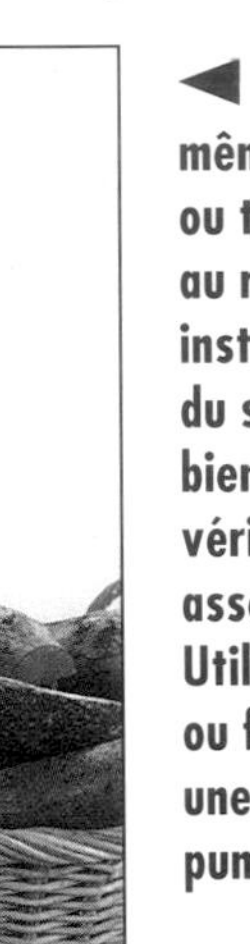

◄ Vous pouvez disposer vous-même des bûches dans un panier ou travailler à partir de la photo au recto. Dans le premier cas, installez-vous à environ 1,50 m du sujet; assurez-vous qu'il est bien éclairé, sans oublier de vérifier si vous avez vous-même assez de lumière pour dessiner. Utilisez un bloc de papier rigide ou fixez une feuille simple sur une planche à dessin avec des punaises ou du papier collant.

▲ L'un des éléments les plus délicats du sujet étant le tressage du panier, mieux vaut d'abord en faire une étude. Commencez par esquisser les horizontales et dessinez ensuite les joncs verticaux.

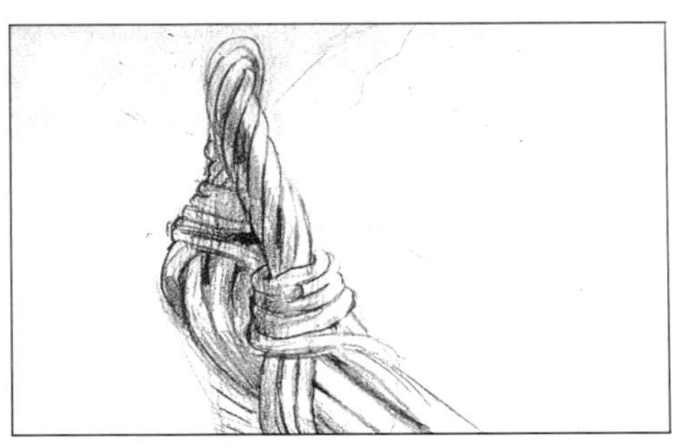

▲ Avec ses courbes, ses boucles et ses nœuds, l'anse du panier mérite un dessin à part entière.

◄ Ce premier angle de vue ne l'ayant pas satisfait, l'artiste a décidé d'en changer au moment de passer à l'exécution finale.

Tailler un crayon : tout un art !

Aucun modèle de taille-crayons ne vaut la lame d'un canif, d'un cutter ou d'un scalpel, qui vous permettent de dénuder davantage la mine et, donc, d'éviter de recommencer.
De cette façon, on contrôle également mieux le profil de la pointe, selon qu'on la préfère pointue, en ciseau, émoussée ou arrondie.
On peut l'épointer ou l'émousser encore plus en utilisant du papier abrasif.

Faire des croquis sur le vif

Tout dessinateur ou peintre se doit de tenir un carnet de croquis, notations visuelles au quotidien des lieux et des gens qu'il rencontre. Ce carnet est une source inépuisable d'inspiration et de documentation.

Prenez l'habitude de toujours avoir sur vous un bloc sur lequel vous pourrez croquer tout ce qui frappe votre regard. Cela peut se faire en quelques minutes, et en toute discrétion. Gens au travail, promeneurs, clients d'un café ou d'un restaurant : les sujets sont nombreux. Vous pouvez également passer un peu plus de temps à essayer de saisir différents aspects d'un paysage, des scènes de village ou des animaux. Il n'y a pas de limites.

Une aide inestimable

Un bon dessin exige une pratique régulière. Même les artistes chevronnés se font la main tous les jours pour ne pas se «rouiller».
Bien sûr, on est souvent « bloqué » devant la feuille blanche, parce qu'on se sent obligé de faire un dessin irréprochable.
Résultat, le papier reste parfaitement vierge.

▲ Par une belle soirée de printemps, chaque passant est une source d'inspiration pour des croquis vivants.

► Deux bavards, et voilà une occasion de saisir des personnages, comme dans le lavis à l'encre ci-contre.

◄ Un peu de lavis et quelques traits suffisent pour restituer le charme de nos provinces.

Astuce

Servez-vous de photos
Si vous êtes pressé ou s'il fait mauvais temps, l'appareil photo vous rendra de précieux services. Un cliché est une référence toujours disponible, et, allié à quelques croquis de détail, il constitue une excellente base pour une œuvre future.

N'oubliez jamais cependant qu'un croquis n'a nullement besoin d'être parfait, ni même terminé, et que personne ne va vous juger. Il s'agit simplement de notes personnelles sur des choses qui vous ont intéressé, d'archives et de références qui viendront nourrir vos dessins et peintures à venir. C'est là une aide inestimable si vous ne pouvez pas revenir sur place ou retrouver un jeu d'ombre et de lumière qui ne se reproduira peut-être plus jamais.

Compte tenu de ce qui précède, efforcez-vous toujours d'accumuler le maximum d'informations possible. Les crayons de couleur sont facilement transportables, et l'aquarelle, la gouache et l'acrylique ont le mérite de sécher rapidement. Quelques rapides croquis colorés d'un coucher de soleil ou la notation précise des nuances des plumes d'un oiseau aperçu voltigeant entre les arbres valent leur pesant d'or.

Les notes écrites sont presque aussi importantes que les images.

Consignez l'heure, la date, les conditions météorologiques. Si vous utilisez un crayon, un stylo ou du fusain, notez l'éventail des couleurs que vous avez vues et l'orientation de la lumière. N'oubliez rien de ce qui peut vous aider à concevoir une peinture finie.

Notez tous les détails qui vous permettront de resituer la scène, comme une plume ou une feuille dans le vent, un galet ou un coquillage intéressant ramassé sur la plage.

Emportez votre carnet partout, enregistrez ce que vous voyez, et vous serez sûr de n'être jamais à court de sujet à peindre.

▲ **Ne craignez pas de demander à vos proches et à vos amis de prendre la pose. Croquer des visages est un exercice passionnant, et on fait des progrès rapides avec la pratique !**

► **Ici, les traits appuyés soulignent la texture des cheveux et des tissus, tandis que de fins déliés donnent toute son expression au visage.**

Redécouvrez les crayons de couleur

Si vous n'avez pas utilisé de crayons de couleur depuis l'école, offrez-leur une seconde chance. Depuis, ils se sont perfectionnés et sont aujourd'hui un moyen raffiné et convivial de dessiner.

Vous allez être surpris par les merveilleux résultats que vous pouvez obtenir avec une poignée de crayons de couleur et quelques bases techniques. Ils sont bons pour le dessin à main levée et les illustrations et vous pouvez même réaliser des effets de peinture. Vous pouvez tout autant les utiliser pour un rendu grossier que pour des travaux d'une grande subtilité.
Les crayons de couleur sont faciles à utiliser, bon marché et vous n'avez pas besoin de beaucoup de matériel pour commencer. Vous travaillerez proprement, ils ne salissent pas facilement avant tout, les crayons de couleur ne prennent pas de place et sont facilement transportables, vous pouvez donc les emporter lorsque vous allez faire des croquis.

▲ **La grande souplesse d'utilisation des crayons constitue leur véritable charme.**

◄ **La plupart des boutiques de dessin proposent une vaste gamme de crayons , des durs, des tendres, dans une gamme de couleurs impressionnante. Il vous faudra en essayer beaucoup avant de découvrir votre graduation préférée.**
Pour le papier, l'éventail de choix est tout aussi important. Il existe tant de couleurs et de qualités différentes que vous trouverez forcément celles qui vous conviennent en fonction du modèle à dessiner.

Mélanger deux couleurs

Ces mélanges de couleurs ont été faits avec des crayons de couleur Lira Rembrant Polycolor.

▲ **Cet orange lumineux est un mélange de vermillon et de jaune de cadmium.**

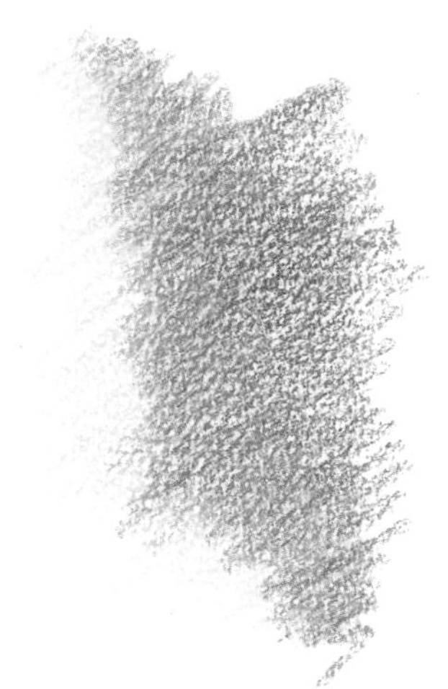

▲ **Mélangez du jaune de cadmium à du bleu de Paris pour obtenir un vert clair éclatant. Eclaircissez-le avec plus de jaune, ou foncez-le avec plus de bleu.**

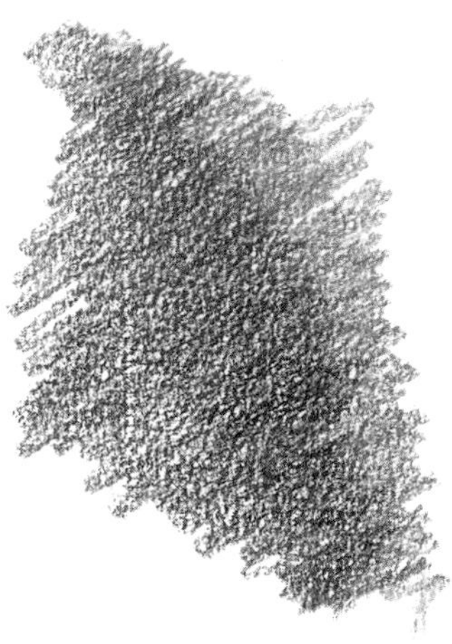

▲ **Associez du carmin et du vermillon pour obtenir ce violet sombre.**

▲ **Pour fabriquer un gris neutre, ajoutez du rouge vermillon sur du bleu neutre.**

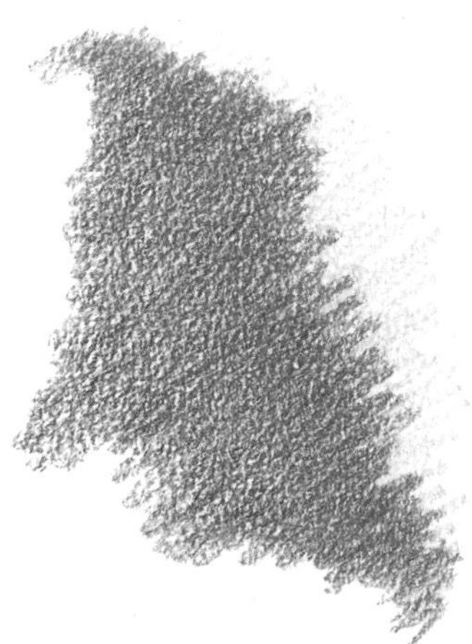

▲ **Ce vert foncé glacé est le résultat du mélange d'un bleu de Prusse et d'un jaune de cadmium.**

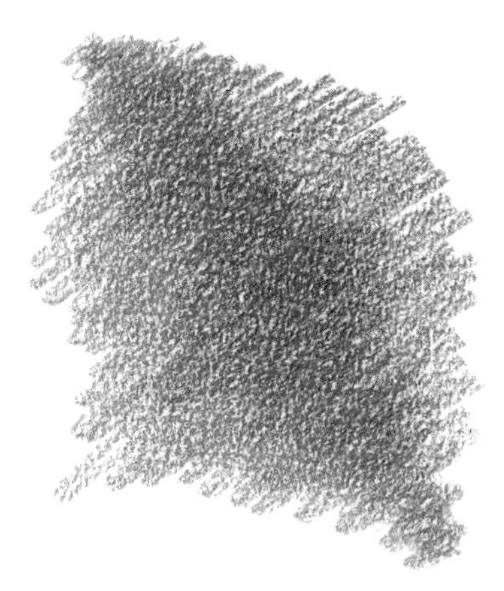

▲ **L'association de vert et de vermillon donne un brun sombre.**

Dur ou tendre ?

Certains crayons de couleur sont plus tendres que d'autres, selon la quantité de cire qu'ils contiennent. La mine est faite d'argile, colorée par des pigments, le tout lié par de la cire. Moins il y a de cire, plus le crayon est dur. Avec un crayon tendre, la couleur glisse facilement et régulièrement. Avec un crayon dur, la couleur est appliquée assez légèrement. Essayez plusieurs graduations pour voir celle que vous préférez. De nombreux artistes utlisent les deux graduations de crayons - les durs pour les lignes fines et les tendres pour colorier des surfaces, pour les couleurs épaisses et pour les effets de pastels.
Vous pouvez acheter des crayons de couleur par grandes boîtes de 72, mais vous n'aurez réellement besoin que d'un lot de 12 pour obtenir une grande gamme de couleurs. Si vous préférez les acheter individuellement, afin de pouvoir les mélanger, prenez les couleurs suivantes : rouge de cadmium, jaune de cadmium, bleu de cobalt, bleu outremer, carmin d'alizarine, bleu de Prusse, blanc et noir.
Lors de l'achat, choisissez des crayons de qualité, avec une parure solide et une mine bien centrée. Vérifiez que la couleur apparaît rapidement et uniformément, sans effets sablonneux, ni crissements. Vous aurez aussi besoin d'un petit couteau ou d'un taille - crayon et d'une gomme pour estomper et effacer.

La pression du crayon

Les nuances de votre dessin dépendent de la pression exercée sur le crayon. Une forte pression donne un ton foncé ; une pression moyenne, un ton moyen ; une pression légère, un ton clair. Utilisez la pointe aiguisée de votre crayon pour les lignes fines. Pour les lignes plus douces et les traits de crayon épais, travaillez avec le côté de la mine.

La pression

En faisant varier la pression que vous exercez sur le crayon, vous obtenez différentes nuances de tons. La pression détermine aussi l'effet final. Les crayons de couleur sont le plus souvent utilisés sur du papier fort qui a un léger mordant. Si l'on exerce une pression faible, la couleur n'accroche que sur le relief de la surface irrégulière et produit un effet granuleux. Quand on exerce une pression forte, la couleur est poussée dans les dépressions du papier. Elle s'étale plus régulièrement et la texture du papier est légèrement aplatie, ce qui donne un effet lisse et fluide.

Le mélange des couleurs

Les marques de crayon de couleur étant semi-transparentes, une couleur appliquée sur une autre en crée une troisième. Ainsi, du bleu sur du jaune donne un vert plus subtil, plus vif et plus intéressant que la couleur plate que vous obtenez avec un crayon vert.

Vous pouvez varier ce vert en contrôlant la quantité de bleu ou de jaune que vous appliquez. Vous pouvez aussi le modifier en ajoutant quelques touches de brun ou d'une autre couleur. En combinant mélange des couleurs et utilisation de différents types de traits, on produit des effets variés. Un hachurage en croisillons réguliers produit une image nette, tandis qu'une superposition de couches griffonnées avec deux couleurs ou plus convient aux fonds et aux zones étendues. Pour des zones plus petites, procédez par points ou petites taches. Faites des essais pour voir les effets que vous obtenez.

Utilisez le bon papier

Le choix du papier détermine le résultat final du dessin. Soyez attentif à ce point. Le papier fort, qui a un léger mordant, est le plus couramment utilisé. Plus le grain est grossier, plus le papier supporte les couches de couleur. Les surfaces très lisses ne conviennent pas pour le travail aux

▼ **Les crayons de couleur ne servent pas seulement aux illustrations et aux sujets pâles et délicats. Dans ce portrait, des traits de crayon vigoureux et expressifs et l'usage imaginatif des couleurs donne un dessin plein d'énergie.**
« Portrait d'Annie », par Sarah Donaldson, crayons de couleur aquarelle sur papier blanc, 15 cm x 20 cm

Astuce

Utilisation d'un fixateur

Si vous préférez utiliser des techniques qui requièrent une forte pression, vaporisez sur votre travail une ou deux couches légères de fixateur. Sinon, vous vous apercevrez au bout d'une semaine ou deux qu'il paraît terne et brumeux. C'est parce que la cire a filtré jusqu'à la surface. Si cela arrive, frottez légèrement la surface avec un chiffon doux afin d'ôter la cire.

Le mélange de trois couleurs

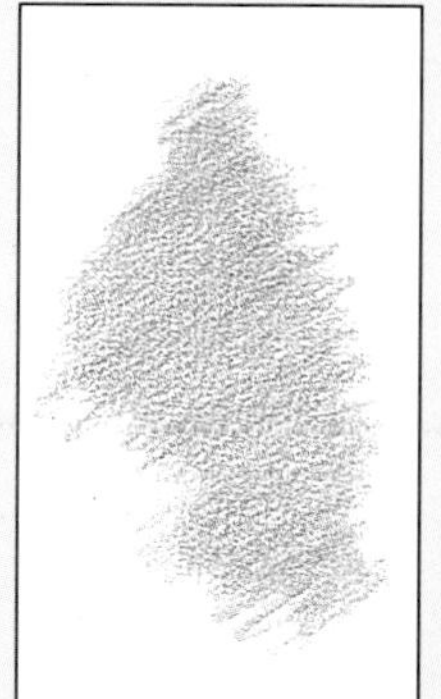

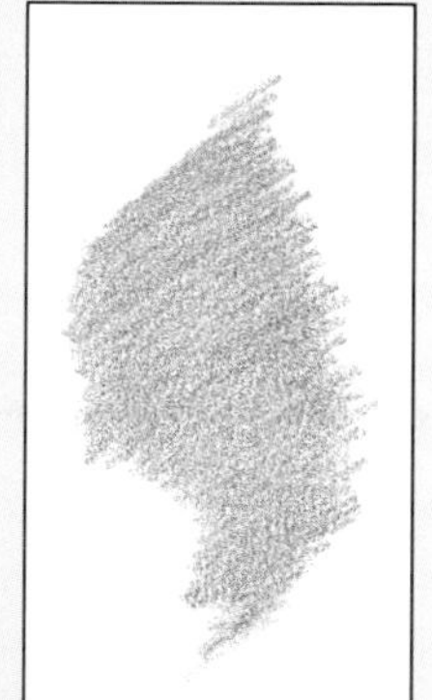

Ce vert-brun a été obtenu en appliquant du bleu vif et du jaune de cadmium sur du vermillon. Notez que celui de gauche est plus clair que l'autre. La pression exercée sur les crayons était la même, mais le papier utilisé pour la couleur de gauche est du papier NOT pour aquarelle avec un bon mordant. A droite, il s'agit d'un papier plus lisse avec un très léger mordant. La différence des tons résulte directement de la différence de texture des papiers.

crayons de couleur, à l'exception des dessins à trait fin. Les papiers granuleux très texturés, comme les papiers faits à la main et les papiers NOT pour l'aquarelle donnent également des dessins à l'aspect granuleux. Ils sont excellents pour un travail linéaire très libre, mais ne conviennent pas à un travail minutieux ou aux couches uniformes de couleur. Des papiers teintés, commc le Canson et le Fabriano, légèrement texturés, sont parfaits et offrent une large gamme de couleurs et de nuances.

▲ L'utilisation judicieuse des coups de crayons de couleur facilite la construction d'une forme solide qui émerge des couches de couleurs mêlées. La direction suivie par les coups de crayon semble épouser la forme de ce poivron jaune.

◄ Lorsqu'on en tire le meilleur parti, les crayons de couleur peuvent combiner les qualités du dessin et celles de la peinture. L'oignon et le poireau sont ici rendus avec une précision minutieuse, tandis que le savant arrangement des couleurs sur la peau froissée de l'oignon ajoute une subtile touche de réalisme.

▼ Dans cette magnifique nature morte, l'artiste a su rendre la spécificité des différentes matières – le brillant métallique de la casserole et de la bouilloire, la texture organique des légumes, la transparence de la bouteille et la solidité massive de la table en bois. La finesse du détail dans le rendu de la forme et des couleurs montre ce que l'on peut accomplir avec ces crayons.

« Nature morte aux légumes », par Joe Ferenczy, crayons de couleur Conté sur papier, 38 cm x 51 cm

Des crayons aquarelle

D'une souplesse extrême, les crayons aquarelle, solubles à l'eau, sont d'un usage très agréable. A la maîtrise et la précision du crayon, ils associent toutes les qualités des lavis à l'aquarelle.

Les crayons aquarelle ont toutes les qualités des crayons de couleur ordinaires, mais grâce à leur solubilité vous pourrez dégrader les couleurs et obtenir des lavis délicats.

Les trois techniques de base exposées ci-dessous sont très simples. Commencez par étaler un peu de couleur, puis passez un pinceau humide par-dessus. L'effet produit tient du dégradé et du lavis. Les mines douces donnent des lavis intenses et réguliers ; les mines dures, quant à elles, donnent des lavis plus pâles et les traits de crayon ont tendance à rester visibles.

Vous pouvez également dessiner sur papier détrempé, ou sur des couleurs humides, prémélangées. Le trait est plus doux que ce qu'on obtient avec la technique sec sur sec, et la dissolution des pigments est moins marquée que sous l'effet du lavis au pinceau.

Enfin, il est tout à fait possible de tremper le crayon dans l'eau et de dessiner sur papier sec avec la pointe humidifiée. Mais cela ne convient qu'aux détails limités car la pointe absorbe très peu d'eau. En revanche, si vous avez assez de patience pour humidifier votre crayon en permanence, vous pourrez ainsi transcrire des effets de matière – fourrure ou plumes, par exemple – sur des surfaces plus importantes.

◄▲ En règle générale, les crayons aquarelle sont plus mous que les crayons ordinaires. La tendresse de la mine varie également selon les marques. Vous avez tout intérêt à vous en procurer quelques-uns de chaque pour décider de la gamme qui convient à votre style. Si vous privilégiez le travail du trait et la construction au détriment des dégradés, optez pour une qualité de mine plus dure. Si vous préférez la liberté d'un travail plus hardi, plus généreux dans les lavis, vous aurez plus de satisfaction avec des mines plus tendres. Lorsque vous aurez choisi vos crayons, prenez le temps de découvrir leurs caractéristiques. Essayez aussi différents papiers : en effet, les résultats peuvent être très divers.

Il vous faut

- Une feuille de papier pour aquarelle, 300 g, de 46 cm x 61 cm.
- Deux stylos Rotring 0,2 : noir et bleu clair ; papier de soie.
- Une brosse plate synthétique de 10 mm.
- Plusieurs godets d'eau.
- Crayons aquarelle : bleu-gris, bleu de Prusse, bleu de smalt, violet clair, vert bouteille, vert prairie, jaune de zinc, jaune primevère, terre de Sienne naturelle.

Chardons et nigelles

Le décor La délicatesse des détails, la douceur de certaines nuances et la vivacité d'autres couleurs font de ce bouquet de chardons et de nigelles le modèle idéal pour utiliser des crayons aquarelle. Si vous vous intéressez aux textures, vous trouverez ici de quoi vous exercer : les plis du papier de soie, les piquants des chardons, les pétales froissés des nigelles, et le bois massif de la table.

Références

bleu-gris

bleu de Prusse

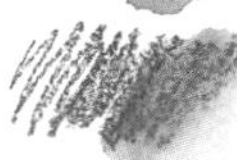

bleu de smalt

violet clair

vert bouteille

vert prairie

jaune de zinc

jaune primevère

terre de Sienne naturelle

1 Tout d'abord, disposez sommairement les éléments en les esquissant légèrement au crayon vert bouteille. Puis, avec le bleu de Prusse, dessinez les contours des fleurs et du papier de soie. Appliquez-vous à reproduire l'aspect fripé des pétales de nigelles et la forme de leur cœur. Suggérez certaines tiges et figurez les têtes de chardons par quelques cercles. Ensuite, dessinez le dessus de table en terre de Sienne naturelle et transcrivez la veine du bois par des traits irréguliers.

2 Humidifiez la brosse plate à l'eau claire et estompez les traits de crayon. Commencez par des traînées horizontales pour la table. Ensuite, procédez de même pour les bords de chaque pli du papier de soie. Vous remarquerez que l'eau accentue ainsi la profondeur des traits bleus en leur donnant un aspect velouté et profond.

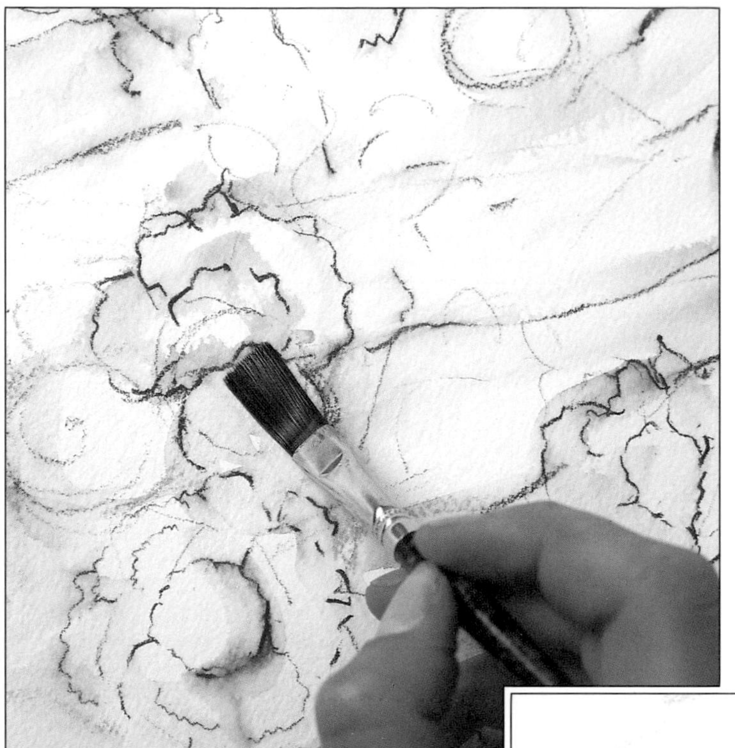

◄ **3** Dessinez les tiges les plus foncées en vert bouteille. Estompez ensuite les contours des pétales et les cœurs des nigelles à la brosse et à l'eau claire. La couleur diffuse légèrement et irrégulièrement, donnant aux fleurs des tons subtilement dégradés. Avant de les étoffer, adoucissez à l'eau les contours de certaines têtes de chardons.

► **4** A présent que vous avez campé quasi l'essentiel de la composition, introduisez davantage de couleurs. Ne craignez pas de revenir sur les zones que vous avez déjà travaillées à l'eau. Dessinez les fleurs des nigelles avec du violet clair, en insistant sur les imbrications de leurs pétales. Ajoutez des tiges supplémentaires avec le plat du crayon bleu gris, puis accentuez les contours des têtes de chardons – certaines en violet clair, d'autres en bleu-gris. Étalez ces deux couleurs en plus ou moins grandes quantités, puis estompez-les à l'eau claire. Ne faites pas une utilisation systématique et uniforme des couleurs. Variez-les – en quantité également – afin que les fleurs ne soient pas toutes identiques. Le résultat d'ensemble n'en sera que plus attrayant.

L'eau : trois méthodes

▲ Dessinez, hachurez, ou griffonnez au crayon sur une feuille de papier spécial pour aquarelle. Dégradez la couleur au pinceau et à l'eau claire.

▲ Humidifiez le papier avec un pinceau, puis dessinez au crayon. Les marques de crayon diffusent mais le tracé général est préservé.

▲ Ici, trempez la pointe du crayon dans l'eau et dessinez sur papier sec. Le pigment humide s'écrase en laissant une texture très riche.

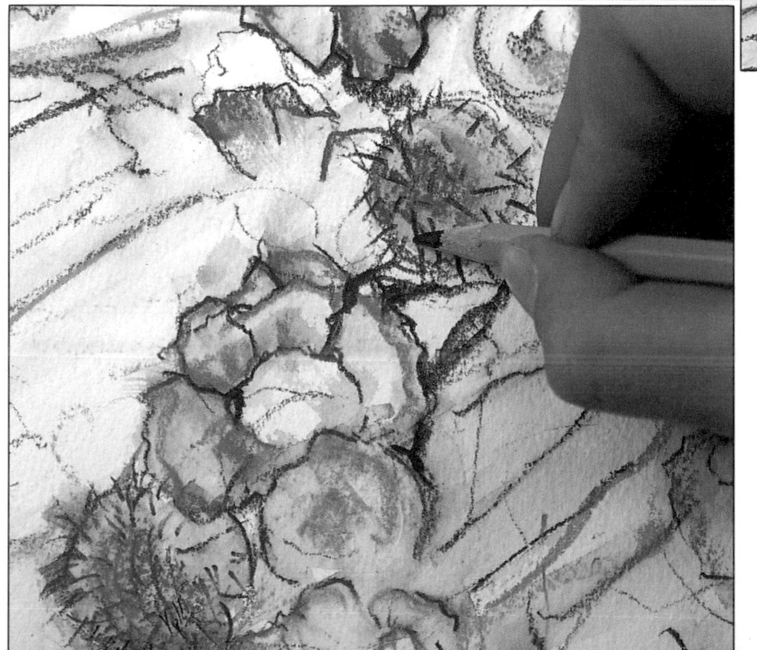

◄ **5** Apportez des touches de couleurs plus vives au dessin. Utilisez du vert prairie pour ajouter quelques tiges plus claires et passez un lavis d'eau claire. Vous remarquerez que ce vert, une fois dilué, devient jaune très curieusement !

A présent, travaillez les fleurs en commençant par le coin inférieur droit de votre dessin. Éclaircissez les têtes de chardons. Pour ce faire, étalez du vert prairie et du jaune primevère en quantités variables, puis estompez la couleur à l'eau claire. Après quoi, tracez les piquants des chardons en bleu-gris.

Ajoutez des touches de jaune primevère pour éclairer le cœur des nigelles. Accentuez les contours des pétales avec du bleu-gris et du vert bouteille. Variez la pression que vous exercez sur le crayon pour en obtenir des nuances différentes – qui en font sa particularité.

6 Ajoutez des tiges vert prairie en traçant avec le plat du crayon des lignes soutenues et discontinues. Rappelez-vous également que pour sélectionner les tiges supplémentaires, l'arbitraire est bienvenu. Reculez-vous pour évaluer vos progrès. Il vous faut à présent retravailler l'ensemble du dessin, comme vous l'avez fait jusque-là, pour étoffer ainsi chaque élément. Prenez appui sur du papier de soie pour éviter de souiller votre dessin.

7 Reprenez les chardons en dégradant dans des quantités variables les mêmes couleurs que précédemment. Pour les piquants, utilisez du bleu-gris, du bleu de smalt et du violet clair. Servez-vous des deux sortes de verts pour accentuer les tiges, et estompez les traits à l'eau au fur et à mesure. Ajoutez du jaune de zinc au cœur de quelques nigelles. Utilisez vos Rotring pour les détails les plus fins. Ajoutez des piquants foncés aux chardons et cernez quelques pétales de nigelles. Griffonnez délicatement les pétales pour transcrire leur aspect fripé. Enfin, ajoutez des pointillés noirs au cœur des nigelles.

8 Retravaillez le dessus de la table. Pour ce faire, appliquez du terre de Sienne naturelle en croisant les traits de crayon avec les précédents. Laissez le papier apparaître par endroits. Cela contraste heureusement avec la délicatesse des fleurs et suggère la texture du bois. Ajoutez d'autres tiges vert bouteille et vert prairie.
Le dessin final présente les deux qualités des crayons aquarelle. Le sujet exige en effet de prêter une certaine attention aux détails tels que les petits piquants des têtes de chardons. Par ailleurs, la douceur des dégradés apporte au final une sensation de finesse. C'est aussi ce qui confère aux fleurs plus de rondeur en permettant de transcrire les replis délicats de leurs pétales, qui les caractérisent.

Bâtons et crayons de fusain

Le fusain est le plus ancien médium de dessin encore disponible aujourd'hui sur le marché. D'une utilisation simple, il se prête à un travail expressif et spontané.

Médium parfait pour les débutants, le fusain est presque toujours le point de départ d'un cours de dessin – on incite les étudiants à commencer tout de suite à réaliser des dessins vigoureux de grande dimension. Ceci parce que le travail au fusain est riche d'enseignements sur le rendu des textures et la création de différentes zones tonales – ce qui est essentiel avant de passer à la couleur. En outre, cela incite les artistes à appréhender leur sujet comme un tout, au lieu de se perdre dans les détails.

Le fusain est obtenu à partir de sarments de vigne ou de petites branches de hêtre ou de saule calcinés. Il est disponible sous forme de bâton naturel ou pressé, en crayon ou en poudre. Le fusain de vigne produit une couleur brune, tandis que le fusain de hêtre ou de saule – d'un usage plus courant en Grande-Bretagne – donne un noir bleuté.

Il existe différents degrés de dureté – le fusain tendre, poudreux, se fond aisément et est utile pour les zones tonales, tandis que les bâtons plus durs sont parfaits pour le travail au trait et les détails. Il y a différentes épaisseurs de bâtons, ce qui permet de créer une large gamme de traits – depuis de grandes barres épaisses jusqu'aux menus détails. Sous forme de crayon – un bâtonnet de charbon de bois pressé serti dans le bois –, le fusain est d'une utilisation beaucoup plus propre, mais on perd rapidement la sensation que donne le bâton traditionnel car on perd l'intérêt de ses angles.

Papier et accessoires

Le fusain donne de bons résultats sur n'importe quel type de papier mat texturé. Mais ne vous en servez pas sur des papiers lisses ou brillants, car il n'adhérera pas à la surface. Pour dessiner au fusain, les meilleurs papiers sont les papiers Canson ou

bâtons de fusain de saule de différentes épaisseurs

crayons de fusain

papier de verre fin

papier à dessin blanc et teinté

tortillon

gomme « mie de pain »

cutter

fixatif

Se servir du fusain

Estompage Le fusain s'estompe facilement, ce qui vous permet de produire des effets doux et veloutés. Servez-vous du côté du bâton pour faire une série de traits. Ensuite, avec l'extrémité du doigt – ou avec un tortillon – frottez doucement le fusain d'un côté à l'autre, en variant la pression pour obtenir des tons plus foncés et plus clairs.

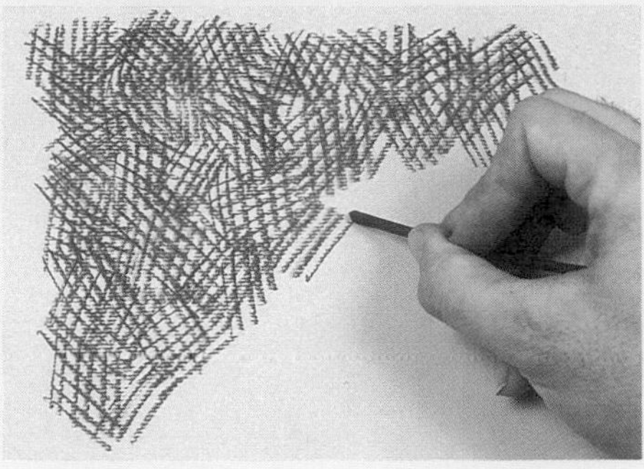

Hachurage Vous pouvez aussi construire vos tons au fusain au moyen d'une série de hachures croisées. Pour vous exercer à cette technique, faites une série de traits parallèles et ensuite croisez-les avec une autre série d'angle différent. Faites varier la taille et l'écartement des traits pour produire des tons différents.

Fondu doux Au lieu d'estomper le fusain avec vos doigts, utilisez la partie large de la pointe pour créer des traits et des barres qui se fondent ensemble. Commencez par affûter légèrement la pointe avec du papier de verre, tenez ensuite votre bâton loin de la pointe. Faites varier la pression pour obtenir une gamme de tons clairs et foncés.

Ingres, mais s'il s'agit simplement de vous exercer, le kraft peut faire l'affaire.

Pour commencer, vous n'avez besoin que du minimum d'équipement – quelques bâtons de fusain de différentes épaisseurs, du papier et du fixatif (essentiel parce que le fusain se macule très facilement). Achetez du fixatif dans un magasin de fournitures pour artistes ou utilisez de la laque pour cheveux ordinaire. Vous aurez aussi besoin de papier de verre fin ou d'un cutter pour affûter la pointe de vos fusains et d'une gomme « mie de pain » pour créer des rehauts et corriger les erreurs. Les doigts sont parfaits pour fondre les tons, mais vous pouvez utiliser un tortillon – une feuille de papier enroulée serrée – pour éviter de vous salir les mains. Lavez-vous les mains après les avoir utilisées pour frotter le fusain sur le papier – la poussière peut s'incruster dans vos doigts et vous feriez un vrai gâchis de votre dessin. Avec un peu de pratique vous apprendrez quelle pression exercer selon l'épaisseur des bâtons.

◀ **Le fusain est parfait pour les études sur le vif car il est très facile de l'effacer et de corriger les fautes. Il permet aussi de créer toute une gamme de tons. Cette étude a été réalisée avec des bâtons de saule fins et moyens. De grands traits rapides définissent les contours de la forme, tandis que des tons estompés et fondus donnent du volume à la figure et créent une surface attrayante.**
« Femme à son ménage », par Sarah Cawkwell, 1987, 75 cm x 80 cm.

Plumes, encres et papiers

Les artistes les plus chevronnés sont parfois perdus devant le grand choix de plumes, d'encres et de papiers disponibles sur le marché. La sélection que nous vous proposons ici vous mettra en appétit, tout en facilitant vos débuts.

Grâce aux progrès réalisés par les fabricants, on dispose de centaines de plumes et d'encres pour une infinité d'usages : du simple dessin monochrome à l'encre de Chine traditionnelle aux œuvres plus élaborées déclinant les encres de couleur. Quels que soient vos goûts, choisissez le matériel approprié au résultat souhaité.

Plumes à dessin traditionnelles

On n'a disposé pendant des siècles que de plumes en matériaux naturels : plume d'oiseaux, roseau et bambou, que l'on a, aujourd'hui, beaucoup de plaisir à manier. Si vous en prenez soin, elles peuvent durer longtemps. Bon marché, faciles à trouver et à utiliser, elles se différencient par la variété de leur trait.

▼ Matériau très expressif, l'encre de Chine se prête particulièrement aux dessins très détaillés. Ici, notre artiste a rendu les détails des statues et des ornements architecturaux par des traits très fins.
« Vue d'un passage voûté », John Ward.

◀ On trouve un large choix de plumes et de papiers destinés au travail à l'encre de Chine. Essayez différents types de plumes à dessin, rondes ou carrées, pour trouver celle qui convient à votre travail. Servez-vous d'abord de papier grammé pour empêcher l'encre de baver. Quand vous aurez acquis plus d'assurance, vous passerez aux matériaux autres que le papier.

Plumes d'oiseaux. Les grandes plumes provenant des ailes d'oiseaux tels que cygnes, dindes ou corbeaux sont légères, souples et réagissent bien en main. Les plumes de cygne, généralement importées des États-Unis, sont les meilleures et les plus chères.

Les plumes de dinde ou d'oie constituent cependant un substitut bon marché.

Comme les plumes sont molles, il vous faudra tailler les pointes régulièrement pour que le trait reste fin. Pour cela, utilisez un couteau ordinaire ou achetez un couteau à plume traditionnel dans un magasin spécialisé.

Pour affûter une plume, coupez d'abord la pointe naturelle en biais. Évidez ensuite la matière tendre qu'elle contient. Fendez la pointe en son milieu et taillez-la des deux côtés pour lui donner la forme de la plume d'un stylo normal.

La pointe des plumes en roseau, impeccable pour les traits courts et gras, est d'une souplesse très agréable à l'usage, mais fragile. Elle se casse facilement et devient alors inutilisable.

Le bambou est le plus robuste des matériaux naturels utilisés pour fabriquer des plumes. La rigidité de la pointe de la plume de bambou en fait l'outil optimal pour les traits courts et épais. Ce matériel nécessite peu d'entretien, et un simple rinçage après usage lui conservera longtemps toutes ses qualités.

▲ Les plumes à pointe fine se prêtent au travail de grande précision. Remarquez ainsi les balcons et les fenêtres de ce dessin. Après le tracé des principaux contours, de légers lavis ont été ajoutés pour définir les contrastes de tonalités.
« Carnet de croquis », Anne Wright.

◄ Ce portrait de chien loup a été exécuté au stylo mécanique, selon une technique pointilliste qui consiste à juxtaposer des centaines de points et de mouchetures d'encre. Bien que fastidieux, le pointillage vous permet d'étudier attentivement les tonalités.
« Mickey », Sue Smith, encre sur bois, 21 cm x 30 cm.

▲▼La plume de dinde (ci-dessus) et la plume en bambou (ci-dessous) sont très agréables à utiliser de par leur grande souplesse. Elles vous permettront de tracer des lignes unies et fluides.
Les stylos mécaniques (munis d'un jeu de pointes) sont employés en dessin industriel et en architecture. Peu appropriés au dessin d'art, ils vous serviront à hachurer et à pointiller avec une relative facilité.

Porte-plume et leurs pointes

On trouve sur le marché un très grand choix de porte-plume. Les plumes d'acier amovibles, extrêmement souples, se présentent sous une multitude de formes.

Les plumes-brosses ont une pointe constituée de deux pièces d'acier en forme de spatules. Elles conviennent parfaitement aux tracés larges et fermes ainsi qu'aux ombres soutenues.

Les plumes à dessiner, munies de pointes très fines, se prêtent au dessin minutieux, notamment aux fins tracés utilisés en cartographie et en dessin technique.

Les plumes à écrire ont des pointes fines, rondes ou carrées, surtout employées en calligraphie, mais vous pouvez vous en servir pour le dessin. Les pointes rondes se prêtent le mieux au travail en épaisseur, alors que les pointes plates tracent une ligne fluide en ruban.

Ces deux types de plumes existent en diverses épaisseurs. Les plumes à écrire sont fendues au milieu, ce qui permet de varier la largeur de votre trait. Certaines ont deux fentes, d'autres trois pour les tracés épais.

Stylos à cartouches

Plutôt que de tremper votre plume dans l'encrier à tous les instants, vous pouvez également acheter un stylo à cartouches. Ils sont plus pratiques et plus faciles à utiliser. Vous les apprécierez notamment pour réaliser des croquis en extérieur.

▲ Dans ce portrait, l'artiste a utilisé de nombreux traits pour définir la forme du modèle. Des lavis de peinture à l'eau noire très dilués précisent les tonalités sombres.
« Naomi », John Raynes, plume et lavis sur papier, 54 cm x 42 cm.

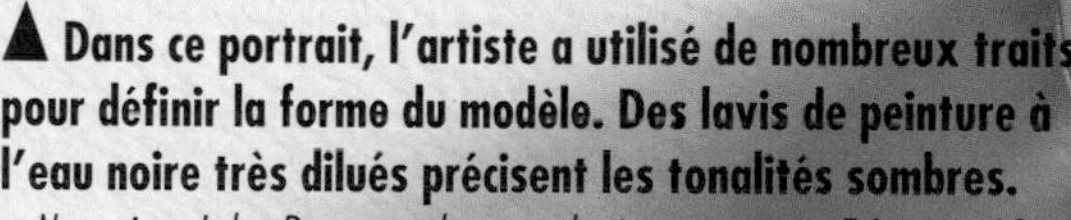

Le saviez-vous ?

La perfection

Le travail à la plume et à l'encre était autrefois considéré comme une technique très sophistiquée. Cennino Cennini, grand critique d'art du XIVe siècle, affirmait que les élèves ne devaient pas même s'y essayer tant qu'ils n'avaient pas consacré un an au fusain !

▼ Ici, différents effets de relief ont été modelés en appliquant des hachures croisées dans des zones précises.
« Une ferme », Gordon Bennett.

▼ Les plumes en bambou existent en différentes tailles. Elles se prêtent parfaitement aux lignes épaisses et fermes, mais ne conviennent pas au travail de précision. Facile à transporter et à utiliser, le stylo-plume est idéal pour les croquis en extérieur.

▲ Combiné avec l'encre, le pastel fait ressortir les détails de cette composition.
« Maison des douanes, Kings Lynn », John Tookey, pastel, aquarelle et encre sur papier, 38 cm x 28 cm.

▼ L'artiste n'a utilisé que de l'encre terre de Sienne brûlée pour créer cette superbe image monochrome.
« Nature morte aux primevères », Dennis Gilbert, 38 cm x 31 cm.

▲ Ici, l'artiste n'a représenté que les tonalités de base de son sujet. Les détails architecturaux ont été ajoutés à la plume et à l'encre dans un deuxième temps.
« Église Saint-Philippe à Norton », Stan Smith, gouache et encre sur papier, 38 cm x 28 cm.

▼ Utilisez les mêmes pinceaux pour l'encre que pour l'aquarelle. Les pinceaux ronds en martre de différentes tailles sont parfaits – ils sont souples et absorbent beaucoup d'encre. Pourquoi ne pas utiliser un pinceau du début à la fin d'un travail à l'encre ? C'est l'instrument le plus expressif que l'on puisse trouver.

◄ Utilisée avec habileté, la peinture à l'eau confère de la matière aux immeubles et à la rue. Les détails – contours des pavés, planches des grandes portes en bois, etc. – sont soulignés à l'encre de Chine.
« Image du passé, Southwark », Gillian Burrows, aquarelle, plume et encre sur papier, 38 cm x 28 cm.

▼ Les encres existent en différentes couleurs – opaques et transparentes. Elles s'appliquent de la même manière que les peintures à l'eau, à l'aide de pinceaux à aquarelle standard, ou même de pinceaux chinois (ci-dessous) pour les longues touches fluides.

Les stylos-plumes techniques ont des pointes tubulaires en acier inoxydable de tailles très variées. Ils produisent un trait d'épaisseur régulière, peut-être un peu trop mécanique. Vous pourrez les utiliser pour le pointillage et les hachures, mais ils ne conviennent pas au dessin d'art libre.

Stylos-plumes à pompe. Vous pouvez aussi dessiner au stylo-plume. Certains sont commercialisés sous l'appellation de stylos à croquis. Leur réservoir se remplit à l'aide d'une pompe et ils peuvent être munis de plumes de diverses épaisseurs.

Encre de Chine et encres de couleur

L'encre de Chine, noir profond, sèche vite. Elle est indélébile. On trouve des flacons de différents formats, mais sachez qu'une petite quantité d'encre fait beaucoup d'usage. N'en versez donc pas trop dans votre godet.

Les bâtons d'encre de Chine existent sous forme de poudre ou de bâton (vous devrez alors le broyer vous-même au mortier et au pilon). Les bâtons vous permettront de jouer sur l'épaisseur de l'encre.

Pour travailler la couleur, il existe essentiellement deux types d'encre : indélébiles et solubles à l'eau. On les appelle parfois peintures à l'eau brillantes. Fabriquées à base de colorants et non de pigments, les encres donnent des couleurs vives, incomparables. Opaques ou transparentes, les encres de couleur sèchent rapide-

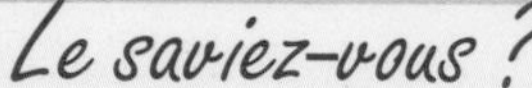

Le saviez-vous ?

Le maître de la plume en roseau

Van Gogh est devenu le maître de la plume en roseau en imitant un style de dessin japonais caractérisé par la juxtaposition d'une multitude de traits.

▼**Les peintures à l'eau brillantes liquides et concentrées sont des encres solubles à l'eau qui ne supportent généralement pas bien la lumière (ne les confondez pas avec les peintures à l'eau ou aquarelles proprement dites).**

▲**Résultat d'une récente percée technologique, les acryliques liquides sont généralement plus résistantes à la lumière que les encres colorées et sont idéales pour les artistes confirmés.**
« Cruche Highgate, tulipes Hampstead », Jennie Tuffs, acrylique liquide sur papier, 74 cm x 104 cm.

ment. Mais elles présentent le grand inconvénient de ne pas résister à la lumière et donc de s'estomper avec le temps. Elles sont toutefois excellentes pour les travaux voués à la reproduction. Ne les utilisez pas pour un travail destiné à être exposé en permanence. Sur les étiquettes, les mentions « permanent » ou « indélébile » indiquent que les encres sont insolubles, mais qu'elles ne résistent pas nécessairement à la lumière. Commencez avec un petit échantillon de six couleurs environ. Nous vous conseillons le jaune citron, le vermillon, l'outremer, le marron, le noir et le blanc. Pour diluer une encre, utilisez de l'eau distillée, plus pure que l'eau du robinet. N'oubliez jamais que la dilution des couleurs détermine leur éclat.
En règle générale, les encres à dessin ne conviennent pas aux stylos-plumes à réservoir, mais vous pouvez vous procurer des encres très fluides, formulées spécialement pour la calligraphie.

Grâce à leur fluidité et à leur pouvoir couvrant, les encres de couleur enrichissent la tonalité et l'atmosphère des pastels et des peintures à l'eau. Les encres s'appliquent également à l'aérographe pour un fini lisse et velouté.

Travail à la plume et à l'encre : le papier

On utilisait autrefois des papiers grammés pour le dessin à l'encre, afin d'empêcher celle-ci de baver (ou d'être absorbée par le papier). Aujourd'hui, on trouve dans le commerce différents types de cartons et de panneaux toilés préparés. Quel que soit le papier choisi, préparez-le exactement comme pour une aquarelle.

Portraits en lignes et pointillés

La délicatesse, la grande précision et l'infinie variété des traits que l'on obtient à la plume et à l'encre en font la technique idéale pour les portraits, en leur donnant beaucoup d'expression et de caractère.

L'une des joies du dessin à la plume tient au fait que par la plume s'écoule en permanence un flot d'encre superbe – vous pouvez ainsi tirer un trait constant en passant, au choix, des pointillés aux hachures, des lignes continues ou discontinues aux traits épais ou fins, des taches aux pointillés et aux ombres, afin d'obtenir une multitude d'effets. Vous disposerez là d'autant de moyens d'esquisser un visage en transcrivant, avec une grande sensibilité et une non moins grande économie de moyens, la moindre nuance des traits, de l'expression, des cheveux et de la peau.
N'oubliez jamais, cependant, que l'encre est très difficile à corriger. Le merveilleux sentiment de fluidité que procure le travail à la plume provient de l'éclat et de l'immédiateté de son application, non de l'accumulation laborieuse de l'encre. Chaque ligne doit être juste dès le début. Étayer votre dessin au crayon peut être dangereux car vous serez tenté de repasser sur les traits plutôt que de réinventer les lignes, ce qui produit un dessin plat, « mort », au détriment de la spontanéité et de la vivacité. Si vous désirez que votre travail à la plume conserve cette fluidité si agréable, il vous faut trouver le moyen d'évaluer les mesures et d'établir les proportions qui unissent les différents traits du visage. Une bonne méthode, adoptée ici par notre artiste, consiste à esquisser en pointillés les traits essentiels, très légèrement pour commencer, sans recourir au moindre trait de crayon.

► Pour tout portrait, attachez-vous tout d'abord à trouver la juste relation qui unit les traits. L'écart qui sépare les yeux est crucial : si vous ne le réussissez pas, rien ne fonctionnera dans le reste du dessin (cet espace devrait à peu près correspondre à la largeur d'un œil). Lorsque vous aurez maîtrisé ces proportions, laissez-vous aller et amusez-vous un peu. Suivez votre ligne et goûtez aux charmes des différents traits disponibles !
« Marcus », Albany Wiseman, plume et encre sur papier, 36 cm x 31 cm.

Quel type de trait ?

Essayez divers types de traits avant de commencer votre dessin à la plume. Notre artiste a dilué l'encre avec de l'eau afin de la fluidifier et de pouvoir tracer les lignes de repères, utiles mais discrètes. Ces lignes gris clair pourront être renforcées plus tard.

pointillé fin pour délimiter les surfaces planes et les points de repère

traits fins pour les contours et les ombres

ombrage plus resserré pour les ombres plus sombres

griffonnage pour les volumes et les détails

ligne continue pour le tracé et l'« exploration »

hachures croisées et traits renforcés et foncés pour les lignes de relief

hachures croisées intensifiées pour les tonalités les plus sombres

volutes et pointillés légers pour varier le travail et lui donner du relief

Il vous faut

- ☐ *Une feuille de papier-cartouche de bonne qualité, 36 cm x 51 cm.*
- ☐ *Un stylo plume muni d'une plume souple assez large. Notre artiste a, quant à lui, préféré au stylo à cartouches un vieux stylo à pompe éprouvé et sûr, mais ceci est facultatif. Choisissez un stylo avec lequel vous vous sentez tout à fait à l'aise.*
- ☐ *Planche à dessin et bande adhésive ou punaises.*
- ☐ *Une bouteille d'encre de Chine.*
- ☐ *Une bouteille d'eau distillée.*
- ☐ *Torchon ou mouchoirs en papier pour essuyer la plume et vos mains.*

Naomi en chapeau

► **Le décor** La façon dont ce chapeau encadrait le visage de notre modèle nous a paru séduisant par les ombres flatteuses qu'il créait.

▼ **1** Dessinez en pointillés légers à l'encre de Chine diluée les yeux, les sourcils et les pommettes, ainsi que le bord du chapeau. Insistez sur l'œil et le sourcil les plus éloignés pour en esquisser sommairement la forme. Toujours à l'aide de pointillés, cherchez à placer exactement les uns par rapport aux autres les yeux, la bouche, le nez et les joues.

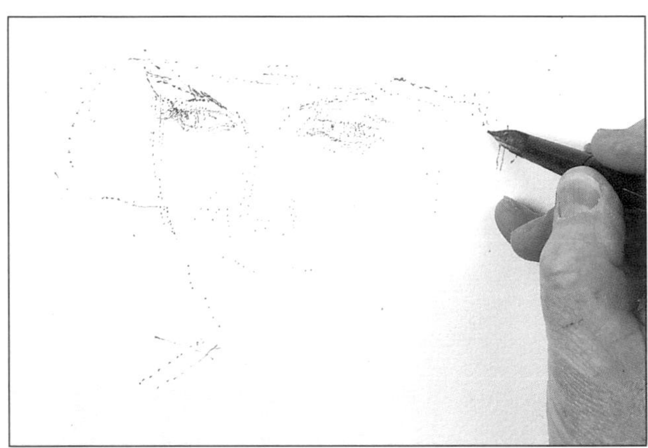

▼ **2** Ébauchez la forme du chapeau, la ligne du cou et des épaules par des traits légers, en vous servant des pointillés. Utilisez de l'encre plus foncée sur le nez, les narines et les lèvres. Retravaillez l'œil et le sourcil les plus éloignés.

▼ **3** Continuez le dessin du chapeau, en ombrant légèrement la tempe la plus éloignée. Renforcez les yeux et les sourcils et attaquez-vous au motif floral central du rebord du chapeau. Les pointillés qui vous avaient servi jusque-là de repère confèrent au dessin une tonalité fraîche et gaie.

► **4** A présent, avec une encre très diluée, étoffez la fleur du chapeau et le chapeau lui-même à l'aide de traits griffonnés. Ces traits plus relâchés doivent contraster avec la fermeté des joues et la douceur du menton et du nez. Utilisez une encre très diluée afin d'obtenir une ligne plus grise et légère. Esquissez une ligne ou deux à la base du nez et le long de la pommette la plus éloignée.

5 Renforcez la pommette et l'œil les plus éloignés ainsi que le sourcil et les cils. Vous aurez noté que la paupière, mobile, doit épouser parfaitement la forme sphérique de l'œil. Travaillez le motif floral du chapeau. Les traits tracés à l'encre diluée restent au second plan, alors que les lignes à l'encre pure qui ont donné forme au chapeau, plus dominantes, produisent un effet de volume.

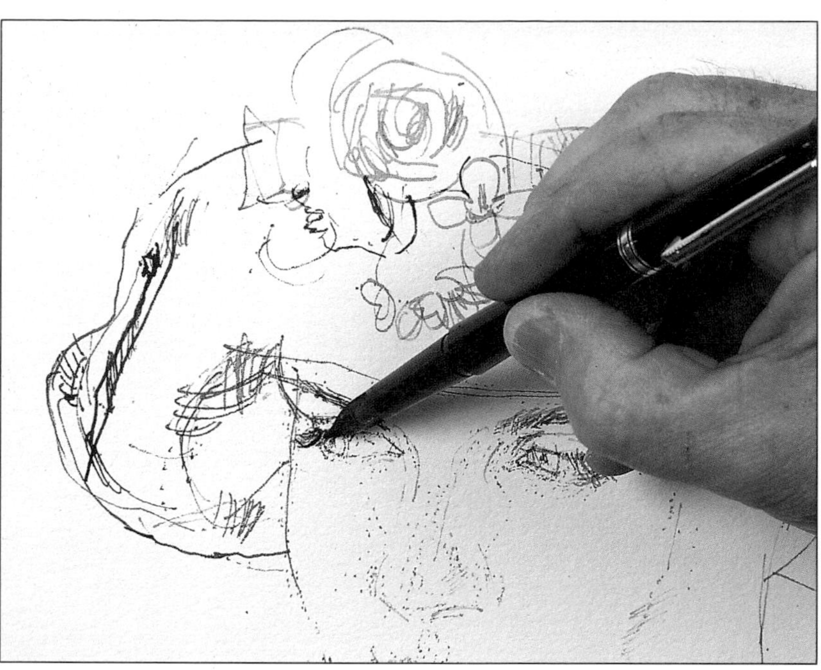

6 Renforcez la ligne séparant les deux lèvres, puis esquissez le chemisier. Accentuez le menton par un trait plus soutenu. (Notez que notre artiste a saisi au passage l'opportunité de corriger la ligne du cou.)

7 Reprenez le chapeau pour en confirmer la forme et les contours. Cette fois, l'encre plus sombre joue en contraste parfait avec le gris pâle de l'encre diluée des traits précédents. La structure du visage mise en place, notre artiste s'est laissé aller à un trait plus alerte, plus libre.

8 A l'aide de lignes libres et plus lâches, situez les épaules et le cou par rapport au visage. Vérifiez que la ligne séparant les lèvres est correcte, dessinez les narines et accentuez le cou. Retravaillez la fleur du chapeau en traçant des lignes plus fermes et plus foncées (ne diluez plus votre encre). Marquez le volume et les formes par des volutes et des gribouillis plus flous. Suggérez les plis du bandeau par quelques traits en diagonale.

9 Procédez aux dernières finitions du cou et du côté du visage. Assurez-vous que votre stylo est bien rempli et, en appuyant davantage sur la plume, soulignez les traits formant le côté droit du cou et de l'épaule (vers vous). Le dynamisme des lignes fortes et foncées du cou, de l'épaule et du chapeau mettent en valeur la précision et la délicatesse du traitement du visage. (En traitant uniformément la tête et le visage, l'ensemble pourrait perdre en vitalité.)

10 Avec une telle économie, chaque trait compte, de même que le jeu des lignes claires et foncées. Notez que le dessinateur n'a pas eu besoin d'alourdir le trait pour marquer les tonalités et les ombres. Il a pleinement réussi à donner une impression de volume en trois dimensions, tout en suggérant le charme du modèle. Le respect des proportions a produit une ressemblance parfaite et l'artiste a su tirer parti du travail à la plume sans jamais sacrifier la spontanéité, la fluidité et la vitalité qui confèrent beaucoup d'attrait à l'ensemble du dessin.

Astuce

Secrets de plume

Tenez le stylo à l'envers : le flux sera plus nourri et créera une ligne plus soutenue. De temps en temps, trempez la plume dans de l'eau distillée pour améliorer le flux. Lorsque vous diluez l'encre de Chine, employez de l'eau distillée – l'encre contient de la laque qui, mélangée à l'eau du robinet, « repousse » le pigment qui prend une consistance granuleuse.

LA PEINTURE À L'EAU

Qu'est-ce que l'aquarelle ?

L'aquarelle est considérée comme l'une des plus merveilleuses matières à peindre. Durant des siècles, les artistes ont apprécié sa fraîcheur, et aujourd'hui elle est plus à la mode que jamais.

Bien maîtrisée, l'aquarelle semble d'une grande facilité. C'est pourquoi nombreux sont ceux qui ont tenté de s'essayer à cette technique, et presque aussi nombreux ceux qui ont été déçus par les résultats obtenus.

Comme dans toutes les techniques, il existe des principes de bases à observer. Lorsque vous les aurez maîtrisés, vous vous rendrez compte que, vous aussi, vous pouvez réussir de merveilleuses aquarelles.

Appliquer des lavis (teintes étendues d'eau) uniformes, contrôler les mélanges de couleurs, travailler les textures avec un pinceau pratiquement sec sont autant d'étapes de la découverte de toutes les facettes de l'aquarelle. Vous découvrirez aussi que le fait de mélanger volontairement plusieurs couleurs peut donner de merveilleux résultats et que peindre sur une surface humide produit un flou artistique du plus bel effet.

Le caractère translucide de l'aquarelle naît de la blancheur du papier, que l'on devine à travers la transparence des couleurs. C'est le seul blanc autorisé dans l'aquarelle, ce qui explique pourquoi les artistes utilisent souvent ce type de support.

▼ Toute la magie de l'aquarelle est dans ce tableau : lavis transparents, tons doux subtilement mélangés, touches de blanc éclatant.

« Château en Bretagne », par Albany Wiseman, papier 200 g 50 x 70 cm

Cubes ou tubes ?

L'aquarelle est proposée sous deux formes différentes : des cubes de peinture semi-humides et des tubes de peinture fluide.
Les **cubes** (et demi-cubes) sont vendus soit par boîtes de 12, 18, et 24 couleurs, soit à l'unité, ce qui est intéressant si vous avez besoin de la gamme complète dans une couleur ou, au contraire, si vous voulez réduire votre équipement au minimum indispensable.
Les **tubes** sont également vendus individuellement ou en boîte. Si vous devez peindre de grandes surfaces, ils sont plus pratiques que les cubes, car vous pouvez les acheter en grands modèles et prélever juste la quantité de peinture nécessaire.

Artistes ou débutants ?

Que vous achetiez des cubes ou des tubes, vous devrez choisir entre deux qualités de peinture, destinées l'une aux professionnels, l'autre aux débutants. Il faut savoir que l'aquarelle coûte en général assez cher, surtout en ce qui concerne les marques pour professionnels. Fabriquées à partir de pigments de qualité supérieure, elles coûtent de quatre à six fois plus cher, et, en outre, leur prix varie en fonction de la couleur choisie. Lorsqu'il vous faut vous décider, prenez de préférence les couleurs pour artistes, car l'aquarelle ne supporte pas la mauvaise qualité, les couleurs bon marché donnant souvent des résultats décevants. Un dernier mot quant au choix des peintures. Sachez que le fait d'acheter une gamme de couleurs sélectionnée dans une boîte complète présente de nombreux avantages. D'abord, elle est plus facile à transporter que des tubes ou des cubes individuels, avec des pinceaux et une palette. Mais, surtout, elle évite aux peintures de sécher, et, en plus, elle comporte souvent une palette incorporée.

Se préparer

Quand on se lance dans l'aquarelle, il faut savoir qu'il convient de procéder par lavis et non par couche épaisse. Si vous utilisez la peinture pure issue du tube ou du cube, vous obtiendez peut-être un résultat rapide, mais guère réussi. De plus, l'aquarelle bien travaillée est bien plus économique. En diluant la peinture dans l'eau, vous créez des tons plus ou moins intenses: beaucoup d'eau donne un ton pâle, moins d'eau une couleur plus soutenue. Vous pouvez aussi utiliser la technique des couches superposées, qui s'additionnent pour donner la couleur et la forme désirées.

Astuce

« Enregistrez » vos couleurs

Dès que vous ôtez le film protecteur de vos nouveaux cubes d'aquarelle, apposez une touche de couleur de chaque cube sur un papier et notez ses références. Ainsi, quand vous prendrez un cube dont vous ne pourrez pas identifier la couleur, il vous suffira d'humecter votre doigt, de le poser sur la peinture et de comparer avec votre « palette maison» pour résoudre votre problème.

Assortiment de pinceaux pour débutants

Pour débuter, contentez-vous d'un petit nombre de pinceaux. Un pinceau rond n° 12, c'est tout ce qu'il vous faut pour peindre le fond. Il sera tout à fait suffisant pour les lavis et autres techniques de base. Pour le travail de précision, vous aurez besoin d'un pinceau rond n° 2 et d'un n° 6. Achetez ces trois pinceaux en martre et synthétique mélangés, les pinceaux en pur poil de martre étant très coûteux.

Préparation de la couleur

Avec votre pinceau, transférez un peu d'eau de votre pot à votre palette ou à votre godet à couleur. Humidifiez la peinture avec le pinceau. Ajoutez cette peinture à l'eau mise de côté. Mélangez bien, puis ajoutez, selon les besoins, plus de peinture ou plus d'eau, jusqu'à obtenir le lavis souhaité. Attention : l'aquarelle pâlit en séchant. Testez préalablement la couleur sur un morceau de papier.

◄ Commencez toujours par diluer les couleurs. Rappelez-vous qu'il vous faut deux récipients d'eau, l'un pour nettoyer les pinceaux, l'autre pour diluer les teintes. Changez l'eau régulièrement pour que vos couleurs ne se salissent pas.

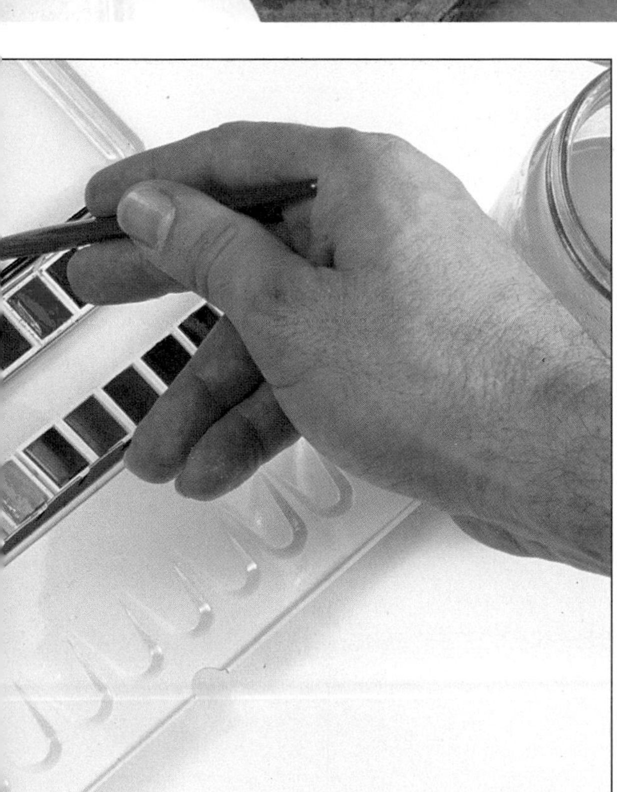

►Préparer un lavis à partir d'une couleur en tube

Pressez une petite quantité d'aquarelle dans une case de la palette ou dans un godet. Trempez votre pinceau dans l'un des récipients et laissez-le se gorger d'eau. Retournez à la palette et diluez la peinture avec l'eau du pinceau. Rajoutez de l'eau avec votre pinceau jusqu'à ce que vous obteniez un lavis de la couleur désirée. N'oubliez pas que, présentée en tube, l'aquarelle devient également plus claire en séchant. Testez la couleur sur un petit morceau de papier.

Il vous faut

- ☐ *Un pinceau rond n° 20 en martre et synthétique mélangés.*
- ☐ *Une feuille de papier, en bloc ou tendue.*
- ☐ *Une éponge naturelle.*
- ☐ *Un tube de bleu de cobalt.*
- ☐ *De l'eau propre.*
- ☐ *Une soucoupe.*

Appliquer un lavis uniforme

Pour appliquer un lavis uniforme, le secret consiste à travailler proprement, avec confiance et sans s'arrêter. Il est plus économique d'utiliser du papier de 185 g et de le tendre que d'utiliser un papier plus épais qui n'a pas besoin d'être tendu. Si vous ne souhaitez pas tendre le papier, travaillez directement sur un bloc de 300 g, suffisamment épais pour ne pas se boursoufler quand il est mouillé. Ôtez toute saleté éventuelle à l'aide d'une gomme molle. Travaillez à plat ou en inclinant légèrement votre planche à dessin de manière à faciliter l'écoulement de la peinture vers le bas du papier. Ne l'inclinez pas trop car votre lavis serait plus foncé en bas. Choisissez un pinceau large afin de couvrir le papier en un minimum de coups de pinceau. Disposez votre eau, votre palette et votre soucoupe de manière à pouvoir passer de l'un à l'autre sans avoir à déplacer votre pinceau au-dessus du papier.

▲ **1** Pressez un peu de peinture sur la palette et transférez-en une petite quantité dans la soucoupe avec votre pinceau n° 20. Trempez le pinceau dans l'eau propre et ajoutez-en un peu à la peinture. Diluez avec de l'eau jusqu'à ce que le fond de la soucoupe soit recouvert. Plus votre peinture est diluée, plus le lavis est clair. Pour un lavis plus foncé, ajoutez un peu de peinture. Mélangez-en suffisamment afin de couvrir tout le papier.

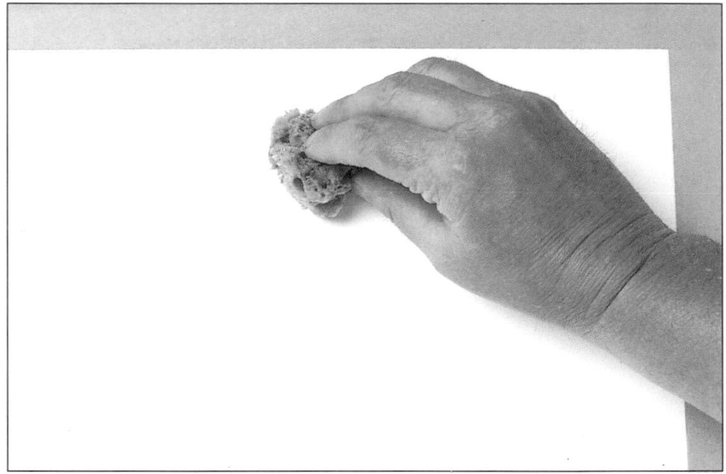

▲ **2** Trempez l'éponge naturelle dans l'eau propre et pressez-la pour enlever l'excédent d'eau. Depuis le coin supérieur, passez-la sur le papier et descendez avec des mouvements de va-et-vient. N'appuyez pas trop fort pour éviter que l'eau ne ruisselle. Pressez juste assez pour mouiller régulièrement le papier. Ne vous souciez pas des bords. Si le papier est très absorbant, il se peut que vous deviez recommencer l'opération.

▲ **3** Appliquez le lavis coloré avant que le papier ne sèche. Mélangez bien la peinture à l'aide du pinceau n° 20. Chargez le pinceau de peinture et, en commençant par le coin supérieur gauche, étalez-la horizontalement le long du haut de la feuille. Arrivé au bord, ramenez le pinceau au-dessous de cette première bande et continuez. Les deux bandes ne doivent se chevaucher que légèrement. Ne vous arrêtez pas avant d'avoir terminé.

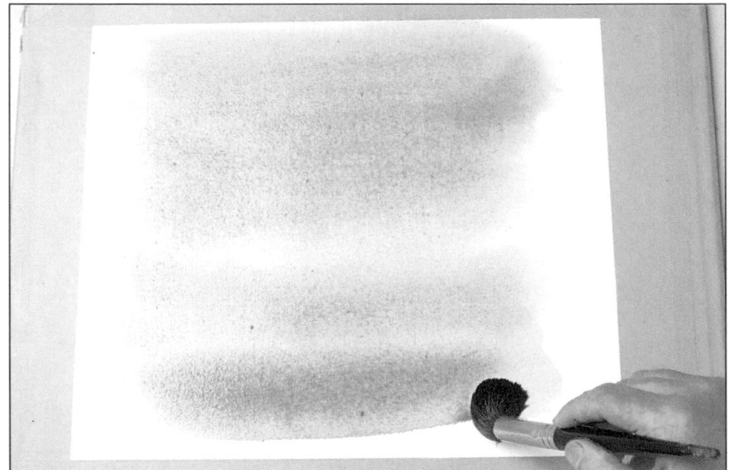

▲ **4** Quand le lavis est terminé, placez la planche à dessin sur une surface plane et laissez sécher. Cela peut prendre environ une heure, selon l'épaisseur du papier. Ne vous inquiétez pas des petits blancs entre les bandes de couleur, l'humidité du papier aidera à les faire disparaître. Ne retravaillez pas la surface tant qu'elle est humide, cela donneraitdes auréoles. Au fur et à mesure que le papier sèche, le lavis s'éclaircit et prend une teinte plus uniforme.

S'exercer sur papier mouillé

Il vous faut

- Une feuille de papier tendu 185 g, 50 cm x 45 cm.
- Un pinceau rond n° 20.
- Une éponge naturelle ou une brosse en mousse.
- Deux récipients d'eau propre.
- Une palette ou des soucoupes.
- Deux couleurs : vert anglais, rouge cramoisi.

Pour cet exercice, mieux vaut travailler sur papier tendu. Non tendu, un papier relativement épais – comme le 185 g – peut se boursoufler s'il est trop imbibé d'eau.

Le but de l'exercice est simplement de voir ce qui se passe quand on met de la peinture sur du papier mouillé. Donc, n'hésitez pas pour commencer à bien mouiller votre papier – qu'il soit presque détrempé. Vous pourrez plus tard répéter l'exercice en faisant varier le degré d'humidité. Essayez quelques coups de pinceau pour voir ce qui se passe quand la peinture s'étale.

Il arrive qu'on souhaite que la peinture reste telle qu'elle est mouillée – mais, bien sûr, ce n'est jamais le cas ! Découvrir comment les effets changent au fur et à mesure que le papier sèche et anticiper le résultat sont des choses que seule la pratique vous permettra d'apprendre.

▲ **1** Diluez un peu de vert dans une soucoupe propre avec le pinceau n° 20 – préparez-en une bonne quantité afin de bien charger le pinceau. Mouillez une zone du papier avec l'éponge ou le pinceau propre. (Repassez plusieurs fois sur le papier s'il est très absorbant. Assurez vous qu'il n'y a ni poussière ni cheveux.) Maintenant, laissez tomber un peu de peinture sur le papier.

▲ **2** Observez comment la peinture commence immédiatement à diffuser. Les différentes taches se rejoignent, laissant entre elles des zones plus claires. Ici, vous pouvez voir – parce que la planche était légèrement inclinée – que la peinture a coulé et a formé une ligne en bas de la zone humide. Laissez maintenant sécher la peinture.

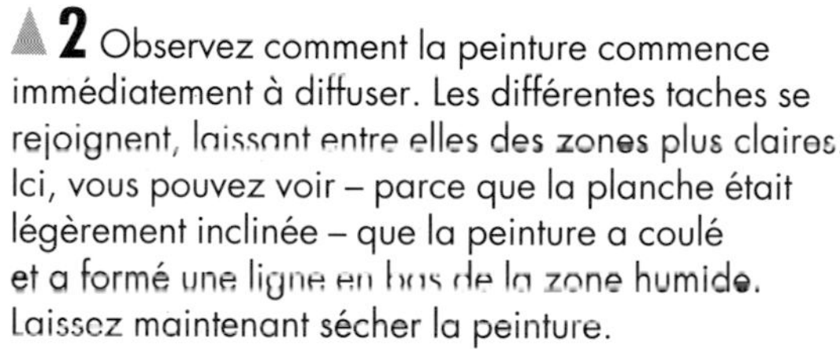

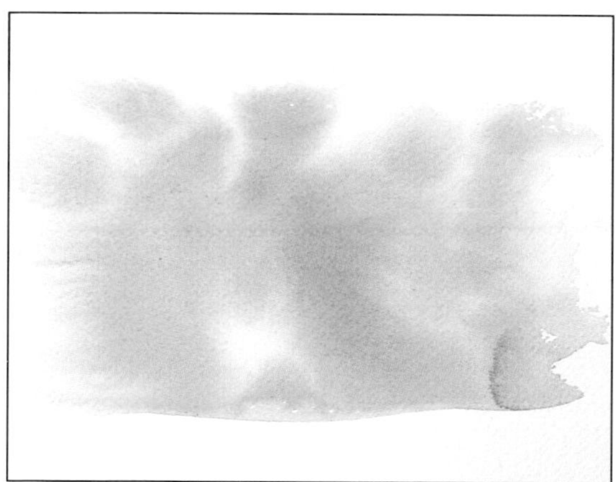

▲ **3** Comparez cette étape avec la précédente, puis avec la première. Voyez comme les formes se sont éclaircies en séchant. Les épaisses et opaques gouttes de couleur de la première étape se sont dispersées et ont séché pour former des zones transparentes, à peine plus sombres que les zones environnantes. Ici et là, les pigments se sont dissociés, ce qui donne une nuance jaunâtre. En bas du papier, la peinture en séchant a formé une ligne nette.

▲ **4** Mélangez un peu de rouge cramoisi dans une soucoupe propre et utilisez un peu d'eau pour mouiller à nouveau le papier. (Notez que le vert n'est pas affecté par l'eau.) Chargez le pinceau de peinture et laissez-en tomber quelques gouttes. Voyez comme la peinture irradie depuis la pointe du pinceau pour former des cercles de couleur brillante – comme de l'encre sur du papier buvard humide.

Pas de problème

Éliminer la peinture en excédent

Il se peut que vous trouviez plus pratique d'incliner votre planche à dessin. Inconvénient sur une surface humide : la peinture peut couler et former une flaque lorsqu'elle rencontrera un bord sec. Si vous laissez la flaque sécher, elle donnera une tache plus sombre qui risque de gâcher l'effet. Éliminez l'excès de peinture avec un torchon. Mais n'en faites pas trop pour ne pas avoir une empreinte plus claire.

Il vous faut...

- ☐ Des feuilles de papier pour aquarelle, de 555 x 380 mm
- ☐ Un pinceau rond n° 12
- ☐ Deux gobelets d'eau claire
- ☐ Six couleurs : bleu de cobalt, gris de Payne, ocre jaune, vert anglais jaune de cadmium, terre de Sienne
- ☐ Des palettes pour les mélanges

Pour débuter : un paysage d'été

Si cette aquarelle est pour vous un coup d'essai, commencez par diluer plusieurs lavis afin de vous familiariser avec le pinceau et la peinture. Ne lésinez pas sur le nombre de palettes à utiliser pour mélanger les lavis, et n'oubliez surtout pas qu'il vous faut deux récipients : l'un pour mélanger les couleurs, l'autre pour laver votre pinceau.

Pour cette peinture, l'artiste a choisi un papier pour aquarelle à grain épais et l'a punaisé sur une planche en bois. Au lieu d'une simple feuille volante, vous pouvez utiliser un bloc, ce qui vous permet de garder le papier tendu.

Il a, par ailleurs, choisi une feuille de papier plus grande que celle dont il a réellement besoin, afin de garder de la place sur les bords pour tester les couleurs. Vous pouvez cependant choisir une feuille plus petite et peindre jusqu'aux bords. Vous testerez alors vos couleurs sur un petit bout de papier.

Dans un premier temps, découpez le paysage en fonction des couleurs, afin de travailler sur une gamme restreinte de peinture. Le gros pinceau utilisé au début ne permet de toute façon pas d'entrer dans les détails.

Évitez à tout prix les efforts inutiles. La surface du papier et la peinture sont, il est vrai, assez fragiles. Si le papier commence à être vraiment trop mouillé, ne vous inquiétez pas : vous pouvez l'éponger avec du papier absorbant .

Ne vous découragez pas. On a parfois du mal à croire que tout se passe bien lorsque la peinture sèche, mais vous serez agréablement surpris du résultat final.

1 Pour le ciel, mélangez un bleu de cobalt clair et un gris de Payne foncé.

◄ **2** Prenez du bleu de cobalt et étalez-le rapidement sur le haut de la feuille. Ne cherchez pas à couvrir tout le papier, les plages blanches seront utilisées pour peindre les nuages. Ensuite, prenez du gris de Payne. En partant juste sous la bande bleu de cobalt, étalez la couleur sur toute la largeur du papier. Passez le pinceau dans tous les sens afin d'obtenir des nuances claires et sombres. Laissez les couleurs se mélanger pour faire disparaître les marques du pinceau. Peignez en gris jusqu'à la ligne d'horizon.Pour créer une impression de distance, estompez la couleur en passant de l'eau pure sur le haut du ciel. Réchauffez votre ciel avec un mélange d'ocre jaune et de gris Payne.

▲ **Le sujet** L'artiste a utilisé cette photo comme point de départ, mais il ne l'a pas copiée fidèlement (il a supprimé la voiture, par exemple).

► **3** Utilisez trois lavis pour le premier plan : un mélange de vert avec une pointe de jaune de cadmium, un vert pur, un mélange de vert et de terre de Sienne. En travaillant rapidement, étalez d'abord une bande du premier mélange, puis du vert pur. Comme pour le ciel, laissez les couleurs se fondre les unes dans les autres. Pour finir, étalez une bande du troisième mélange.

◄ **4** Au premier plan, ajoutez une pointe de gris de Payne au lavis de vert, et servez-vous de ce mélange pour étaler une quatrième bande de couleur. Au-dessous, peignez d'autres couches en ajoutant de plus en plus de gris de Payne au fur et à mesure que vous approchez du bas de la feuille; ce ton plus foncé donnera une impression de proximité. Ne vous inquiétez pas trop de l'effet obtenu, vous repasserez plus tard sur cette couche de base. Laissez sécher .

▲ **5** N'oubliez pas, lorsque vous travaillez, que vos couleurs vont s'éclaircir en séchant, comme, ici, au premier plan.

▲ **6** Pour les arbres au centre du tableau, préparez un lavis de vert mélangé à une pointe de terre de Sienne. Peignez les arbres, sans oublier de simplifier les formes au maximum.

► **7** Pour les troncs d'arbres, préparez un mélange de vert et de gris de Payne. Alors que la première couche de couleur des arbres est encore humide, étalez une bonne quantité de ce nouveau lavis. A la racine des arbres, tirez le pinceau vers le bas pour représenter les troncs. Laissez sécher (profitez-en pour observer les bords bien nets, où la peinture a formé de petites flaques sur le papier).

8 Toujours avec le mélange de vert et de gris de Payne, dessinez les arbres sur votre gauche, à l'horizon. Laissez sécher (de 20 à 30 minutes).

9 Peignez les ombres sous les arbres avec le mélange de vert et de gris de Payne.
Puis, avec un vert foncé, mettez des touches de couleur dans les arbres. Évitez de répandre de la peinture, le but étant d'obtenir des flaques qui sécheront avec de larges côtés pour représenter le feuillage. Peignez les petits arbres à l'arrière-plan suivant la même technique.
Maintenant, éloignez-vous du tableau et demandez-vous ce qui manque à votre peinture. Ici, la couche du premier plan semble plate. Il faut donc lui donner du relief en étalant un peu plus du mélange vert et gris de Payne. L'artiste n'a pas trop travaillé la peinture, car il voulait des bords bien nets. Laissez sécher la peinture terminée.

Maîtriser l'aquarelle humide

La technique de l'aquarelle humide donne de belles couleurs douces et diffuses. Elle consiste à superposer plusieurs lavis sans attendre qu'ils soient secs – procédé qui convient tout particulièrement aux volumes ainsi qu'aux plans lointains.

Peindre sur papier mouillé présente peu de difficultés (voir Peinture à l'eau, Technique 3) ; le seul problème est d'anticiper pour contrôler l'effet final. La technique consiste à appliquer des couleurs liquides sur un support mouillé (humide sur humide). Le mélange de deux couches humides donne des formes floues, vagues. Pour ce type de travail, mieux vaut peindre sur un papier tendu et épais, qui absorbe l'eau. Tendez le papier avant de commencer à peindre ou, comme ici, utilisez un papier très épais (640 g).

On contrôle la diffusion de la peinture de différentes manières – par exemple en variant la quantité d'eau ou de couleur. Plus les couches de peinture sont diluées, plus la diffusion est douce et rapide. Humectez le support à l'eau pure ou teintée, puis utilisez des couleurs contrastées ou semblables – mais toujours en augmentant l'intensité. Si vous restreignez la quantité d'eau de la couche du dessus, vous verrez la couleur diffuser en étoile. Si vous souhaitez donner un effet glacé, moins flou, épongez le lavis dès qu'il commence à diffuser.

▼ Des grandes surfaces indéfinissables, comme le fond ci-dessous, peuvent prendre vie, si on applique des lavis de couleur sur papier mouillé et si on laisse la peinture diffuser. Si vous voulez empêcher un lavis de s'étaler au-delà des limites que vous vous êtes fixées, barrez-lui la route avec une ligne blanche sèche – comme l'a fait ici notre artiste autour de certaines pommes.
« Nature morte aux pommes », Penelope Anstice, aquarelle sur papier, 56 cm x 36 cm.

Nature morte aux fruits et aux fleurs

Il vous faut

- Papier rugueux pour aquarelle de 640 g.
- Quatre pinceaux synthétiques ronds : n°s 12, 10, 6 et 2 ; un pinceau plat d'environ 2 cm.
- Deux récipients pour l'eau ; mouchoirs en papier.
- Planche à dessin ; papier adhésif ou punaises.
- Crayon aquarelle vert.
- Douze couleurs qualité « Artiste extra fine » : jaune de cadmium citron, jaune de cadmium, rose permanent, alizarine cramoisie, vermillon, cæruleum, outremer, vert de vessie, émeraude, violet Winsor, indigo et noir.

Il est toujours conseillé de s'exercer à une technique avant de passer au tableau définitif. Familiarisez-vous avec celle de l'aquarelle humide pour bien voir ce qui se passe. Ayez toujours sous la main un morceau de papier de brouillon pour faire des essais. Même notre artiste, qui a de l'expérience, procède de cette manière. Commencez par une touche large et sûre et laissez la pratique venir à bout des tensions dans votre bras.

L'aquarelle éclaircit en séchant, il faut donc charger votre pinceau avec beaucoup de couleur, pour obtenir des effets intenses. Une fois sèche, l'aquarelle peut être ranimée – si un effet ne vous satisfait pas, ou si vous souhaitez l'intensifier, mouillez à nouveau avant d'appliquer une nouvelle couche de couleur.

► **Le sujet** Il s'agit ici d'une nature morte assez classique : un vase en céramique rempli de fleurs, avec des fruits. Toutefois, la facture est moderne, avec des lignes claires et nettes se détachant sur le fond bleu lumineux.

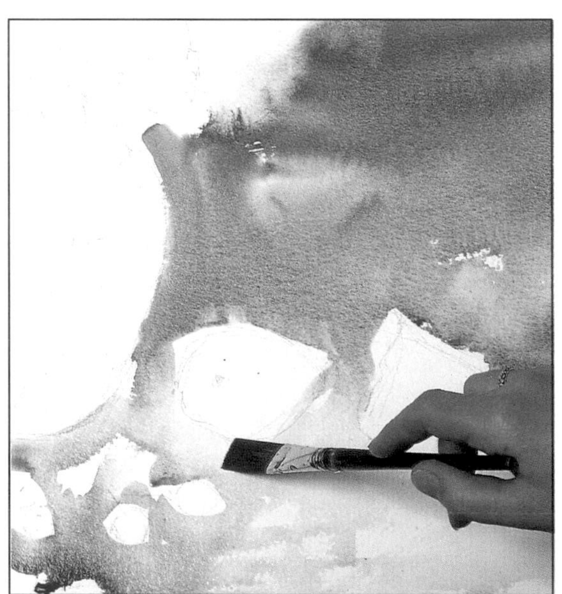

◄ **1** Esquissez la composition à l'aide d'un crayon aquarelle. Commencez par des traits directionnels légers, puis ajoutez les principales formes avec un trait plus affirmé. Couvrez les trois quarts supérieurs du papier avec de l'eau claire. Préparez un lavis pâle d'outremer et de bleu cæruleum pour peindre le fond avec le pinceau à lavis. Contournez le vase, les fruits et les feuilles de palmier. Procédez par touches souples et appliquez la couleur autour des formes.

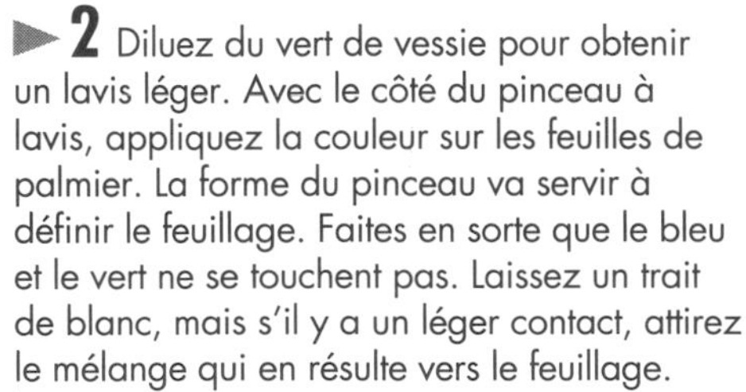

► **2** Diluez du vert de vessie pour obtenir un lavis léger. Avec le côté du pinceau à lavis, appliquez la couleur sur les feuilles de palmier. La forme du pinceau va servir à définir le feuillage. Faites en sorte que le bleu et le vert ne se touchent pas. Laissez un trait de blanc, mais s'il y a un léger contact, attirez le mélange qui en résulte vers le feuillage.

◄ **3** Les fruits et le vase ont besoin d'une couche de base. Utilisez le grand pinceau rond chargé d'un mélange jaune de cadmium citron/vert de vessie pour peindre les poires. Cette couleur ne doit pas diffuser dans le bleu. Procédez de même pour les cerises, avec un rouge dilué – peignez une partie des cerises à l'aide de touches courbes.
Peignez le bleu foncé du vase ; ne peignez pas le motif. Peignez le fruit avec du jaune de cadmium – un jaune plus soutenu que celui des poires. Vous remarquerez que le vase est une sorte de miroir de l'arrangement des fruits sur la table, mais avec des couleurs plus intenses.

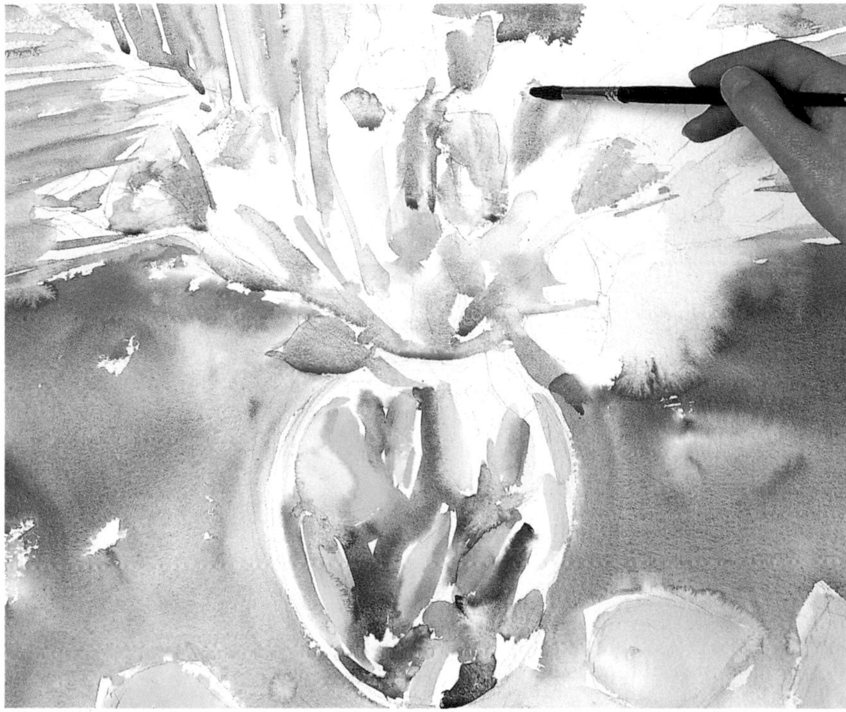

► **4** Mélangez plusieurs lavis clairs avec le pinceau n° 10, pour les autres fruits et feuilles qui ornent le vase. Préparez un vert plus bleuté qui contient de l'émeraude pour certaines feuilles ; essayez le citron clair déjà utilisé pour les poires sur d'autres ; mélangez du rose et de l'alizarine cramoisie pour les fleurs rose pâle et utilisez le même mélange pour les cerises du vase. Peignez grossièrement les formes : vous verrez plus tard pour les détails.

▼ **5** Prenez le pinceau n° 6. A présent, vos couleurs doivent être plus soutenues, mais toujours assez humides pour donner un léger effet de flou. Soulignez les tiges avec le vert de vessie et les fleurs avec un vert doux tirant sur le jaune. Le bord des pétales est légèrement enroulé : indiquez cette particularité en peignant les contours.

La taille des pinceaux

L'utilisation de différentes tailles de pinceau permet de créer des variations dans les lavis humides. On peut appliquer un lavis clair sur le papier, en bandes douces, avec un pinceau large – idéal pour les ciels et les fonds. On obtient des effets différents avec un pinceau plus petit et une couleur plus intense – essayez pour les effets de feuillage.
Les taches de peinture produisent des étoiles qui varient selon la quantité d'eau et l'intensité de la couleur. Laissez-les sécher : il arrive que des petites taches inattendues se forment en filigrane quand on applique une couleur soutenue sur un lavis plus clair.

6 Vous allez maintenant passer à des lavis un peu plus riches. Les premiers lavis légers sont appliqués et les détails les plus évidents des tiges sont indiqués : il est temps d'accentuer les formes les plus déterminées. Appliquez une version plus foncée du bleu du vase et soulignez les motifs par des lavis plus soutenus de jaune et de vert. Préparez un lavis vert bleuté intense et, à l'aide du pinceau n° 6, peignez les feuilles des fleurs roses. Utilisez la forme du pinceau pour vos touches : augmentez la pression sur le pinceau pour l'extrémité large, diminuez-la pour l'extrémité étroite de chaque feuille. Un coup de pinceau par feuille vous donnera la forme souhaitée. Reculez, maintenant, pour voir ce qui se passe sur votre papier. Le fond demande à être foncé pour donner plus de vigueur au tableau.

7 Appliquez un lavis d'eau claire autour du vase et peignez par-dessus avec un lavis bleu plus foncé. Utilisez le pinceau à lavis pour les plus grandes touches – veillez à ne pas déformer le contour du vase. Précisez la forme pointue des feuilles de palmier, avec les pinceaux ronds n° 10 et n° 12, pour bien étendre le lavis bleu foncé entre les feuilles. A ce stade, vous pouvez préciser la forme des feuilles – mais attention, maîtrisez vos gestes. Il ne faut pas peindre une feuille qui n'existe pas !

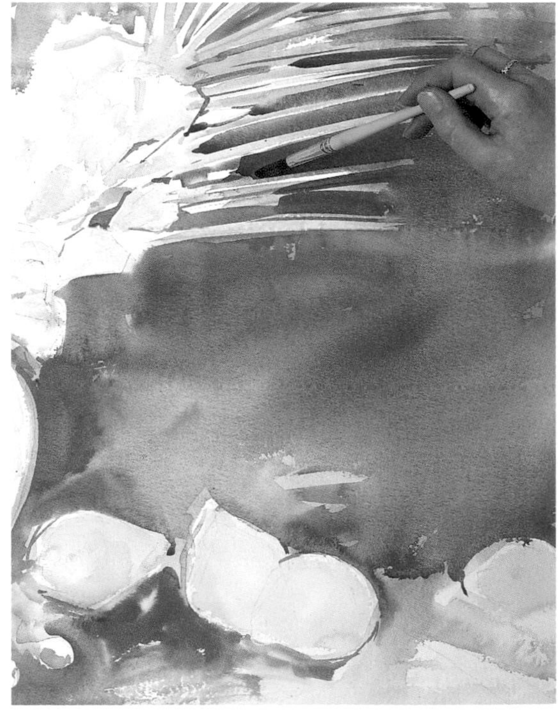

8 Appliquez une nuance plus foncée du lavis vert jaune sur les poires, en ajoutant du jaune de cadmium pour foncer encore la couleur. Passez un rouge chaud (alizarine cramoisie et vermillon) sur le haut des trois poires qui sont à droite. Les couleurs vont légèrement diffuser, en créant un effet de flou sur les ruptures. Contrôlez cet effet pour imiter le rouge de la poire. Peignez les cerises avec un lavis cramoisi foncé. L'effet de flou ne s'impose pas ici – une application de peinture plus sèche donnera des formes plus nettes. Ajoutez une touche de violet au cramoisi pour foncer la couleur sur le dessous des courbes.

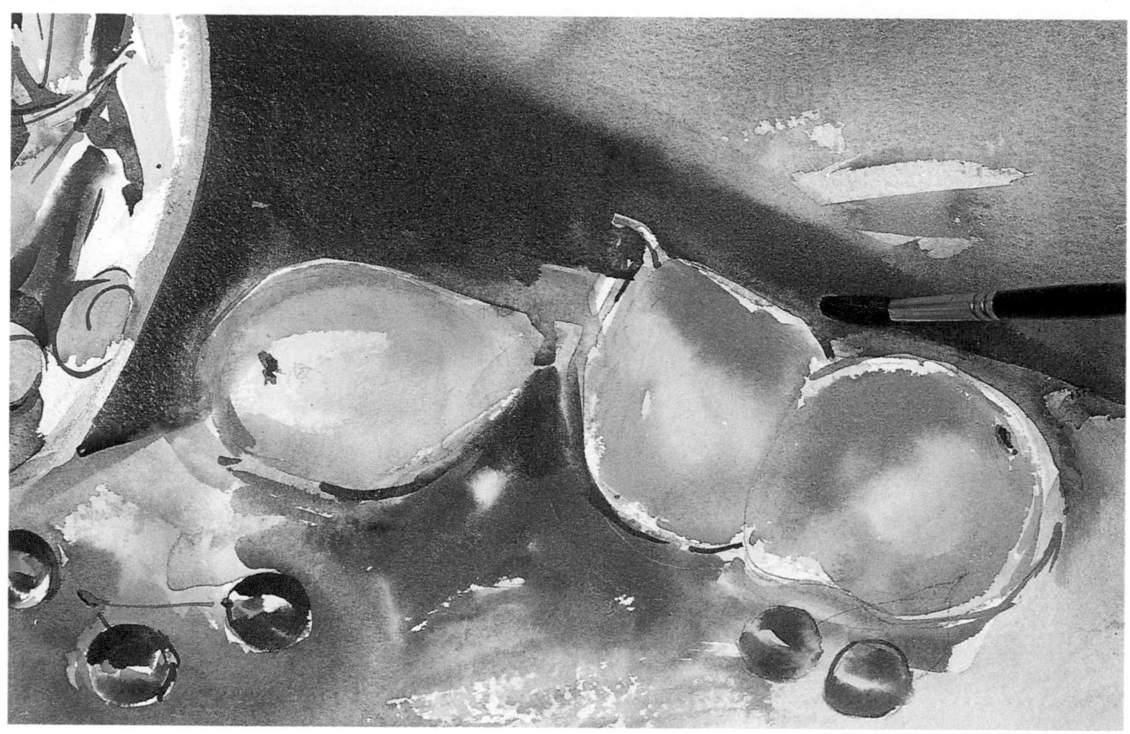

9 Avec votre plus petit pinceau chargé d'indigo ou de noir, peignez légèrement les queues et les creux des cerises et des poires. Avec la même couleur, peignez rapidement quelques fioritures autour des contours des formes sur le vase, afin de les préciser. Mouillez à nouveau le côté droit du fond pour l'ombre triangulaire, avec le pinceau à lavis et de l'eau claire. Appliquez par-dessus un bleu intense. Assurez-vous que les ruptures de la couleur la plus intense se mélangent avec le fond. Adoucissez la rupture avec de l'eau si nécessaire.

10 Ici, vous allez peut-être juger que cette couleur foncée déséquilibre votre nature morte. Regardez les fleurs et vérifiez si leur couleur est assez soutenue. Notre artiste a estimé que le ton du fond bleu derrière devait être foncé, pour que les fleurs ressortent mieux. Elle a donc soigneusement appliqué un nouveau lavis bleu derrière les fleurs et entre les tiges et les pétales.

11 Il faut maintenant peaufiner les fleurs et les boutons. Renforcez quelques pétales et quelques tiges avec un trait fin mais soutenu de vert de vessie – à l'aide du pinceau n° 6. Foncez le lavis rose par endroits et appliquez des touches de rose violacé à l'intérieur des fleurs, pour leur donner de la profondeur.

Les additifs liquides

De nombreuses marques proposent des liquides pour renforcer la fluidité des lavis. Traditionnellement, on ajoutait du fiel de bœuf à l'eau. Aujourd'hui, il existe différents additifs qui remplissent les mêmes fonctions, par exemple le liquide médium (Watercolour Medium) Winsor & Newton. Grâce à lui, on peut obtenir des effets de flou avec de plus petites quantités d'eau – ce qui abîme moins le papier sur lequel on travaille.

►12 Précisez ici les contours de certaines fleurs en appliquant une nouvelle couche de bleu. Ne peignez pas exactement sur la couche précédente – les différents tons de bleu doivent rester visibles par endroits pour créer un effet de halo qui fait chatoyer les fleurs. Renforcez le vert bleuté du feuillage en ajoutant un lavis plus intense sur certaines feuilles.

▼13 Regardez attentivement votre travail afin de repérer les éventuels déséquilibres. Assurez-vous que les fruits ressortent bien dans l'ensemble de la composition – retouchez avec une nouvelle couche plus foncée si nécessaire. C'est de cette manière que les fleurs roses ont été foncées. Les couches de lavis commencent à se souligner mutuellement, créant des effets de couleur rompue qui contrastent avec le flou de la toile de fond. Quand vous êtes satisfait de votre travail, appliquez une dernière couche d'eau claire sur l'ensemble de la composition pour adoucir toute modification de dernière minute.
Le tableau est terminé. Le style délibérément informel et souple fonctionne parfaitement avec la technique de l'aquarelle humide.

Peindre à l'aquarelle sur support sec

Pour obtenir un effet propre et net, l'aquarelle se travaille en couches transparentes sur une surface sèche.

Quand on travaille l'aquarelle en « jus », c'est-à-dire quand on applique la peinture sur une surface humide ou détrempée, on obtient des formes aux contours flous. Par la technique en rehaut, on travaille sur papier sec ou sur peinture sèche, et l'effet obtenu est tout à fait différent. Les formes sont en effet bien définies, et les contours souvent très nets. Que vous appliquiez la peinture à l'aide d'un pinceau ou que vous la déposiez directement sur le papier, vous êtes bien plus maître de ce que vous faites et vous pouvez travailler dans le détail.

La qualité des contours est décisive dans les aquarelles. En peignant sur une surface sèche, vous pouvez rendre les formes à l'aide de contours clairement définis, comme dans le cas d'une feuille en gros plan ou d'une chaîne de montagnes.

La proportion d'eau dans la peinture joue également un rôle dans le résultat final. Ainsi, par exemple, un vert dilué appliqué au pinceau sur le papier va, en séchant, prendre un ton plus clair. Une tache de la même couleur déposée sur le papier va, en séchant, donner des contours clairement définis, car les pigments ont tendance à se concentrer sur les bords et renforcent les contours.

Si vous êtes néophyte, vous pouvez être tenté de n'utiliser que cette technique, parce qu'elle assure une meilleure maîtrise, mais ce serait se priver d'un des plaisirs que procure l'aquarelle. C'est la réaction propre, impossible à prévoir, de la peinture sur une surface humide ou détrempée qui lui donne sa spécificité. Aussi est-il souvent profitable d'associer les deux techniques : il suffit de travailler en « jus » (sur surface humide, donc) au début, d'ajouter le détail en rehaut (sur le papier enfin sec), puis de terminer en harmonisant le tout.

▼ On a réussi à capter la chaleur et la lumière de cette scène méditerranéenne par la technique du rehaut. Des formes aux contours nets mais doux permettent de rendre les ombres mouchetées du feuillage, tandis que les feuilles de la vigne vierge sont elles-mêmes faites de taches de couleurs transparentes et presque opaques aux contours inégaux.

« Ombres dans la vigne vierge », de Ilana Richardson, papier, 1992, 28 x 38 cm.

Une église au bord de la mer

Il vous faut...

- ☐ Une feuille de papier tendue de 30 x 40 cm de 150 à 200g
- ☐ Un crayon AB ou 2B
- ☐ Trois pinceaux ronds, n°10, n ° 6 et n° 3
- ☐ Plusieurs bocaux d'eau propre
- ☐ Des palettes pour les mélanges
- ☐ Une règle (en option)
- ☐ Sept couleurs : bleu de cobalt, gris de Payne, gris de Davy, ocre jaune, orange de cadmium, rouge de cadmium, vert anglais.

Le sujet L'artiste est un passionné de dessin, et possède de nombreux carnets de croquis avec des scènes rencontrées au cours de ses vacances. Pour ce tableau, il s'est inspiré d'un petit croquis de l'église de Collioure, dans le sud-ouest de la France. Il s'est servi d'un crayon à croquis plat permettant une grande diversité de traits différents et a fait un relevé des couleurs.

1 Faites un croquis de la composition à l'aide d'un crayon assez gras. Ne faîtes pas un dessin trop précis. L'idée est de traiter le sujet en créant des zones colorées uniformes, puis d'ajouter du relief. Il suffit d'ébaucher les formes principales.

2 Diluez du bleu de cobalt. Humidifiez le papier là où vous placerez le ciel. Appliquez un lavis uniforme à l'aide du pinceau n° 10, en commençant par le haut. Vous vous faciliterez la tâche en dirigeant légèrement les bords vers vous. N'arrêtez pas le mouvement de votre pinceau afin d'achever le ciel avant que le papier ne sèche. Servez-vous du pinceau n° 6 sec pour enlever l'excès de peinture qui s'accumule au bas de la zone humide. Laissez sécher.

▲ La peinture sur la palette à l'air beaucoup plus foncée que lorsqu'on l'applique sur le papier. Lorsqu'elle sèche, elle devient encore plus pâle et n'a plus grand chose à voir avec la couleur que vous voyez sur la palette. Vous vous y habituerez en acquérant de l'expérience.

3 Diluez du gris de Davy sur la palette, et, à l'aide du pinceau n° 6, commencez par les formes principales : les contreforts, la tour, le mur de l'église, le quai et les rochers du premier plan. Laissez du papier blanc pour représenter les briques du mur du quai. Laissez sécher.

4 Pour peindre la mer utilisez le même pinceau, avec du bleu de cobalt. Appuyez votre main sur un morceau de papier brouillon propre, afin d'éviter de graisser le papier.
Vous pouvez travailler à la main ou utiliser une règle, selon votre convenance. Notre artiste s'est un peu servi de ces deux façons de procéder.
Si vous avez des difficultés dans les coins, faites tourner le papier. Laissez sécher.

5 Vous pouvez constater ici comment on entrevoit le gris de Davy sec à travers les lavis transparents de bleu. En observant la bande horizontale bleue au milieu, vous voyez que les contours ont foncé en séchant, créant les formes propres et nettes caractéristiques de la technique en rehaut.

6 Diluez de l'ocre jaune, puis ajoutez du gris de Payne afin d'atténuer son intensité. Toujours à l'aide du même pinceau, remplissez avec ce mélange les triangles qui subsistent entre les contreforts et le mur de l'église.
Intensifiez à présent les gris que vous avez déjà appliqués, notamment pour les bandes à droite de l'église, le mur du quai et l'ombre portée par la tour. N'ayez pas peur de déborder par rapport aux zones de couleur déjà peintes, ni de laisser des trous qui laissent transparaître le gris d'origine. Laissez sécher.

Le saviez-vous ?

Le gris de Davy

Nous avons jusqu'ici beaucoup employé le gris de Payne dans nos exemples, mais le gris de Davy est également très utile dans votre palette. Fabriqué à partir d'ardoise réduite en poudre, il est beaucoup plus clair que le gris de Payne et, en séchant, acquiert une nuance plus chaude tirant sur le vert.

7 Diluez du gris de Payne et, à l'aide du même pinceau, donnez une teinte sombre aux rochers et au mur qui jouxtent l'église. Essayez d'éviter les amas de couleur. Vous pouvez remarquer comment l'artiste a laissé des trous dans le mur pour représenter les briques et les rochers afin de donner l'impression d'une surface irrégulière.

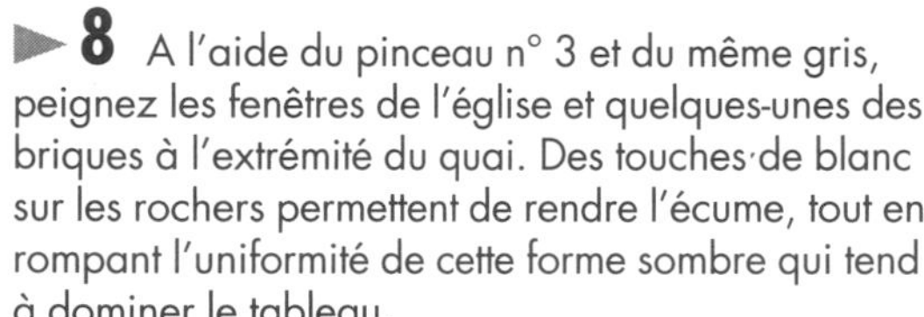

8 A l'aide du pinceau n° 3 et du même gris, peignez les fenêtres de l'église et quelques-unes des briques à l'extrémité du quai. Des touches de blanc sur les rochers permettent de rendre l'écume, tout en rompant l'uniformité de cette forme sombre qui tend à dominer le tableau.

1
2
3
4
5
6

▲ L'artiste s'est fait cette feuille d'échantillons de chacune des couleurs utilisées dans son tableau. Il a parfois appliqué plusieurs lavis de la même couleur en superposition. Dans notre illustration, il a répété à droite la même couleur en plus foncé afin de mieux se rendre compte de l'éventail des couleurs : bleu de cobalt (1), gris de Davis (2), gris de Payne (3), ocre jaune et gris de Payne (4), orange de cadmium et rouge de cadmium (5), vert anglais et gris de Payne (6). Si vous comparez ces couleurs peintes une fois séchées avec les couleurs de la palette, vous pouvez constater combien elles se sont éclaircies en séchant.

9 Vérifiez l'harmonie des tons dans votre tableau. A moins que vos premiers lavis de bleu de cobalt n'aient été particulièrement intenses, vous allez devoir les renforcer. S'il vous en reste sur votre palette, assurez-vous que le mélange est homogène, puis, en jouant de toute la largeur du pinceau n°10, ajoutez de généreuses bandes de couleur sur le ciel. A présent, faites la même chose pour la mer, avec des bandes plus fines grâce au pinceau n° 6. Remarquez comment les bandes plus claires que vous avez laissées dans le ciel donnent de la profondeur au tableau.

◄ **10** Mélangez de l'orange de cadmium et du rouge de cadmium en proportions à peu près égales. Cette séduisante couleur mandarine, au milieu des gris et des bleus froids, donne vraiment vie à votre tableau. Pour peindre les toits, servez-vous du pinceau n° 3. Laissez sécher.

► **11** Vérifiez l'harmonie des tons. Il est possible que vous estimiez qu'il faut appliquer de nouveaux lavis sur certains rouges. Cependant, veillez à ne pas exagérer. Essayez de faire en sorte que le dôme, qui est la forme la plus proéminente du sujet, reste l'élément le plus pâle. Il faudra peut-être aussi donner davantage d'intensité aux gris. L'artiste s'est servi du pinceau n° 3 et du gris de Davy pour renforcer la couleur de la base de la tour de l'église, les fenêtres , le mur et la chaussée au premier plan. Laissez sécher.

▼ **12** Diluez du vert anglais et ternissez-le un peu avec une nuance de gris de Payne. A l'aide du pinceau n° 3, ajoutez le pin parasol à gauche des bâtiments et la forme en coin à droite de l'église. Une large bande de vert sur les bords des rochers du premier plan suggère la présence d'herbes folles.

Astuce

Comment obtenir une couleur plate

L'artiste a voulu tirer parti de zones de couleurs plates et uniformes : il a simplement ajouté à la peinture une solution à base de fiel de bœuf . Quelques gouttes versées dans la peinture diluée sur la palette suppriment toute tension à la surface de la peinture et améliorent vraiment la perméabilité du papier lui-même, ce qui facilite la dispersion homogène du pigment sur le papier.

◄ **13** Jusqu'ici, la plupart des formes réalisées étaient géométriques et plates. A présent, travaillez plus librement en relâchant votre coup de pinceau. Avec la pointe de votre pinceau n° 3 et du gris de Payne, donnez du relief aux rochers du premier plan. Laissez sécher.

▼ **14** Les dernières retouches qui viennent achever le tableau relèvent davantage du goût de chacun que de règles précises. Les plus décisives consisteront peut-être à appliquer un nouveau lavis sur la mer pour lui donner un bleu plus intense, et à intensifier l'ombre du côté gauche de la tour. Pour attirer le regard, on peut ajouter des détails aux tourelles de l'église et au reflet de la tour avec du gris de Payne, et un deuxième lavis sur la forme en coin verte à droite.

Les palettes restreintes

Il est certes agréable de travailler avec une multitude de couleurs et de pinceaux. Mais pourquoi ne pas apprendre à se limiter ? D'autant qu'une palette restreinte renforce souvent la cohésion d'une aquarelle.

Vous savez déjà ce qu'il est possible de faire avec une palette restreinte à trois couleurs primaires. (Voir Technique 5). Mais un tel choix est souvent trop limité, d'autant que la reproduction des mélanges à base de primaires peut s'avérer très laborieux. Si vous n'y êtes pas habitué, vous risquez effectivement de passer plus de temps à mélanger qu'à peindre.

Toutefois, ne vous précipitez pas pour acheter des dizaines de couleurs supplémentaires. Optez plutôt pour une palette sélective, cela offre de nombreux avantages. Tout d'abord, vos couleurs s'harmoniseront plus facilement. Vous éviterez aussi les discordances car vous ne serez pas tenté de plonger votre pinceau dans une couleur imprévue. Bien sûr, les aquarellistes expérimentés se restreignent naturellement, même s'ils ont devant eux des centaines de couleurs. Mais pour les débutants, il peut être utile d'être sélectif dès le départ. Votre palette de couleurs doit à la fois correspondre à votre sujet, à votre goût et à votre style. Sélectionnez uniquement celles dont vous ne pouvez pas vous passer. Vous pourrez toujours les mélanger entre elles pour obtenir d'autres nuances.

Pour sa part, notre aquarelliste a choisi des couleurs fortes, à même de restituer la lumière, la chaleur et la végétation du paysage australien (voir au verso). Sa palette était composée de jaune de cadmium, de deux rouges, de deux bleus, d'un brun et d'un vert foncé. Elle a également ajouté deux encres destinées à renforcer l'intensité de la peinture.

Dès le départ, notre artiste s'est efforcée de conserver la fraîcheur des couleurs, qui est souvent perdue lorsqu'on travaille à partir d'une photo en l'absence de lumière naturelle. Pour éviter cet écueil, elle a pris note des couleurs sur le site même de la photo. En outre, elle a travaillé assez rapidement, d'un seul jet, utilisant une variété de techniques de travail tout en recherchant la spontanéité.

▼ **Une palette de couleurs bien choisies – ici, une combinaison de bleus, de verts, de gris plus un jaune de base –, voilà tout ce qu'il vous faut pour peindre un paysage comme celui-ci. Comme toujours en aquarelle, le blanc du papier fait office de rehauts.**
« Les Falaises d'Amborloy, Sussex », Roger Sampson, aquarelle sur papier.

Le sujet En guise de modèle, notre artiste a utilisé une photographie complétée de quelques références de couleurs. Elle a pris note des couleurs sur le lieu même de la photo au cas où celles-ci seraient modifiées lors du développement du travail.

Il vous faut

- *Une feuille de papier aquarelle tendue, 77 cm x 57 cm.*
- *Une planche à dessin.*
- *Du ruban adhésif repositionnable.*
- *Deux godets d'eau.*
- *Une assiette en porcelaine blanche ou des palettes.*
- *Un couteau.*
- *Une gomme.*
- *Un sèche-cheveux.*
- *Du fluide à masquer.*
- *Du papier absorbant.*
- *Un crayon HB.*
- *Un pinceau plat de 1 cm de large, un pinceau à lavis rond n° 6, un pinceau rond n° 4 et un pinceau usagé pour le fluide à masquer.*
- *Sept aquarelles : jaune de cadmium, rouge de cadmium, rose permanent, vert de Hooker foncé, bleu de cæruleum, outremer français, terre de Sienne brûlée.*
- *Deux encres : vert olive et bleu clair.*

Paysage australien

1 Sans appuyer trop fort, dessinez au crayon les principaux éléments du paysage. Une fois satisfait de votre composition, appliquez le fluide à masquer sur les zones que vous souhaitez garder blanches, comme les branches des buissons et le tronc des arbres. Nettoyez immédiatement le pinceau à l'eau tiède savonneuse. Préparez un mélange très dilué d'encre bleu ciel et d'outremer français. Couvrez-en le ciel à l'aide du pinceau à lavis en commençant par le haut et en ajoutant de l'eau au fur et à mesure. Cet effet dégradé va contribuer à créer une sensation de distance. Arrivé aux trois quarts, plongez la pointe du pinceau dans un mélange de rose permanent pour suggérer le coucher du soleil. Si votre pinceau est trop mouillé, tamponnez-le sur du papier absorbant avant d'atteindre les montagnes de façon à ne pas trop marquer les contours.

2 Ajoutez un peu d'encre bleue à votre mélange et appliquez-le sur les rivières le plus uniformément possible de façon à suggérer l'immobilité de l'eau à la tombée de la nuit. Étalez la couleur jusqu'au bord, de façon à ce que la rivière reste visible lorsque vous ajouterez le feuillage. Souvenez-vous de tamponner le pinceau sur un papier absorbant s'il est trop mouillé. Pour les reflets de l'eau, enlevez un peu de couleur avec le pinceau plat de 1 cm de large.

3 Avec le pinceau n° 6, appliquez un lavis de terre de Sienne sur toute la surface des montagnes. Ajoutez, humide sur humide, une pointe de rouge de cadmium non dilué de façon à assombrir les montagnes et à les mettre davantage en retrait. Déposez ensuite des touches d'outremer et de vert de Hooker pour suggérer les arbres parsemant les pentes. Remarquez maintenant combien les montagnes ont déjà pris forme.

◄ **4** Pour éviter que les couleurs fusionnent en passant d'une partie à l'autre de l'aquarelle, assurez-vous que la première couleur soit tout à fait sèche. Au besoin, servez-vous d'un sèche-cheveux.
Après séchage des rivières, étalez un lavis de terre de Sienne brûlée sur le sol, sans oublier les îlots au premier plan. Sur ce lavis encore humide, ajoutez maintenant des touches de terre de Sienne brûlée pour produire un effet marbré.

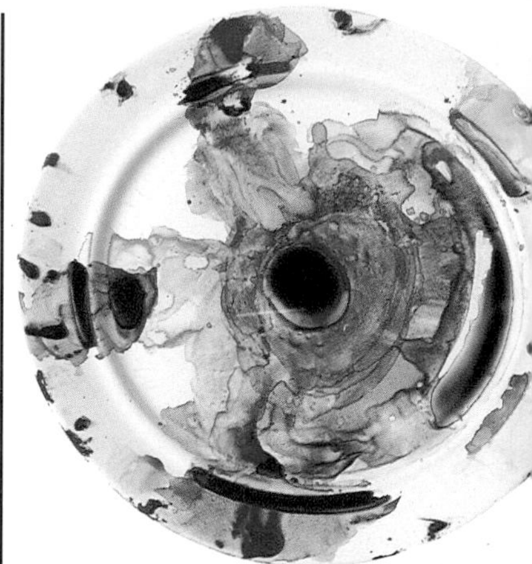

▲ **Une assiette ordinaire fait une excellente palette. Pour les lavis importants, choisissez un récipient plus profond.**

► **5** Lorsque les montagnes sont sèches, ajoutez d'autres détails avec les couleurs utilisées précédemment : terre de Sienne brûlée, outremer, vert de Hooker et rouge de cadmium. Tapotez cette surface à l'aide de votre pinceau plat de 1 cm de large. Laissez sécher puis atténuez les couleurs en les repassant à l'eau propre. Si une arête trop nette apparaît au point de contact du ciel et des montagnes, atténuez-la également avec de l'eau propre.

▼ **6** Trempez le pinceau plat dans un jus de vert de Hooker, de rouge de cadmium et de vert olive et agrémentez les montagnes de verdure. Rincez votre pinceau et trempez-le dans de l'eau propre pour fusionner la base de la montagne et la naissance de la plaine. Pour suggérer le feuillage, projetez de petites taches de peinture en chargeant votre pinceau de peinture et en raclant les soies du bout du doigt – tenez-vous à 15 cm de la feuille. Pour un aspect plus dense, utilisez moins d'eau.

7 Pour assombrir les verts, ajoutez de l'outremer au mélange. Pour les réchauffer, ajoutez du rouge de cadmium. Pour suggérer la densité du feuillage le long de la rivière, appliquez humide sur sec un lavis soutenu de vert foncé avec le pinceau plat. Lorsque les mouchetures des montagnes sont sèches, ajoutez d'autres détails avec ces mêmes lavis.

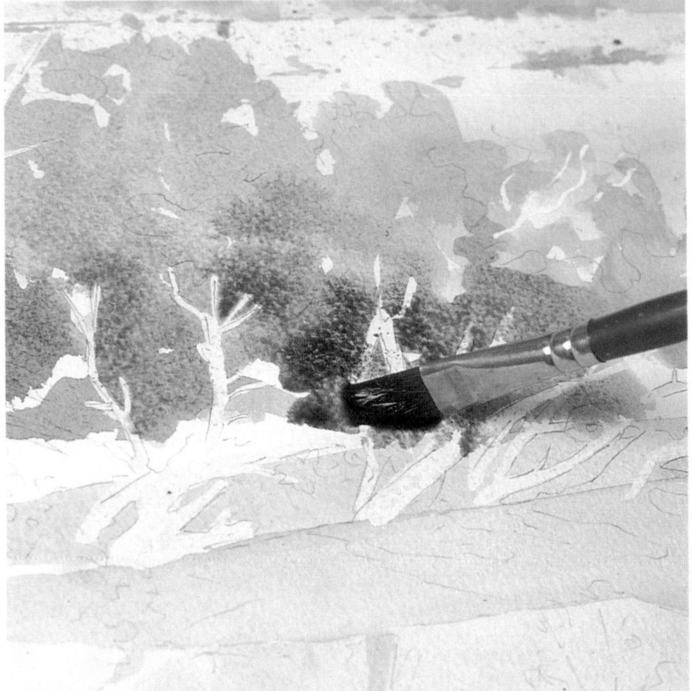

8 Voici une nouvelle occasion d'explorer les possibilités de votre palette. Travaillez rapidement pour conserver la fraîcheur et la spontanéité. Humidifiez les buissons d'eucalyptus au premier plan, laissez ensuite tomber des gouttes de jaune de cadmium sur les parties les plus éclairées, puis des gouttes d'outremer sur les zones d'ombre. N'oubliez pas que le fluide à masquer protège les branches des buissons.

Astuce

En cas d'accident

A l'étape 4, notre artiste a accidentellement recouvert de bleu l'un des îlots situés au premier plan. Pour rectifier cette erreur, elle a enlevé un peu de couleur avec le pinceau plat, qu'elle a essuyé avant de recommencer l'opération. Vous pouvez également employer cette méthode, mais prenez soin faire vos rectifications avant que la peinture soit sèche.

9 Afin de fusionner et d'adoucir les couleurs, notre artiste tapote à présent les buissons de la pointe de son pinceau plat. Vous pouvez utiliser cette technique pour ajouter des zones d'ombre.

◄ **10** Observez combien les différentes techniques ont contribué à créer de la profondeur et de la texture. Au premier plan, la transparence de l'eau crée une atmosphère particulière ; au fond, la combinaison de bleus repousse les montagnes dans le lointain.

▼ **11** Revenez au premier plan. Humidifiez le papier avec de l'eau propre et, avec un pinceau presque sec, déposez d'un geste vif des touches d'un mélange soutenu de bleu et de vert. Variez les tonalités et les textures en jouant sur le degré d'humidité du papier. Ajoutez de l'encre verte pour rehausser l'ensemble.

▲► **12** Ajoutez des ombres sur la rivière en humidifiant cette surface et en déposant des pointes d'outremer non dilué avec le pinceau plat. Ajoutez des touches de jaune de cadmium sur les zones les plus éclairées. Trempez ensuite le pinceau dans de l'eau propre et atténuez les contours des couleurs.

Appliquez le mélange de vert de Hooker, d'outremer, de rouge de cadmium, de jaune de cadmium et de terre de Sienne brûlée sur les feuilles du gommier (ci-dessus). Déposez d'autres petites touches avec le pinceau plat puis projetez de petites taches de mélange bien dilué afin de préciser les feuilles (ci-contre).

Continuez les projections, humide sur humide, ajoutant du rouge de cadmium sur les zones d'ombre et du jaune sur les zones les plus claires.

▲**13** Continuez à travailler le feuillage humide sur humide, en ajoutant de l'encre vert olive sur les zones les plus sombres et en atténuant les contours avec un pinceau propre légèrement mouillé. Utilisez la tranche du pinceau pour varier les touches. Pour finir, peignez les branches à l'encre vert olive, toujours avec la tranche du pinceau. Notez combien vous pouvez facilement élargir votre gamme de verts en mélangeant les couleurs sur la palette. L'harmonie entre ces verts tient au fait qu'ils ont la même origine.

◄**14** Revenez maintenant sur le feuillage du premier plan. Humidifiez le papier avec de l'eau propre et déposez des gouttes de vert de Hooker pur afin de créer d'intenses combinaisons de couleur.

►**15** Pour suggérer le scintillement de l'eau à la lumière rasante du soir, notre aquarelliste a enlevé un peu peinture à l'aide d'un pinceau propre légèrement humide avant d'aspirer l'excès d'eau avec du papier absorbant. Reculez de quelques pas pour juger de l'effet d'ensemble. Enrichissez à votre guise les parties qui vous semblent encore un peu faibles.

16 Le moment est enfin venu d'enlever le fluide à masquer. Mais assurez-vous d'abord que la peinture est complètement sèche. Utilisez au besoin le sèche-cheveux pour accélérer le séchage.
Effacez le fluide à masquer en frottant du bout des doigts, propres bien entendu, puis gommez les traits de crayon superflus. La gomme risque d'atténuer légèrement la couleur adjacente, mais vous souhaiterez peut-être exploiter cela à votre avantage.

17 Ici, préparez un lavis mauve chaleureux composé d'outremer et de terre de Sienne brûlée. Avec le pinceau plat de 1 cm de large, peignez le tronc situé à droite en commençant par les zones les plus claires. Maniez librement votre pinceau pour créer des effets de matière. Travaillez les zones sèches puis continuez humide sur humide. Pour suggérer l'ombre sur le côté de l'arbre, notre artiste a longé le tronc de l'extrémité du pinceau avant d'atténuer la peinture avec un peu d'eau.

18 Ajoutez des ombres de terre de Sienne sur les îlots et les branches des buissons qui les parsèment. Ajoutez de l'outremer au mélange pour les zones les plus sombres. Le contraste avec les zones de lumière évoque un soleil éclatant.

19 Passez maintenant aux troncs de gauche, pour lesquels vous préparerez un mélange dilué de ces mêmes couleurs.
Pour les traits fins, utilisez l'extrémité plate du pinceau. Conservez un maximum de blanc, mais fusionnez la peinture aux extrémités des troncs, là où le fluide à masquer a créé une limite trop tranchée. Travaillez d'un geste vif, humide sur sec pour fusionner la couleur.

◄ **20** Pour le fin feuillage du premier plan, préparez un mélange d'outremer, de rouge de cadmium et d'encre vert olive. Appliquez-le avec le pinceau n° 4. Calez votre main sur un endroit bien sec et travaillez le feuillage d'un geste rapide et régulier.
Chargez à présent le pinceau de terre de Sienne brûlée pour définir les arbres situés à gauche et foncer les feuilles les plus sombres. Passez aux herbes du premier plan dont vous avez enlevé le fluide à masquer. Avec le pinceau plat de 1 cm de large, appliquez un mélange d'encre vert olive et de jaune de cadmium.

► **21** Sur la peinture encore humide, appliquez ensuite des rehauts de terre de Sienne brûlée et de jaune. Chargez votre pinceau de rouge de cadmium et ajoutez des touches de couleur pure que vous laisserez se mêler au terre de Sienne encore humide. Ajoutez à votre guise les derniers détails, mais prenez soin de ne pas surcharger la composition. En cas de doute, arrêtez de peindre un instant pour retrouver le recul nécessaire.

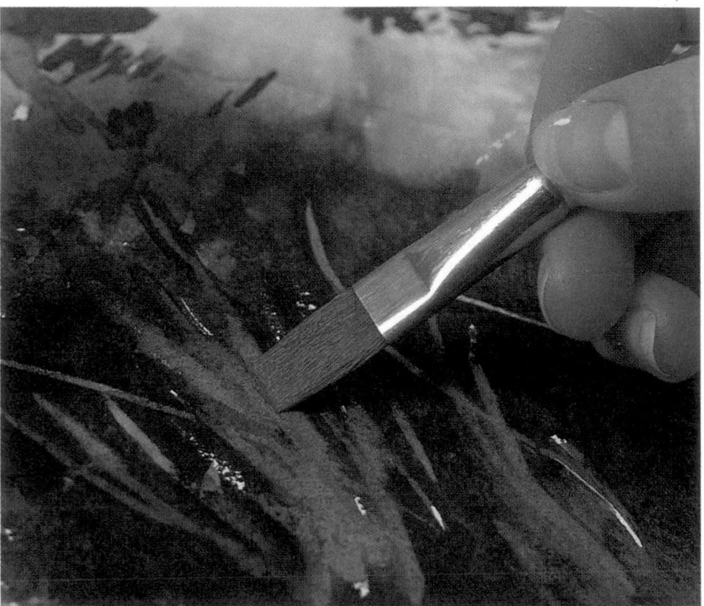

▼ **22** Terminez en sculptant quelques herbes folles au premier plan. D'un geste rapide, grattez la peinture de bas en haut avec le manche du pinceau ou le couteau. Vous voyez ici qu'une palette restreinte peut produire une grande diversité de teintes et d'effets. Une fois secs, certains lavis ont été enrichis par d'autres qui leur ont été superposés. D'autres ont pris un aspect marbré là où des gouttes de couleur ont fusionné avec la couche précédente. L'encre, quant à elle, donne davantage de profondeur.

Peindre à la gouache

La gouache est une peinture à l'eau opaque d'une souplesse extraordinaire. Elle permet de peindre toutes les couleurs et pardonne les erreurs. La peinture pour débutants par excellence.

◄ Pour la gouache, vous trouverez votre bonheur parmi une variété de conditionnements – tubes, pots, godets – qui sont tous disponibles en différentes tailles.

▼ Pour la peinture à l'eau, comme l'aquarelle par exemple, on se sert généralement de papier blanc, dont la couleur est utilisée pour les zones blanches ou de lumière. Mais, avec la gouache, qui contient des pigments blancs, vous pouvez choisir parmi les superbes papiers de couleur disponibles sur le marché.

La gouache est tout simplement une aquarelle à laquelle a été ajouté un pigment blanc. Comme pour l'aquarelle pure, des pigments finement broyés sont mélangés à de l'eau distillée, avant d'être amagalmés à des gommes arabiques. La différence vient de l'ajout de craie, laquelle crée l'opacité qui fait la popularité de la gouache. Le pigment blanc lui confère donc son opacité, mais aussi et surtout une puissance couvrante étonnante. Ces deux particularités combinées permettent d'obtenir un résultat différent des aquarelles transparentes. Lorsqu'elle est utilisée sous forme opaque (ou épaisse), la gouache donne le même résultat que les peintures acryliques et les huiles mates, si ce n'est qu'elle sèche plus vite. Vous pouvez également diluer la peinture pour créer un lavis délicat proche de l'aquarelle. En résumé, la gouache est un compromis entre la technique de l'huile et celle de l'aquarelle. La gouache est également réputée pour ses couleurs épaisses et riches. La réflexion du pigment blanc fait littéralement vibrer la couleur, ce qui donne des teintes fortes, énergiques.

L'aquarelle comparée à la gouache

aquarelle

gouache

Bien que le sujet soit le même, notez la différence d'opacité de la gouache au niveau du ciel derrière le voilier. Cette zone est plus transparente dans l'aquarelle. L'artiste s'est par ailleurs servi de l'opacité de la gouache pour représenter en dernier l'écume blanche de l'eau.

Créer des textures

Avec un peu d'imagination vous pouvez créer des effets de texture intéressants. Essayez plusieurs objets et comparez les résultats obtenus.

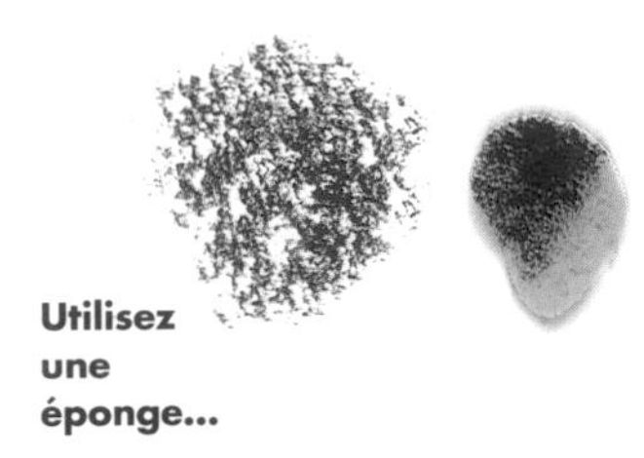

Utilisez une éponge...

...ou du papier froissé en boule...

...et même une brosse à dents !

Bien qu'elle n'ait jamais été très à la mode, la gouache a toujours eu ses admirateurs. Des maîtres célèbres, comme Rubens, Van Dyck et Dürer ou, plus près de nous, Picasso et Egon Schiele l'ont utilisée

En pratique

La gouache est sans doute le moyen le plus souple dont disposent les débutants. Si vous avez déjà tenté l'expérience avec l'aquarelle, la plupart des techniques de base vous sont familières. Diluée, la gouache crée des lavis délicats, semi-transparents, que vous pouvez étaler sur votre papier humide ou obtenir en passant un fin lavis de couleur sur un autre.

Quatre façons d'utiliser la gouache

L'emploi de la gouache est extrêmement facile. Ici, nous avons utilisé la même peinture de quatre façons différentes pour créer des effets intéressants.

impasto

glacis

lavis

peinture opaque (avec ajout de blanc)

◄ **Ici, la densité de la gouache permet d'attirer l'attention sur l'intensité émotionnelle du sujet qu'a choisi l'artiste.**

« L'Offrande », par Pablo Picasso, gouache sur papier, 1908.

L'opacité de la gouache permet de travailler toutes les nuances, des plus sombres aux plus pâles, en ajoutant à la peinture du blanc – et non de l'eau – pour l'éclaircir. Le fait de peindre les nuances claires après les tons sombres vous évite de laisser des plages de papier pour les zones de lumière du tableau. Dans une nature morte, par exemple, vous pouvez commencer par peindre ce qui vous plaît et ajouter ensuite les zones claires. Si vous trouvez qu'il est astreignant de travailler d'abord les teintes claires, ou si vous pensez que certains sujets ne s'y prêtent pas, alors cette liberté remarquable vous séduira.

Si le fait d'ajouter du blanc aux couleurs permet d'obtenir un ton plus clair, celui d'ajouter du noir ne donne pas nécessairement le résultat escompté. La couleur s'en trouve souvent totalement altérée. Plus surprenant encore, les rouges tendent vers le brun et le jaune se transforme en vert sale. La meilleure façon de s'en rendre compte est d'essayer.

Avant tout, la gouache est un excellent moyen pour faire des expériences. Elle est du meilleur effet lorsqu'elle est utilisée pour son opacité et son onctuosité, qui permettent de créer des textures. Utilisée en couche assez épaisse, elle réagit à peu près comme l'huile. Vous pouvez employer presque toutes les mêmes techniques : impasto, glacis et couteau . Une épaisse couche de peinture pratiquement sèche peut être appliquée de façon à donner de nombreux résultats et à produire des effets de texture surprenants. Vous pouvez étaler la peinture avec un Kleenex ou avec une vieille brosse à dents. Vous pouvez aussi mélanger la peinture à des feuilles séchées et broyées ou encore retrousser vos manches et travailler avec les doigts !

▲ Dans cette ravissante peinture, la magnifique frondaison de l'arbre en fleur – librement rendu, de façon expressive, par un ton chair – contraste gracieusement avec la silhouette stylisée de la femme qui marche dessous.

« Dans le jardin de Shoreham », de Samuel Palmer. Gouache sur papier.

◄ Le cadre blanc mat de la fenêtre enferme des petites zones d'activité indépendantes : la chaise de jardin, les pots de fleur, et les plantes.
En travaillant avec un dégradé de vert, l'artiste a créé des zones de feuillage pleines de vie.

« Fenêtre de cuisine avec géraniums », de Carolyne Moran. Gouache sur papier.

▲ La gouache est le moyen idéal pour représenter une telle nature morte, forte et lumineuse. La peinture mate et opaque attire le regard sur l'aspect répétitif des différents éléments du tableau : les feuilles, les fleurs, les tiges dans le vase, la nappe avec ses motifs de tulipes, les bourgeons de chèvrefeuille en haut, à droite.

«Au balcon », de Mary Tempest. Gouache sur papier.

En fait, tout est possible.
Avant de vous lancer dans la gouache, consultez les nuanciers des fabricants pour vous assurer de la stabilité des couleurs que vous utilisez, car il ne faut pas oublier que certaines teintes se dénaturent.

Osez les mélanges !

La gouache convient parfaitement aux travaux qui associent différents procédés. De nombreux artistes ont créé de superbes effets en mélangeant de la gouache avec de l'aquarelle pure, de l'encre, du fusain, des pastels, des peintures acryliques et même des crayons. Les acryliques s'associent particulièrement bien à la gouache du fait de leur brillant et leur insolubilité une fois sèches. Vous pouvez étendre une première couche d'un acrylique lumineux, laissez-la sécher, puis peignez par-dessus avec de la gouache. Par contraste avec les teintes acryliques fortes, les couleurs de la gouache n'en paraîtront que plus intenses. Des touches d'aquarelle transparente peuvent également être du meilleur effet dans un tableau où prédomine la gouache. Inversement, un peu de gouache pour une grande quantité d'aquarelle est également envisageable.

Une technique peu coûteuse

Pour commencer à peindre à la gouache, vous n'aurez besoin que d'une feuille de papier, de quelques pinceaux, de deux pots d'eau et de quelques couleurs.
La gouache est généralement vendue en tubes ou en grands pots. Il existe aussi des godets de couleurs solides, plutôt destinés aux enfants. La gamme des couleurs est énorme, mais un petit assortiment bien choisi permet d'obtenir presque toutes les teintes existant sous le soleil. Vous pouvez acheter des tubes séparément, mais la plupart des fabricants proposent des boîtes pour débutants, qui contiennent quelques couleurs fondamentales. Elles sont d'un bon rapport qualité-prix, et on peut y ajouter d'autres couleurs si nécessaire.
Les pinceaux utilisés sont les mêmes que pour l'aquarelle. Les pinceaux ronds sont les plus utiles, achetez-en quelques-uns de différentes tailles. Les pinceaux en soie de porc conviennent parfaitement à la gouache, puisqu'ils permettent d'étaler de la peinture épaisse pour réaliser des effets de texture.
Enfin, avec la gouache, vous pouvez utiliser une grande variété de supports : papier, carton, carte, bois, tout est bon tant que la surface n'est pas huileuse.
Néanmoins, comme pour l'aquarelle, le support le plus couramment utiliséest le papier. Il en existe une gamme très importante tant pour le format, le poids que la texture et la couleur. La gamme de poids va de 70 g à plus de 500 g. Les papiers au-dessous de 120 g doivent être tendus avant utilisation. Pour les autres, ce n'est pas une obligation, à moins que les lavis ne soient très humides. Les variétés les plus employées sont les papiers fins, qui conviennent à toutes peintures. L'opacité de la gouache permet, pour changer, d'utiliser des papiers de couleur, en particulier les gris, qui fournissent une bonne nuance neutre. Quoi qu'il en soit, prenez soin de choisir une couleur adaptée au sujet que vous dessinez.

La gouache sur papier teinté

Sous de fins voiles de peinture opaque, le fond teinté du papier transparaît par endroits sous les couleurs, donnant à votre tableau un ton plus chaud ou plus froid.

La gouache, qui est une peinture à l'eau opaque, possède de ce fait un excellent pouvoir de recouvrement et vous permet de travailler du foncé au clair si cela vous chante. De nombreux artistes peignent sur du papier de couleur ou du papier blanc teinté à l'aquarelle ou à l'acrylique. Bien entendu, si vous étendez une couche trop épaisse, la gouache recouvrira tout. Mais, sous un fin voile de couleur, le fond apparaît en demi-teinte.
Le beige, l'ocre jaune, le vert pâle, voire le gris clair, sont des demi-teintes particulièrement adaptées à la gouache. Mais il y a bien d'autres possibilités. Prenez soin de choisir une couleur adaptée à l'atmosphère ou à l'harmonie des tons de la composition. Si vous travaillez sur un paysage d'hiver sombre, par exemple, prenez de préférence un papier gris clair. Construisez certaines zones de couleur, mais laissez le papier transparaître par endroits.

Le sujet Un défi relevé ! Ces petites fleurs lumineuses captent à merveille les couleurs opaques de la gouache. La surface lisse et ronde du pichet vernissé, peint à la main, contraste avec les fleurs asymétriques. Le fond est un morceau de toile de chanvre naturelle, pas différent du papier teinté de beige choisi par notre artiste.

1 Avec un crayon 2B, dessinez le pichet et la masse de fleurs. Indiquez la ligne séparant le premier plan du fond. Balayez le pichet d'une couche de blanc permanent avec le pinceau n° 12. Sur la couleur humide, passez du gris chaud additionné d'une touche de bleu de cobalt pâle pour foncer le bas et le côté du pot.

Il vous faut

- ☐ *Une feuille de papier pour aquarelle NOT teinté de beige, de 360 mm x 510 mm, 300 gr.*
- ☐ *Un crayon 2B.*
- ☐ *Trois pinceaux synthétiques ronds, nos 4, 5 et 12.*
- ☐ *Deux pots d'eau.*
- ☐ *Une ou deux palettes.*
- ☐ *Un chiffon en coton.*
- ☐ *Treize couleurs pour gouache : jaune primaire, jaune du spectre, jaune d'or, jaune citron, ocre jaune, vert clair permanent, vert moyen, laque écarlate, rouge de cadmium, bleu de cobalt pâle, blanc permanent, gris froid et gris chaud.*

2 Mélangez du vert permanent clair et du vert moyen, et avec le pinceau n° 12, ébauchez les tiges. Peignez le premier plan en ocre jaune, et ajoutez-lui un peu de blanc pour créer de la variété. Laissez la couleur du papier transparaître de-ci, de-là.

◄ **3** Foncez l'ocre jaune en lui ajoutant un peu de gris chaud. Toujours avec le même pinceau, continuez à travailler le premier plan et le fond, en jouant des clairs et des ombres.

► **4** Mélangez du vert moyen et une touche de gris chaud et introduisez des tons variés de vert sur les tiges à l'aide du pinceau n° 12. Toujours avec le même pinceau, dessinez la masse des fleurs avec un mélange de jaune primaire et de jaune d'or. La couleur n'est pas étalée uniformément – l'artiste a déposé de-ci, de-là des taches sombres, à la façon de l'impasto, et il a laissé percer le papier par endroits pour créer de la variété. Mélangez du bleu de cobalt pâle, du gris chaud et du blanc dilué, et foncez une partie de l'anse.

◄ **5** Toujours avec le même mélange, foncez la base du pichet. Un ajout de blanc dilué avec le pinceau n° 12 contribue à éclaircir le côté du pot. Laissez la couleur se répandre librement ; vous rajouterez des détails plus tard. Ne paniquez pas si la peinture s'écoule trop – il est facile d'y remédier à ce stade du tableau.

► **6** Revenons au fond. Mélangez de l'ocre jaune avec du gris chaud, et peignez quelques zones au hasard. Éclaircissez avec du blanc et appliquez la couleur à d'autres zones pour varier la teinte de l'arrière-plan. Peignez autour du bouquet de fleurs – n'ayez pas peur de redéfinir les formes si cela vous chante. Pour les zones ombrées sur la droite du pot, utilisez un mélange d'ocre jaune, de blanc et de bleu de cobalt. Foncez le bord du pot avec un peu de vert moyen mêlé à du bleu de cobalt pâle et du vert permanent clair. Maintenant, si besoin, ajustez les tons du pichet. Laissez sécher avant de poursuivre.

7 Rajoutez une couche de peinture à l'intérieur du pichet, près de l'anse, en utilisant un fort pourcentage de vert moyen. Ce détail a son importance car les tiges des jonquilles doivent donner l'impression de s'enfoncer dans le pot, et non pas de rester dessus. Si la peinture se répand, reprenez-la dans le pot avec un pinceau n° 12 mouillé.
Mélangez du jaune primaire avec une touche de rouge de cadmium, et faites quelques taches sur la masse de fleurs de façon à créer un contraste tonal.

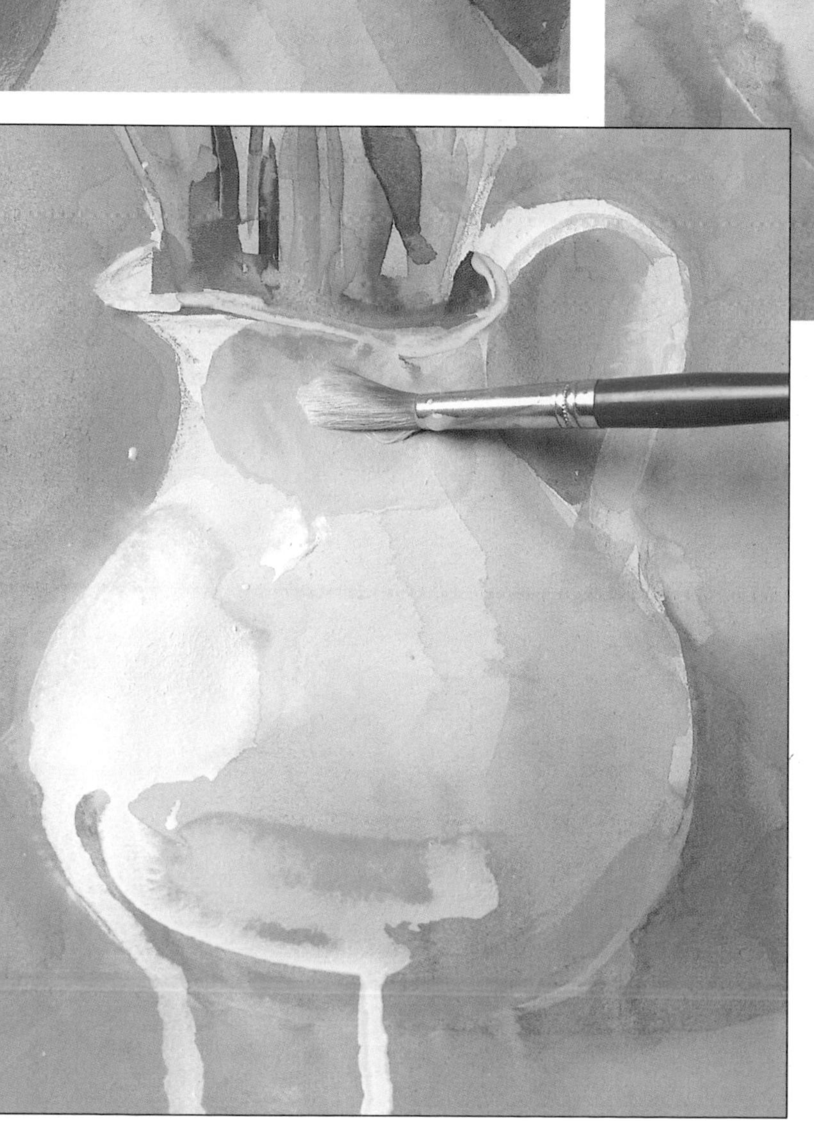

8 Vérifiez l'harmonie des tons du pot. Puis intéressez-vous au premier plan. A l'aide du pinceau n° 12, foncez l'ombre derrière le pot avec de l'ocre jaune additionné d'une pointe de bleu de cobalt pâle. Le but recherché est de donner l'illusion d'une couleur qui se réfléchit à partir du pot, à la fois dans les tons du premier plan et du fond. Les couleurs sont maintenant bien définies, et les fleurs commencent à prendre leur place de façon convaincante sur la table. Utilisez du blanc pour redéfinir le rebord du devant du pot, avec le pinceau n° 5.

9 Continuez les ajouts de blanc au bord du pot. Éclaircissez le côté avec le pinceau n° 12 humecté de couleur blanche, et mélangez à nouveau. Puis fondez les couleurs sous le rebord du pot et tout autour de l'anse, avec le pinceau n° 12 humecté d'eau.

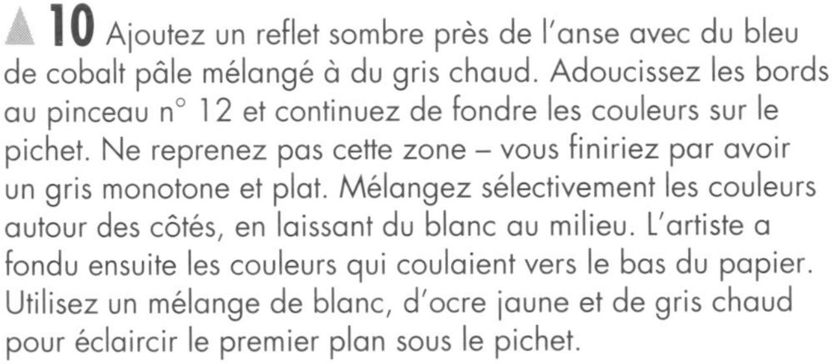

▲ 10 Ajoutez un reflet sombre près de l'anse avec du bleu de cobalt pâle mélangé à du gris chaud. Adoucissez les bords au pinceau n° 12 et continuez de fondre les couleurs sur le pichet. Ne reprenez pas cette zone – vous finiriez par avoir un gris monotone et plat. Mélangez sélectivement les couleurs autour des côtés, en laissant du blanc au milieu. L'artiste a fondu ensuite les couleurs qui coulaient vers le bas du papier. Utilisez un mélange de blanc, d'ocre jaune et de gris chaud pour éclaircir le premier plan sous le pichet.

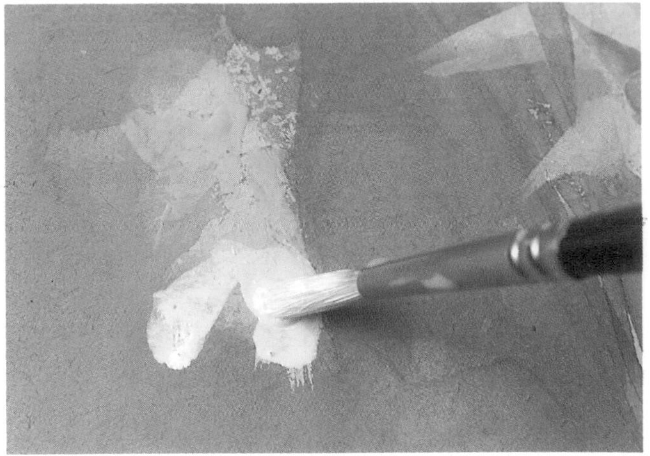

▲ 11 Avec le pinceau n° 5, éclaircissez certains pétales avec un mélange de jaune primaire et de blanc. Laissez-en tomber quelques gouttes d'un coup de pinceau sec et rapide, ce qui fait littéralement vibrer la surface et lui ajoute de l'intérêt. Mélangez un peu de laque écarlate et de jaune d'or, et peignez les cœurs des jonquilles en forme de cloches.

◄ 12 Pour suggérer la rondeur et la profondeur, définissez plus nettement les tiges en utilisant la même brosse et trois couleurs : vert moyen et bleu de cobalt pâle, vert permanent clair, et vert moyen et jaune citron. Puis, avec votre pouce, estompez les couleurs autour de l'anse du pot, là où la lumière réfléchie sur la céramique rencontre la couleur du fond.

▲ 13 Rehaussez de rouge de cadmium additionné de jaune spectral les cœurs des fleurs. Avec votre pinceau n° 5, rajoutez des détails aux tiges et aux extrémités des feuilles en utilisant les trois mélanges de verts de l'étape 12. Nettoyez votre pinceau, puis ajoutez au bouquet des taches épaisses de jaune primaire largement mêlées de blanc, pour rompre l'uniformité de la masse de fleurs.

14 Maintenant que vous avez presque terminé, mettez votre chevalet à plat ou posez le tableau à plat sur une table pour empêcher la couleur de se répandre. Utilisez votre pinceau n° 12 pour mettre en place les couches de gris sur le pot : du gris chaud mélangé à un peu de blanc. Ajoutez à ce mélange du bleu de cobalt pâle et du vert moyen pour créer les ombres sous le pichet.

Astuce

Des conseils avisés à revendre

Pourquoi acheter des palettes toutes faites pour aquarelle alors qu'une grande palette en porcelaine blanche fait aussi bien l'affaire, sinon mieux ? Elle est bon marché, offre une large surface de travail et se nettoie facilement à l'eau.

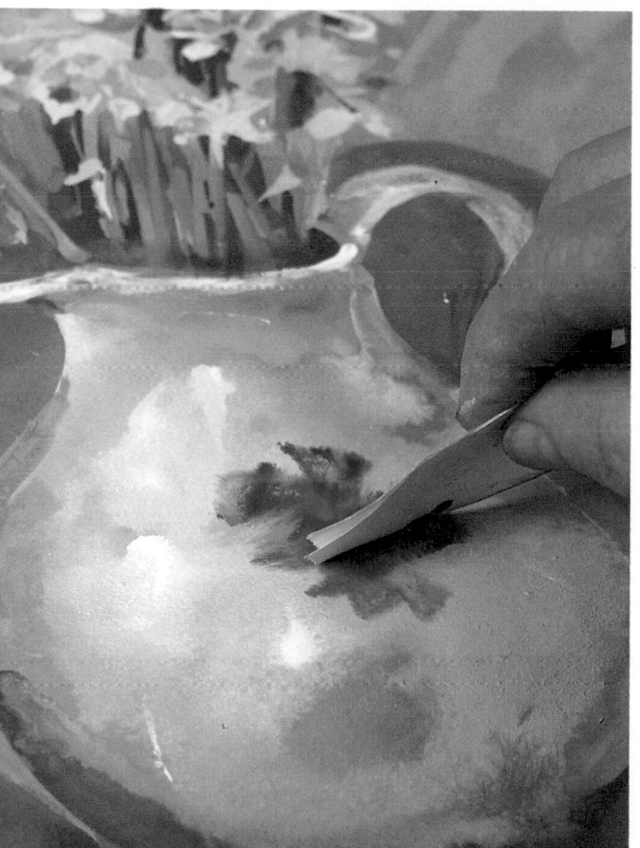

15 Pour les motifs décoratifs du pichet, l'artiste a utilisé de petites bandes de papier pliées en deux à la place du pinceau. Il est prudent de faire l'essai avec une ou deux couleurs sur un bout de papier avant de se lancer pour de bon dans la peinture. Trempez dans du bleu de cobalt les deux extrémités de la bande de papier pliée et appliquez la couleur. Un papier raide et incurvé vous aidera à capter le dessin, mais ne le copiez pas servilement.

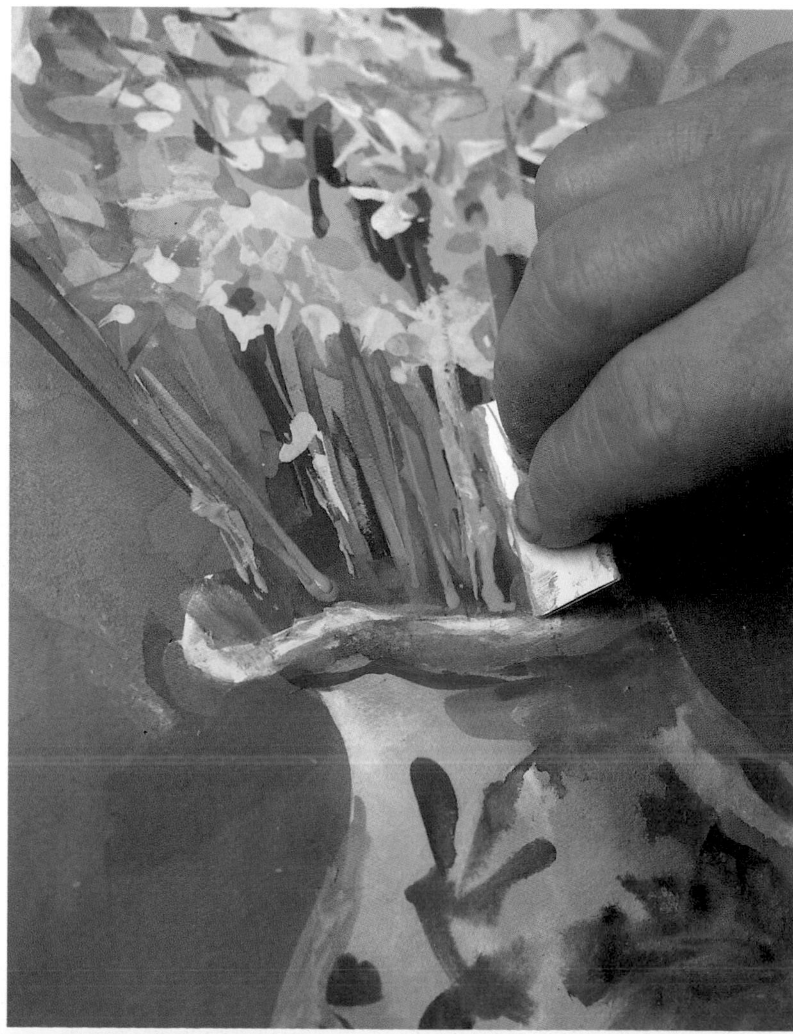

16 Mélangez du vert permanent clair et du jaune primaire et, en vous servant de bandes de papier, tracez des lignes ultra-fines le long des tiges. Cette fois encore, ne soyez pas tenté de peindre les tiges en trop grand nombre pour éviter de surcharger la peinture. Quelques taches de couleur peuvent accidentellement apparaître. Ne vous inquiétez pas – votre tableau y gagnera en spontanéité.

▲ **17** Avec le pinceau n° 4, ajoutez des rehauts de blanc pur sur le pot et affinez les motifs bleus du dessin. Mélangez du bleu de cobalt pâle et un peu de rouge de cadmium pour foncer la zone sous le pot. La peinture achevée est d'une surprenante simplicité.

L'artiste a superposé de nombreuses couches de jaune pour donner l'impression générale d'un bouquet, sans peiner inutilement sur chaque fleur. Et, dans la mesure où il transparaît par endroits, le fond teinté du papier réchauffe et renforce l'unité de ton du tableau.

LA PEINTURE À L'HUILE

Quelles brosses et quels pinceaux utiliser pour l'huile ?

Les brosses et les pinceaux sont les instruments essentiels du peintre. Ils existent en diverses matières, formes et dimensions. Savoir faire le bon choix est essentiel pour obtenir un bon résultat.

◄ Les coups de pinceau énergiques donnent vie et texture à cette toile. Les longs traits horizontaux et les petites touches dans les feuillages au premier plan confèrent à l'ensemble un sentiment de vigueur et de jaillissement. Les tracés plus doux et plus flous de l'arrière-plan visent à donner une impression au-delà des détails, et les collines et les arbres des lointains s'en trouvent comme repoussés, ce qui ajoute encore au relief du tableau.

« Bord de rivière à Delphes en été », par John McCombs, 1991.

▼ Ce détail montre comment les tracés horizontaux utilisés pour la rivière traduisent également un sentiment de calme et de sérénité.

Chaque type de pinceau est destiné à un ou plusieurs usages très précis et laisse une marque différente. Comme la souplesse d'emploi et le prix sont très variables, il importe de choisir avec discernement sa panoplie de base.

Au moment du choix, ne vous laissez pas décourager par l'importance de l'éventail disponible. Trois ou quatre modèles doivent normalement vous suffire au départ. S'il est vrai que l'on peut utiliser une douzaine – et même plus – de modèles, on peut aussi très bien se contenter d'un petit assortiment bien étudié. Tout dépend des techniques employées et des effets en fait recherchés.

Les différents types de pinceaux

Les pinceaux pour la peinture à l'huile sont faits de soies de porc raides ou de poils doux (ou d'imitations synthétiques). Les uns et les autres ont une fonction spécifique. Les premiers conviennent surtout pour tracer les grandes lignes de la composition et couvrir de grandes surfaces. Ils sont également parfaits pour rendre les effets d'épaisseur.

Les pinceaux à poils doux permettent des tracés plus fins et un meilleur travail du détail; on les utilise couramment pour les œuvres de petit format. Pour commencer, limitez-vous aux brosses à poil raides. Elles permettent de travailler librement et facilitent les premiers stades de la composition.

Les brosses à poils durs
Rigides et résistantes, les brosses à poils durs peuvent charger d'appréciables quantités de peinture. Elles sont parfaites pour les tracés fermes et empâtés, et les grands modèles permettent d'appliquer de larges couches épaisses. Elles conviennent aux grands tableaux, mais trouvent leurs limites pour la reproduction des détails.

A la fois fermes et flexibles, les traditionnels pinceaux en soies de porc sont sans égal pour les effets de texture. Veillez à ce que les poils soient souples et que l'instrument conserve son galbe quand on le passe sur le dos de la main. Évitez les substituts synthétiques, généralement en Nylon, qui perdent rapidement leur forme.
Les brosses et les pinceaux se divisent en quatre catégories principales: les brosses plates, les brosses plates à poils court, les pinceaux ronds et les langues-de-chat.
Les brosses plates sont d'une grande souplesse d'emploi et constituent la base d'un assortiment. Elles ont une extrémité rectiligne, et leurs poils longs retiennent beaucoup de peinture. Elles permettent aussi bien de couvrir d'amples surfaces que de procéder par petites touches.

Astuce

Quelle taille choisir ?

Choisissez la taille de votre pinceau en fonction du format du tableau et de la finesse de détail désirés. Par exemple, prenez un assortiment de pinceaux de grande taille pour une toile importante peinte en larges surfaces. En règle générale, voyez plutôt grand. Travailler sur une échelle importante permet de mieux bâtir la composition et évite de se perdre trop vite dans les détails.

Les brosses et pinceaux représentés ici ont été choisis en raison de l'universalité de leurs tracés et de leurs effets de texture.

Brosses plates Nos 12, 5 et 2
Les brosses plates conviennent pour couvrir d'amples surfaces. Elles permettent de tracer de fines lignes avec l'extrémité et d'étaler des blocs de couleur en les utilisant à plat. Elles sont également utiles pour mélanger les couleurs et les déplacer sur le tableau.

Pinceaux ronds Nos 8, 4 et 2
Ce sont de bons pinceaux à tout faire. On les utilise pour couvrir et pour estomper, et leur extrémité pointue permet de tracer des lignes fines et de poser de petites touches.

Les brosses plates permettent également d'obtenir des lignes fines et de travailler les détails avec leur extrémité. Elles sont également utiles pour tracer des bords francs ou pour fondre des couleurs différentes. N'oubliez pas cependant qu'en raison de leur élasticité, elles ne permettent pas de reprendre des couleurs en voie de séchage.

Les brosses plates courtes ont la même forme que les autres, mais leurs poils plus raides permettent de travailler dans la masse et laissent des marques profondes. Vous en serez satisfait pour appliquer des couches épaisses avec effets de texture. La faible longueur des poils donne une meilleure maîtrise et permet d'affiner un travail effectué à grands traits.

Les pinceaux ronds, d'une souplesse d'emploi exceptionnelle, sont indispensables dans un assortiment de base. Ils sont faits de longs poils incurvés à leur extrémité. Utilisés avec une peinture fortement diluée, ils permettent d'appliquer de fines couches, idéales pour la construction de la composition initiale. En les chargeant fortement, on peut tracer de longues lignes grasses ou étaler de larges couches de couleur. Ils conviennent aussi bien à la technique du glacis qu'au tracé de lignes fines et de contours délicats.

Les langues-de-chat ressemblent aux brosses plates. Leur virole est aplatie, mais leur extrémité est arrondie. Les modèles à poils longs et élastiques, pouvant charger beaucoup de peinture, permettent de doux tracés en pleins et déliés. Les modèles à poils courts autorisent un

▲ **Brosses de décorateur**
Les brosses de décorateur sont bon marché, résistantes et très utiles. Leur poil étant dense, elles retiennent beaucoup de peinture, ce qui permet de couvrir abondamment la toile en une seule fois. Elles sont également bonnes pour étaler de larges zones en première couche.

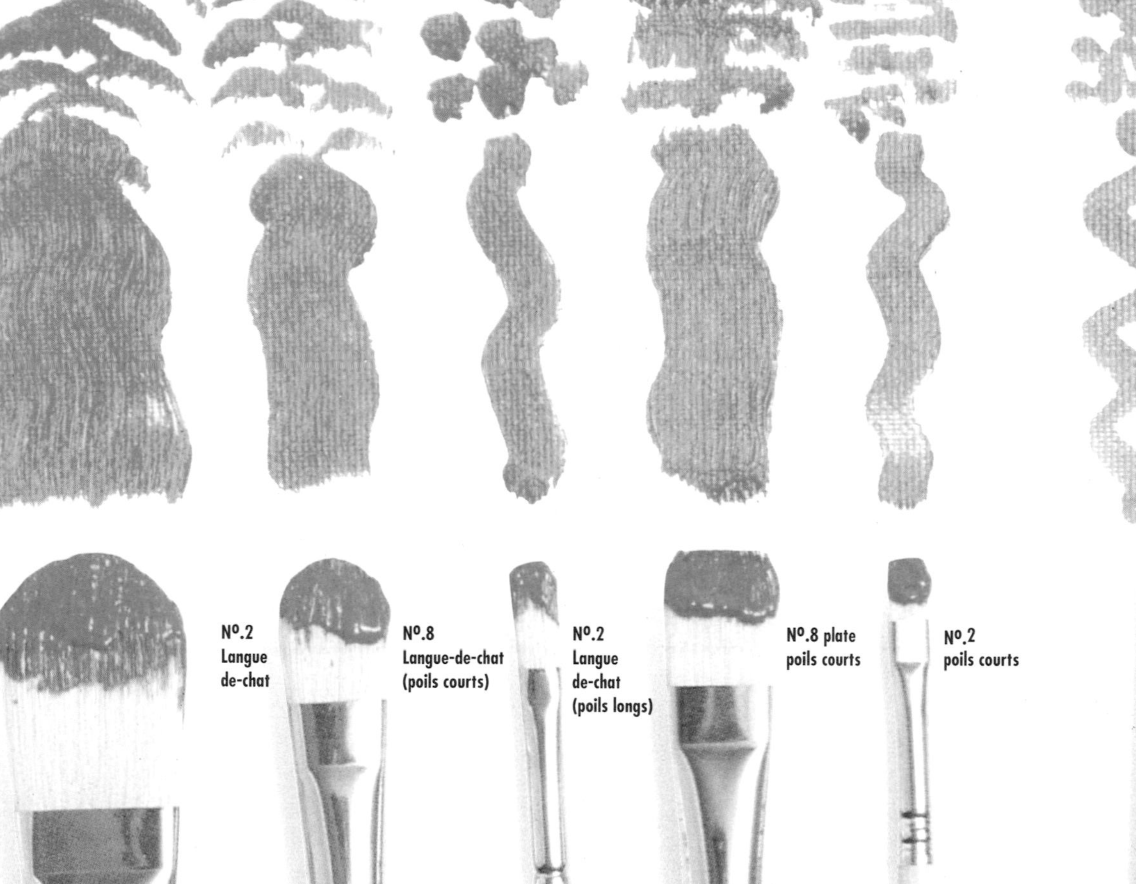

N°.2 Langue de-chat

N°.8 Langue-de-chat (poils courts)

N°.2 Langue de-chat (poils longs)

N°.8 plate poils courts

N°.2 poils courts

N°.4 synthétique (rond)

Langues-de-chat Nos 12, 8 (poils courts) et 2 (poils longs)
Les langues-de-chat permettent des tracés très variés. La forme de leur bout évite le tracé parfois trop rectiligne des brosses plates. Le modèle à poils longs est excellent pour produire des lignes fluides. Facile à contrôler, le modèle à poils courts permet de créer des effets de texture et de poser de petites touches de couleur. Les petits modèles sont adaptés au travail des détails.

Brosses plates à poils courts Nos 8 et 2
Grâce à leur poils courts, ces brosses permettent de poser avec précision des taches de couleur pure.

Pinceau synthétique Nos4 rond
Ce modèle est efficace pour poser de fines couches et travailler les lignes fines et les détails.

Le saviez-vous ?

Un félin docile

Les langues-de-chat, fabriquées comme des pinceaux, mais avec une virole aplatie, réunissent les qualités des brosses plates et des pinceaux ronds. Faciles à contrôler, leur bout permet de tracer des lignes fluides et de fouiller les détails, tandis que leur corps sert à poser des taches de couleur.

meilleur contrôle des petites touches. Chacun a ses habitudes, mais on considère généralement que si les langues-de-chat sont utiles, elles ne sont pas pour autant indispensables.

Taille des brosses et des pinceaux

Tous les modèles de brosses et pinceaux sont disponibles en différentes tailles, généralement numérotées selon les fabricants de 00 ou 1 à 12 ou 24, 00 ou 1 étant la plus petite taille.

Panoplie du débutant

Les pinceaux en soies de porc véritables sont les meilleurs pour débuter. Bien évidemment, ils sont plus chers que leurs imitations synthétiques. Néanmoins, leur élasticité, leur universalité et leur résistance à l'usure valent bien la dépense supplémentaire.

Il est largement préférable de se contenter de trois ou quatre pinceaux de très bonne qualité plutôt que de se munir d'un grand assortiment de modèles médiocres. Choisissez ceux qui ont une forme pleine et dont les poils sont fermement maintenus par la virole sans s'écarter. On peut commencer avec un 8 rond, un 5 plat, et un 2 langue-de-chat ou plat à poils courts. L'expérience venant, il sera toujours temps d'élargir sa panoplie à d'autres modèles.

► **Une brosse plate moyenne n° 5 est assez large pour peindre le tronc de ce pin sylvestre, et aussi assez fine pour poser des taches de couleur dans le feuillage. Son bord plat permet également de tracer de fines lignes angulaires suggérant les branches.**

▲ **Un petit pinceau n° 2 rond, une brosse langue-de-chat ou à poils courts de la même taille permettent de tracer les lignes délicates figurant les aiguilles de cet épicéa. Avec le corps du pinceau, on a mis davantage de couleur pour traduire la densité du feuillage au cœur de l'arbre.**

► **Un grand pinceau rond n° 8 est idéal pour couvrir d'importantes surfaces. Ses poils souples permettent des coups de pinceau légers et, en donnant de l'angle, on obtient un effet de texture suggérant bien la densité des feuilles de ce cyprès.**

Bien connaître la peinture à l'huile

Pour tirer le meilleur parti de vos peintures, il importe de connaître leurs qualités spécifiques pour pouvoir exploiter à la fois leurs avantages et leurs inconvénients.

Faciles à travailler, les peintures à l'huile sont d'une très grande souplesse. Elles permettent d'obtenir une gamme d'effets superbes. Vous pouvez les utiliser directement à la sortie du tube pour créer des texture épaisses, intéressantes à travailler en une seule journée, ou les diluer avec un adjuvant pour créer des couches de glacis.

De quoi est faite la peinture à l'huile ?

En règle générale, les mêmes pigments – fabriqués à partir de matériaux extraits de la terre, de minerais, de plantes ou de produits chimiques – sont utilisés pour les huiles, les acryliques et les aquarelles. Pour la gouache, toute la différence réside dans le produit qui lie les pigments et les fait tenir sur le support. L'huile de lin qui est le liant le plus utilisé de nos jours dans les huiles, donne à la couleur une onctuosité inimitable.

► Le choix de la couleur est affaire de goût, mais, pour plus de souplesse, procurez-vous des couleurs « chaudes » et « froides ». Cette palette de base comprend un bleu chaud et un bleu froid, de même pour le rouge et le jaune. Une « terre verte » (oxyde de chrome) et un vert vif (vert émeraude) permettent d'obtenir une large gamme de couleurs pour les paysages. Le blanc, le noir et deux autres couleurs « terre » sont indispensables.

▼ De nombreux artistes organisent leur palette en allant des couleurs chaudes aux couleurs froides (ou vice versa). Mettez toujours vos peintures dans le même ordre, de façon à tremper automatiquement votre pinceau. Les godets peuvent contenir de la térébenthine, de l'huile de lin ou un adjuvant. Utilisez un grand pot de white-spirit pour nettoyer les pinceaux.

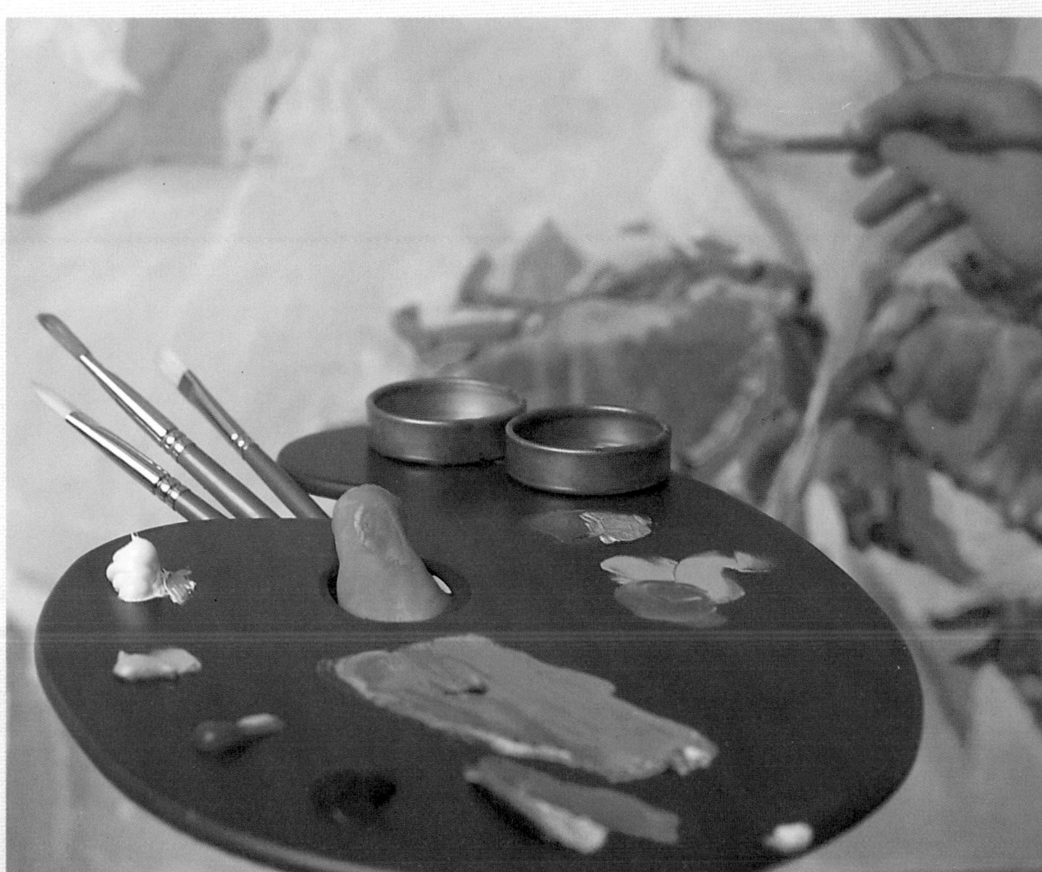

vert émeraude

oxyde de chrome

bleu outremer

bleu céruleum

laque de garance cramoisie

rouge de cadmium

jaune citron

jaune de cadmium

terre de Sienne brulée

terre de Sienne naturelle

noir permanent

blanc de titane

Quelle palette pour le paysage ?

Préparez votre palette en fonction du sujet que vous avez choisi de peindre. Un exemple : une palette complète pour paysage contient des couleurs de « terre », ocre jaune et brun de Van Dyck, des verts naturels (vert émeraude et vert anglais) pour le feuillage. Utilisez des bleus chauds et froids, du blanc et du jaune de cadmium pour créer d'autres couleurs. Ici, de gauche à droite : vert émeraude, vert anglais, bleu de cobalt, bleu céruleum, jaune de cadmium, ocre jaune, brun Van Dyck, noir d'ivoire.

Astuce

Attention aux supports absorbants !

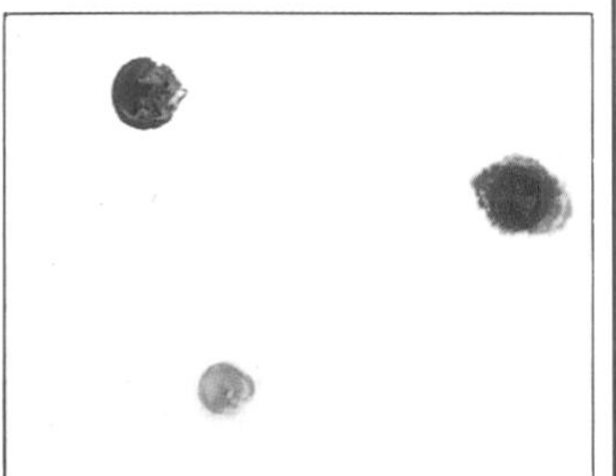

Il vaut mieux traiter le support ou choisir un support prétraité avant de commencer à peindre. Car, si vous appliquez la peinture sur un papier ordinaire ou une toile non préparée, le support absorbera l'huile de lin, ne laissant à la surface que le pigment et les autres adjuvants. L'huile réapparaît alors en cercle autour du pigment.

Certains étudiants en art estiment que les peintres allemands du XIIe siècle mélangeaient déjà leurs pigments avec de l'huile de lin. Mais, c'est au XVe siècle que le maître flamand Jan Van Eyck a vraiment popularisé la peinture à l'huile.

Particularités

Les peintures à l'huile sèchent très doucement (contrairement aux acryliques et à la gouache, qui sont à base d'eau). Selon l'épaisseur de la couche, on peut la travailler longtemps, donc retoucher la toile – ou utiliser une technique différente – si le résultat n'est pas satisfaisant.
A la différence l'aquarelle, l'huile ne vous oblige donc pas à réussir votre peinture du premier coup. Si le résultat ne vous plaît pas, vous avez la possibilité d'enlever la peinture ou d' en ajouter une autre couche sur la première. Vous pouvez même racler l'excédent avec un couteau Si la couche est fine, vous pouvez l'essuyer avec un chiffon imprégné de white-spirit. De plus, vous pouvez mélanger les couleurs et travailler couche sur couche pendant longtemps.

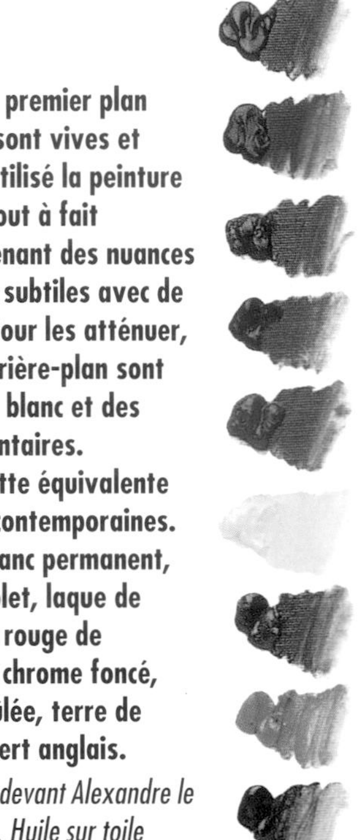

▼ Les couleurs du premier plan (les personnages) sont vives et pures. L'artiste a utilisé la peinture à l'huile de façon tout à fait traditionnelle, obtenant des nuances de couleur de peau subtiles avec de nombreux glacis. Pour les atténuer, les couleurs de l'arrière-plan sont mélangées avec du blanc et des couleurs complémentaires.
Ci-contre, une palette équivalente avec des couleurs contemporaines. De haut en bas : blanc permanent, bleu de Prusse, violet, laque de garance cramoisie, rouge de cadmium, jaune de chrome foncé, terre de Sienne brûlée, terre de Sienne naturelle, vert anglais.

« Darius et sa famille devant Alexandre le Grand », de Véronèse. Huile sur toile 230 cm x 475 cm.

On peut même affirmer que le fait de travailler rapidement avec de la peinture à l'huile peut être une grave erreur. Par exemple, si vous ajoutez une couche de peinture avant que la première ne soit sèche, les couleurs risquent de se mélanger. Il n'y a rien d'autre à faire qu'à attendre qu'elle soit sèche, à moins de vouloir exploiter ou mettre à profit ce mélange des couleurs.

L'utilisation des huiles

Les peintures de qualité ont des systèmes de classes ou d'étoiles pour évaluer leur inaltérabilité. Les couleurs de la classe AA (ou 3 étoiles) sont inaltérables et ne changent pas avec le temps, celles de la classe C sont fragiles (elles passent rapidement). Certaines contenant des substances toxiques, évitez tout contact direct avec les muqueuses ou avec les yeux.

Les peintures à l'huile se diluent avec de l'essence de térébenthine ou de l'huile de lin. Surtout n'utilisez jamais de white-spirit, qui n'est pas tout à fait compatible avec les huiles. Vous pouvez vous en servir pour nettoyer vos pinceaux, mais

► Le vert émeraude, couleur vive et froide, est utilisé pure, mais aussi dilué avec du blanc pour contraster avec le rouge « chaud ». La couleur est étalée en une couche fine, de sorte que la texture de la toile reste visible, mais par endroits elle est grossièrement appliquée par contraste. Ci-contre, une palette équivalente avec des couleurs contemporaines. De haut en bas : bleu de cobalt, bleu céruléum, rouge de cadmium, ocre jaune, orange de chrome, jaune de cadmium, vert émeraude et vert permanent.

« Jeunes filles dans le jardin à Montmartre », d'Auguste Renoir. Huile sur toile.

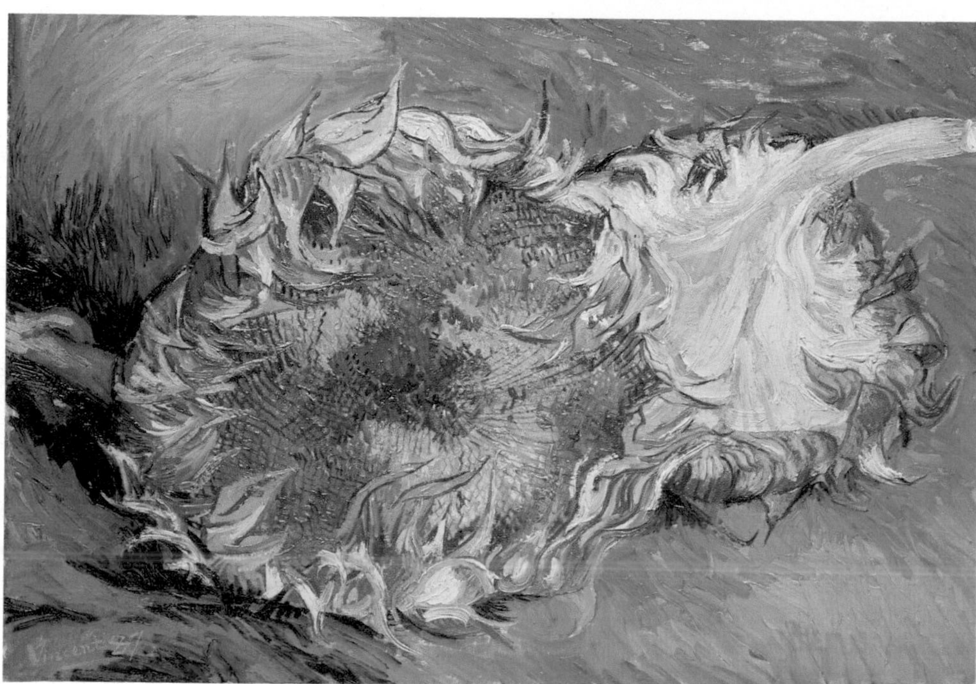

◄ Le génie de Van Gogh résidait dans le fait qu'il voyait les couleurs de façon excessive. Il utilisait beaucoup de couleurs pures, sorties du tube. Ici, les bleus sont utilisés purs ou mélangés à du blanc. Pour les tournesols, le jaune de Naples prédomine, son opacité contrastant avec la transparence du vert émeraude. Palette équivalente avec des couleurs contemporaines. De haut en bas : bleu de cobalt, bleu de céruleum, bleu de Prusse, vert émeraude, ocre jaune, jaune de Naples, laque de garance cramoisie.

«Tournesols», par Vincent van Gogh, 1887, huile sur toile, (Metropolitan Museum of Art).

◄ **La dominante noire contribue à faire ressortir cette danseuse . Les rouges contrastent avec le noir de la jupe et les tons gris-verts du sol. Une fine couche de blanc suggère la texture légère du voile en dentelle. Palette équivalente avec des couleurs contemporaines. De haut en bas : blanc permanent, gris de Payne, bleu de cobalt, vert anglais, laque de garance cramoisie, rouge de cadmium, rose permanent, ocre jaune et terre de Sienne naturelle.**

«Lola de Valence», par Édouard Manet, huile sur toile 123 x 92 cm (musée d'Orsay, Paris.)

passez-les ensuite au savon (ou au liquide vaisselle) et à l'eau chaude et, rincez-les sous le robinet. Utilisez un chiffon en coton imprégné de white-spirit pour ôter les traces de peinture sur vos mains. Enfin, travaillez toujours dans une pièce bien aérée.

De nombreux adjuvants disponibles dans le commerce servent à modifier les caractéristiques de base de la peinture à l'huile. On peut ainsi la fluidifier, l'épaissir, la rendre mate ou brillante, mais aussi accélérer ou ralentir le temps de séchage, augmenter sa fluidité ou sa tranparence.

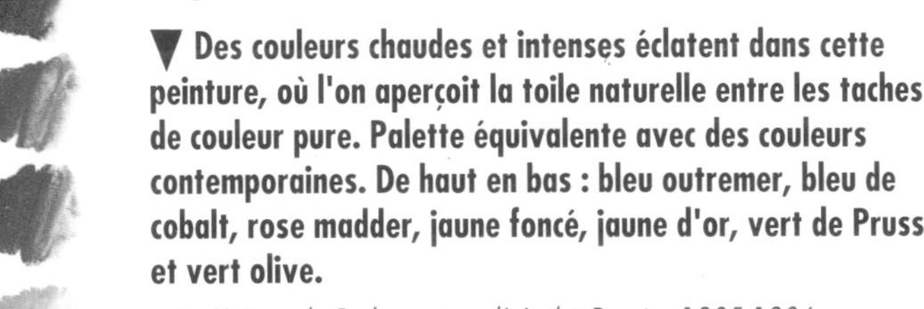

▼ **Des couleurs chaudes et intenses éclatent dans cette peinture, où l'on aperçoit la toile naturelle entre les taches de couleur pure. Palette équivalente avec des couleurs contemporaines. De haut en bas : bleu outremer, bleu de cobalt, rose madder, jaune foncé, jaune d'or, vert de Prusse et vert olive.**

« La Maison du Parlement », d' André Derain, 1905-1906. Huile sur toile.

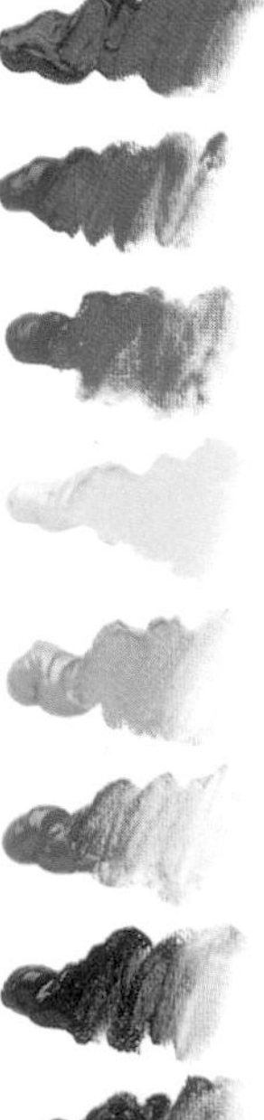

▲ Ici, le peintre a choisi ses rouges avec beaucoup de soin. Les tons chauds, orangés et roses foncés sont concentrés au milieu du tableau, autour de la source lumineuse (la lampe), tandis que les rouges plus froids commencent à apparaître sur les côtés (plus particulièrement dans l'angle en bas à droite). Palette équivalente de couleurs contemporaines. De haut en bas : vert émeraude, bleu outremer, jaune de cadmium, rouge de cadmium, rose madder et noir d'ivoire.

« Intérieur avec Mme Vuillard », d'Édouard Vuillard, 1893-1895.

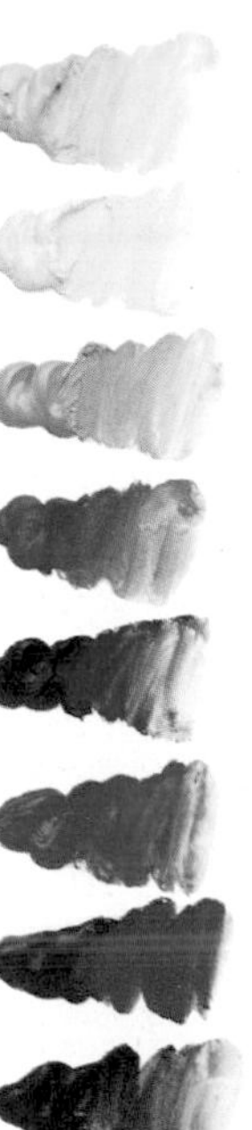

► Des gris-bleus, froids et neutres, contrastent avec le jaune lumineux des jonquilles et la chaude couleur terre de Sienne brûlée du rebord de la fenêtre. A noter, la délicatesse de la touche, que ce soit à l'arrière-plan et sur le rebord de la fenêtre, ou dans les applications plus généreuses sur les têtes des jonquilles et les branches de monnaie-du-pape. Palette équivalente avec des couleurs contemporaines.
De haut en bas : jaune citron, ocre jaune, bleu céruleum, bleu outremer, rouge de cadmium, laque de garance cramoisie et terre de Sienne brûlée.

« Les Narcisses », de Ken Howard.
Huile sur toile.

Le matériel : toiles, pinceaux, palettes...

Les toiles sont les supports les plus utilisés pour la peinture à l'huile, mais le carton dur sous toutes ses formes convient également. Quel que soit le support, il est indispensable de le traîter avant de commencer à peindre (à moins de l'acheter déjà préparé). Car, si vous utilisez un matériau absorbant, l'huile va y pénétrer, ce qui désagrège la peinture. Il existe une large gamme de pinceaux, dans des formes, des tailles et des matériaux différents. En règle générale, les pinceaux utilisés pour l'huile sont fabriqués à base de fibres synthétiques et de poils naturels. Leur long manche permet de travailler à une certaine distance du chevalet et d'avoir ainsi une vue d'ensemble du tableau.

La palette doit être lisse, plate et non absorbante. Une assiette en faïence, une feuille de carton dur enduit, un morceau de verre, de plastique ou de stratifié fera l'affaire. Vous pouvez aussi vous procurer des packs de palettes jetables dans les magasins spécialisés.

▼ La gamme de couleurs de terre dans ce paysage est compensée par quelques gris froids, utilisés pour les arbres à l'horizon, les collines à l'arrière-plan, les toits et la voiture au premier plan. La route est rendue avec un gris léger résultant d'un mélange de couleurs complémentaires. Des taches de la couleur du sol percent çà et là, pour réchauffer tout le tableau.
La saison : le début du printemps : frais, mais avec la promesse d'un retour vers la chaleur.

« Stoneswood au printemps », de John McCombs. Huile sur toile.

Palette des couleurs : jaune de chrome, ocre jaune, orange de chrome, chair, laque de garance cramoisie terre de Sienne brûlée, brun de Van Dyck, vert anglais et bleu de Prusse.

Tendez vous-même vos toiles

Bien que l'exercice nécessite un peu de pratique, tendre soi-même ses toiles procure une grande satisfaction. A terme, c'est aussi beaucoup plus économique que d'acheter des toiles déjà tendues.

Les toiles de lin ou de coton tendues sur un châssis en bois sont les supports les plus couramment utilisés en peinture à l'huile. Agréables à travailler car rigides tout en gardant suffisamment de souplesse, ces supports offrent un bon ancrage à la matière picturale. Bien sûr, vous pouvez acheter des toiles déjà tendues. Vous gagnerez du temps, mais vous dépenserez plus d'argent. Cela revient bien moins cher de tendre ses toiles soi-même. Souvent, les supports tout prêts n'existent qu'en formats standard, alors que les assembler soi-même permet d'obtenir la taille que l'on souhaite.

La seule difficulté dans cet exercice est de réussir à « bien » tendre la toile, c'est-à-dire ni trop ni trop peu. Sachez que la toile doit certes être rigide, mais qu'elle ne doit pas être tendue comme un tambour. En tapotant la toile avec le manche d'un pinceau ou un crayon, celui-ci doit rebondir légèrement vers vous.

Le châssis lui-même impose un certain degré de tension sur la toile, surtout à partir des bords sur lesquels la toile sera repliée. Les agrafes utilisées pour fixer la toile doivent être assez rapprochées les unes des autres, de façon à répartir régulièrement la tension sur l'ensemble du châssis. Les coins seront également un peu moins tendus, cela vous permettra de retendre plus facilement la toile si celle-ci vient à se relâcher par la suite. Mais retendre une toile est un problème secondaire, car il va falloir dans un premier temps choisir le bon matériel et assembler correctement le châssis.

Si vous suivez attentivement les étapes décrites ici, vous devriez réussir à tendre votre toile. Si ce n'est pas le cas, ne vous découragez, votre technique s'améliorera avec la pratique.

▼ Des coins en bois sont fichés à chaque angle au dos de la toile. Vous pouvez en enfoncer un ou deux avec un marteau pour retendre légèrement celle-ci.

Fournitures et équipement

Avant de commencer, sachez que votre pièce de toile doit dépasser d'un bon 10 cm le périmètre formé par le châssis assemblé. Vous pouvez acheter de la toile au mètre dans la plupart des boutiques de fournitures pour le dessin. Si vous utilisez des ciseaux standard, il vous faudra dans ce cas replier soigneusement la toile sur les bords avant d'agrafer. Sachez que les ciseaux à denteler sont plus adaptés car ils empêchent la toile de s'effilocher sur les bords.

Les listels de bois pour châssis – il vous en faudra quatre – existent en différentes tailles et épaisseurs. Biseautées, les extrémités, façonnées en mortaises ou tenons, s'emboîteront facilement. Le rebord intérieur des listels est lui-même légèrement biseauté de façon à diminuer la tension et éviter la formation d'une arête mal venue sur tout le périmètre du cadre. Outre les quatre listels, il vous faudra huit coins en bois ou en plastique pour chaque toile. Une fois celle-ci tendue, vous enfoncerez ces coins dans chaque angle du châssis. Si la toile se relâche ultérieurement, si elle prend l'humidité, par exemple, il vous suffira de redonner quelques coups de marteau sur les coins pour la retendre.

Vous pouvez bien sûr tendre la toile sur le châssis à la main, mais si la toile est grande, utilisez une pince spéciale, à bec cranté, ce sera beaucoup moins fatigant. Pour fixer plus facilement la toile, choisissez également une agrafeuse murale et des agrafes inoxydables pouvant s'enfoncer profondément dans le bois (1 cm au moins). Vous pouvez aussi utiliser un marteau et des petits clous inoxydables, ce qui vous reviendra moins cher.

◄▼ Préparez votre équipement avant de commencer, cela vous permettra d'aborder calmement chaque étape, sans avoir à chercher votre matériel. N'oubliez pas de vous munir d'une règle ou d'un mètre-ruban.

1. Toile non apprêtée
2. Listels de bois pour châssis
3. Agrafeuse et agrafes
4. Pince à bec cranté, pour tendre la toile
5. Maillet
6. Ficelle
7. Marteau
8. Coins en bois
9. Té

Choisir la toile

Le lin est de loin la meilleure toile à peindre. C'est aussi la plus chère. Elle existe en différentes qualités, son tissage est irrégulier et sa couleur d'un gris-brun caractéristique. Plus le tissage sera serré, meilleure sera la qualité. Cela revient moins cher d'acheter une toile non apprêtée (**A**, **B** et **C**). Vous la préparerez vous-même avec un apprêt spécial pour peinture à l'huile. Sinon, pour gagner du temps, achetez la toile déjà préparée. (**G** est un lin à gros grain apprêté, **H** un lin fin apprêté.) Si le lin vous semble trop cher, achetez du coton, matière épaisse et lourde au tissage régulier. Vous trouverez différents poids (**D**, **E**, **F**). Vous pouvez également l'acheter déjà apprêté. Évitez les cotons de mauvaise qualité, ils ne valent pas la dépense. Essayez également la toile de jute ou de chanvre.

Assembler le châssis

1 Emboîtez les listels. Les angles biseautés doivent pointer vers l'extérieur. De cette façon, les listels, légèrement inclinés vers l'intérieur, empêchent la formation d'une arête sur les bords.

2 Pour un bon assemblage des listels, aidez-vous d'un maillet en bois ou d'un morceau de bois.

3 A l'aide d'un té, vérifiez que les quatre coins du châssis assemblé forment bien des angles droits. Il est important que les angles soient droits dès le départ, car vous ne pourrez plus les rectifier une fois la toile tendue.

4 Procédez à une double vérification de ces angles à l'aide d'un morceau de ficelle qui va vous servir à mesurer les diagonales, qui doivent être de la même longueur. Si vos angles ne sont pas droits, rectifiez-les en leur assénant de petits coups de maillet.

Tendre la toile

1 Posez le châssis sur la pièce de toile. Alignez les bords du châssis sur le tissage, horizontal ou vertical, de la toile. Découpez la toile, laissant autour du châssis une marge d'environ 10 cm de large. Pour couper droit, tracez un trait de crayon autour du châssis si nécessaire. Si vous utilisez des ciseaux à denteler, laissez une marge de 5 cm seulement, car vous n'aurez pas besoin de replier la toile sur elle-même avant d'agrafer.

2 Gardez le châssis horizontal et bien centré, bloquez l'un des côtés les plus longs contre un mur, par exemple, pour le maintenir en position. Commencez par replier la toile sur l'autre grand côté, utilisez la pince pour saisir fermement le tissu. Puis, abaissez le poignet lorsque la toile vient recouvrir le listel, ce mouvement vous permettra d'obtenir la tension nécessaire.

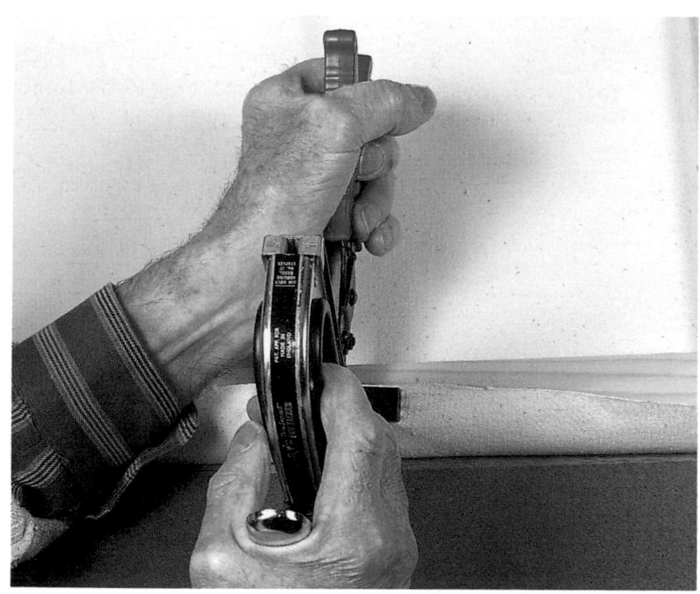

3 Appliquez une première agrafe centrale sur la tranche (et non sur le plat) du listel. Faites tourner le châssis, tendez fermement la toile et fixez une agrafe juste en face de la première. Répétez l'opération sur les deux listels restants. A ce stade, la toile doit être fixée à l'aide de quatre agrafes appliquées au centre de chaque listel.

4 Appliquez maintenant deux autres agrafes sur chaque listel, en suivant l'ordre indiqué sur le schéma ci-contre. Tendez la toile d'une main et agrafez de l'autre. Vous devez avoir un intervalle de 5 cm entre chaque agrafe. Continuez à appliquer les agrafes par paires de chaque côté ; les dernières agrafes doivent se trouver à environ 5 cm des angles.

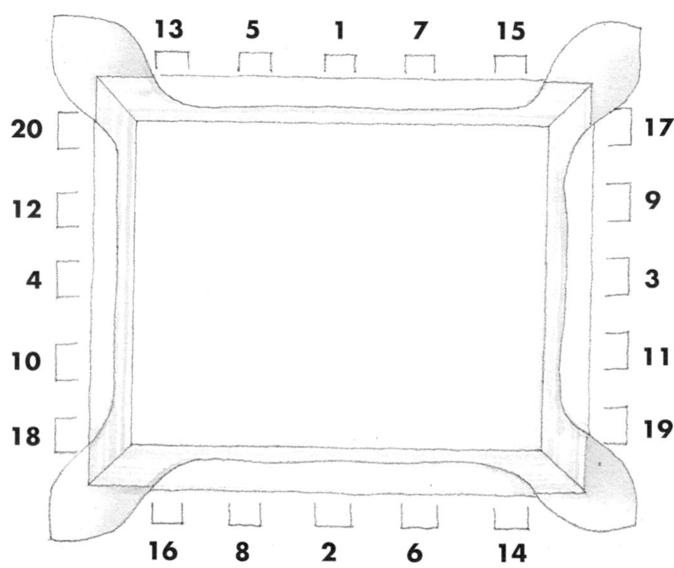

Astuce

Plus ou moins tendue
Si la toile doit être préparée, prenez soin de ne pas trop la tendre. En effet, elle va se rétracter lors de l'application de la colle et de l'apprêt, et le support risquera de se déformer. Exception faite des apprêts acryliques, qui entraînent un retrait moindre.

Agrafer la toile au châssis

► **1** Repliez soigneusement les coins. Ils ne doivent pas être trop épais, sinon vous aurez du mal à encadrer la toile. Tirez d'abord la toile de façon à recouvrir l'angle formé par le châssis.

▼ **2** Repliez ensuite les bords latéraux et fixez-les avec des agrafes. Prenez garde de ne pas agrafer sur la jointure biseautée, car cela vous empêcherait de retendre la toile par la suite. Fixez ensuite le coin opposé (dans l'axe de la diagonale), procédez de même pour les deux restants.

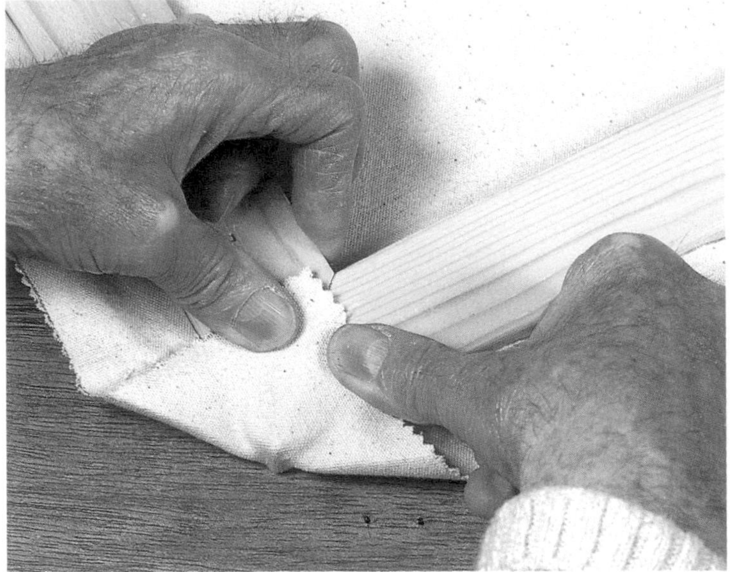

▲ **3** Finissez en agrafant l'arrière de la toile sur son pourtour. Si vous n'avez pas utilisé de ciseau à denteler, repliez l'extrémité de la toile comme un ourlet. A chaque angle, insérez deux coins dans les encoches prévues à cet effet. Les coins doivent être introduits de façon à ce que le côté le plus long soit dans l'axe du châssis (voir ci-dessus).

◄ **4** Enfoncez doucement les coins. Si vous tapez trop fort, vous risquez de désemboîter légèrement les listels. Votre toile est maintenant prête à être encollée et enduite d'apprêt avant de passer à la peinture proprement dite.

L'huile, la peinture reine

La peinture à l'huile a donné les plus grands chefs-d'œuvre de l'art. Difficile ? Au contraire, c'est une technique très souple.

La peinture à l'huile n'est pas plus difficile que d'autres techniques. Sa souplesse autorise même tous les « remords ». Le séchage, très lent, laisse à l'artiste le temps de remanier son œuvre chaque fois qu'il le juge nécessaire. Ici, la technique pure pèse moins lourd que dans l'aquarelle. Dès ses premiers essais, l'artiste en herbe peut donc produire des images d'une richesse et d'une profondeur de couleur difficiles à obtenir par d'autres moyens.

Les pigments sont fixés dans un corps gras, généralement de l'huile de lin. Ayant la consistance du beurre ramolli, la peinture à l'huile se présente en tube. On peut l'utiliser telle quelle, mais, le plus souvent, elle est d'abord diluée dans de l'essence de térébenthine ou dans un mélange de térébenthine et d'huile de lin.

Le choix dépend en fait de l'effet recherché. On peut aussi bien étaler de minces couches successives que poser directement des touches de couleur à la texture épaisse. Dans le premier cas, on obtient une surface lisse et brillante, dans le second un revêtement consistant, dans lequel on lit chaque détail des mouvements de la brosse, du chiffon ou du couteau.

La peinture à l'huile utilise des supports très divers isorel: bois entoilé, toile sur châssis ou papier marouflé.

▲ Cette huile est très finement travaillée dans les détails. Remarquez en particulier le velouté du rideau et du coussin, la texture rugueuse du fauteuil en osier et du tapis, contrastant avec les surfaces satinées des murs et du patio.
« Repos », par Rosemary Davies. toile, 105 x 116 cm

Une nature morte...

Que vous ayez quelque expérience ou que vous soyez néophyte en matière de peinture à l'huile, l'exercice proposé ici – travailler au chiffon, en oubliant les pinceaux – est à la fois amusant et de nature à encourager votre inspiration.

Punaisez une feuille de papier fort de bonne qualité sur une planchette. Placez-vous à bonne distance de votre sujet – 1,50 m environ – et sous un angle permettant à votre regard d'aller et venir facilement du papier à la nature morte.

Notre artiste a choisi pour cette démonstration des légumes disposés dans un saladier. Vous pouvez faire de même ou bien choisir d'autres types d'objets selon votre inspiration.

Pour commencer, cependant, cantonnez-vous à une nature morte. Ce genre est propice à de multiples interprétations et permet de réaliser de belles images. En outre, votre modèle ne risque pas de se lasser !

Le sujet : Remarquez la surface irrégulière du chou-fleur, contrastant avec le vernis de l'aubergine et l'éclat du saladier émaillé.
Les carottes et le citron apportent des touches de couleurs chaudes, tandis que le napperon ajoute une texture nouvelle et introduit de puissantes lignes de force dans la composition (il renvoie également la lumière vers le saladier).
Une douce lumière naturelle baigne le sujet des deux côtés, créant des reflets intéressants.

1 Commencez par tracer une ébauche. Confortablement placé à distance de bras du papier, esquissez au fusain les formes et les volumes dominants. Souvenez-vous qu'il ne s'agit que d'un guide et ne vous attardez donc pas aux détails. Estompez ensuite en frottant avec un chiffon sec, et vous obtenez une image de fond qui n'attend plus que la peinture.

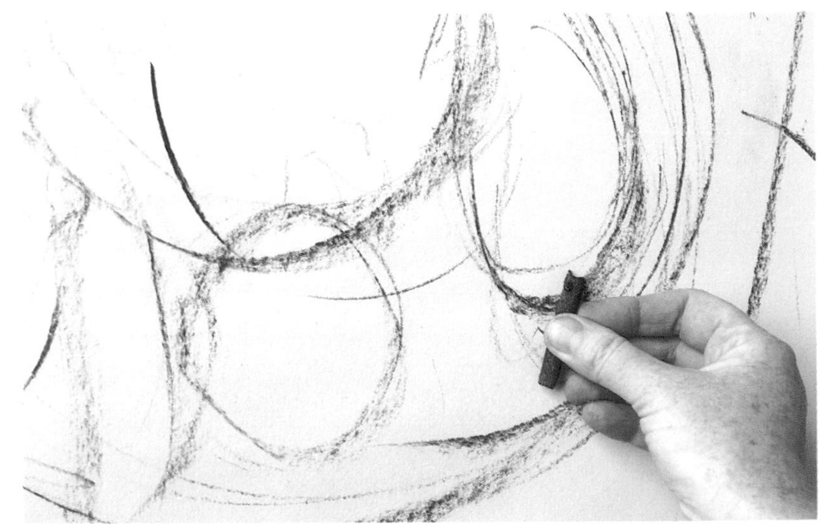

2 Froissez un morceau de tissu de coton dans votre main (prenez garde qu'il ne fasse pas de peluches, qui pourraient se mêler à la peinture). Humectez le tissu de térébenthine, en ne débordant pas trop de la partie que vous avez l'intention d'utiliser pour éviter d'éventuelles coulures. Servez-vous-en pour diluer un peu de peinture rouge sur la palette. Procédez par étapes en ne prélevant chaque fois qu'une touche de couleur avec le chiffon.
Ne craignez pas de bien humecter le mélange : le papier absorbera la térébenthine à mesure que vous travaillerez.

3 Utilisez le chiffon pour étaler le rouge des carottes. Faites de même avec du jaune pour le citron et du vert de Hooker pour les feuilles du chou-fleur. Utilisez chaque fois une partie propre du chiffon, afin de conserver vos couleurs nettes.

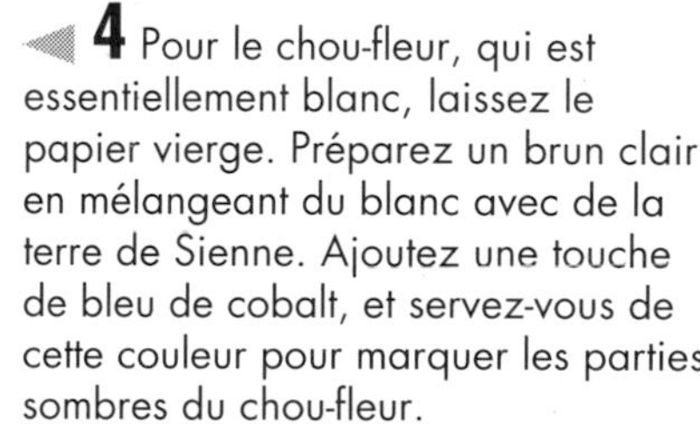

4 Pour le chou-fleur, qui est essentiellement blanc, laissez le papier vierge. Préparez un brun clair en mélangeant du blanc avec de la terre de Sienne. Ajoutez une touche de bleu de cobalt, et servez-vous de cette couleur pour marquer les parties sombres du chou-fleur.
Réservez l'aubergine – c'est l'élément le plus foncé du sujet – jusqu'au moment où vous en aurez fini avec les tons moyens. Le dessus de la table étant également important, recouvrez-le de gris de Payne.

Il vous faut...

- ☐ *Chiffons de coton blancs et propres*
- ☐ *Une feuille de papier fort de 50 x 77 cm*
- ☐ *Une planchette de bois*
- ☐ *Fusain*
- ☐ *Essence de térébenthine (la térébenthine non rectifiée peut faire l'affaire)*
- ☐ *Récipient pour le diluant*
- ☐ *Petits tubes de peinture à l'huile de qualité ordinaire : blanc, rouge de cadmium, jaune de cadmium, bleu de cobalt, gris de Payne, vert de Hooker, terre de Sienne*
- ☐ *Palette et petit cylindre en carton (axe de rouleau de papier toilette)*

Astuce

Propreté du diluant

Ne versez qu'un peu de térébenthine à la fois. Si vous utilisez par exemple une assiette creuse, recouvrez à peine le fond. Remplacez le liquide dès qu'il devient trop sale. De cette façon, vos couleurs resteront nettes, et vous ne gaspillerez pas votre solvant.

Le saviez-vous ?

Un gris pas triste

Le gris de Payne n'est pas un simple mélange de noir et de blanc, ce qui produirait une teinte plutôt terne. Il contient des rouges et des bleus, qui lui donnent un éclat propre.

5 Plissez les yeux pour mieux examiner les zones d'ombre et de lumière de votre sujet, et répartissez-les sur votre peinture.
Éclaircissez un peu de gris de Payne pour traiter les demi-tons de l'intérieur du saladier. Recouvrez ensuite avec du bleu de cobalt allégé avec du blanc. Faites ressortir la courbe du saladier en peignant son ombre portée en gris. Utilisez le bleu de cobalt pour l'aubergine et traitez les zones d'ombre au gris de Payne. Notez comme le rouge des carottes ombre le citron, alors que le jaune de ce dernier produit de vagues reflets sur les premières.

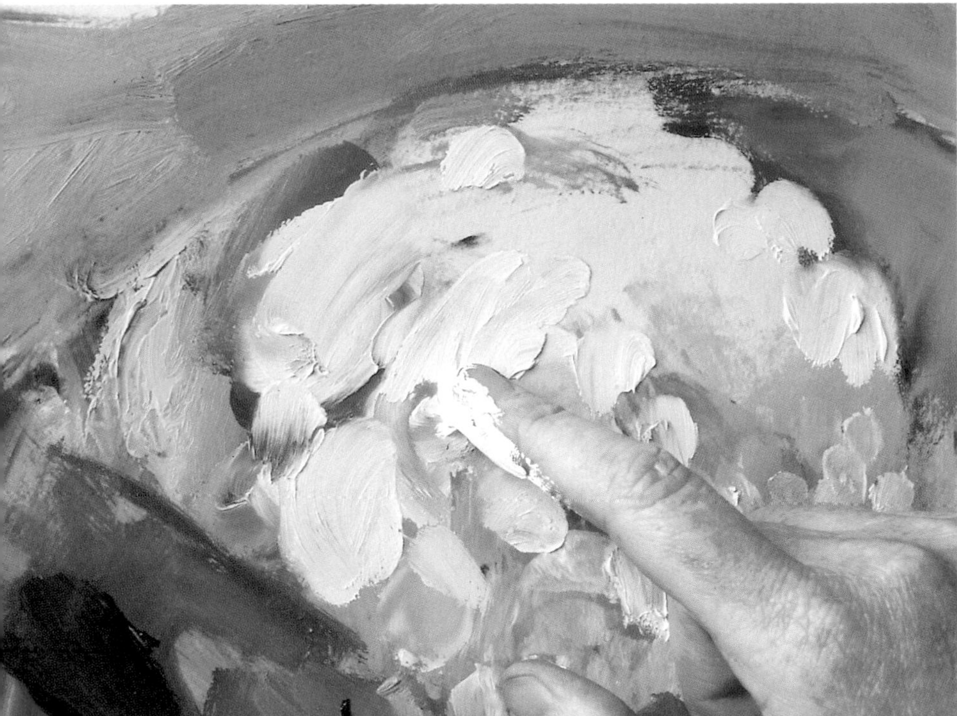

6 Du bout du doigt, étalez une couche épaisse et irrégulière de blanc : la partie claire du chou-fleur réclame cette épaisseur, et, en utilisant le chiffon imbibé, la peinture serait un peu trop étalée. Ne vous inquiétez pas si le blanc se mélange à d'autre couleurs déjà sur le papier. Il n'est pas destiné à rester pur, et le mélange renforce l'effet de texture.

7 Analysez attentivement les couleurs du sujet. Mêlez un peu du jaune du citron au vert des feuilles du chou-fleur. Atténuez le rouge des carottes avec un peu de blanc, mais utilisez un rouge plus foncé pour rendre leur ombre. Une touche de brun-rose donnera du relief et du brillant à l'aubergine.
Préparez cette dernière couleur en mélangeant un peu de terre de Sienne avec du rouge de cadmium et du blanc.

8 Utilisez le bord d'un cylindre de carton aplati pour suggérer les bouquets du chou-fleur. Retravaillez le rouge des carottes et le jaune du citron : ôtez çà et là des touches de peinture et reposez-les à côté pour créer des irrégularités produisant un effet de surface. Maintenant, reculez un peu pour avoir une vision d'ensemble. A ce stade, l'artiste s'est rendu compte que l'intérieur du saladier était trop sombre et l'a éclairci avec du gris de Payne.

9 Accentuez légèrement les contours pour donner du relief à la composition. Prenez du gris de Payne et du bleu de cobalt pour suggérer les courbes et les tiges des feuilles du chou-fleur.
Voyez maintenant comme les couleurs se mettent à vivre dans le saladier : le jaune du chou-fleur se reflète sur l'arrière et le rouge des carottes vers l'avant.

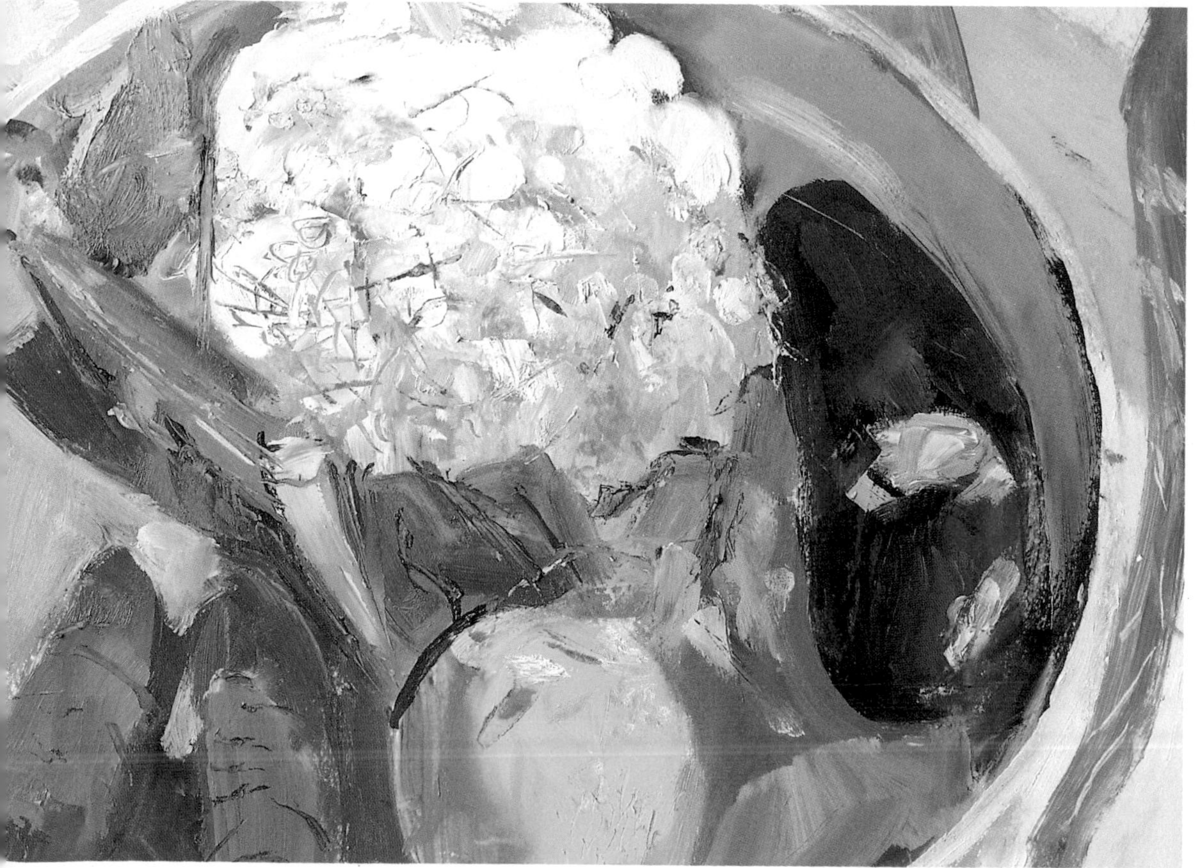

Astuce

Un mélange propre

Les couleurs doivent rester nettes quand on les mélange sur la palette (ci-dessus). Ne les étalez pas trop près les unes des autres. Quand vous avez fabriqué une nouvelle couleur, laissez-en un peu de côté, sans rien y ajouter. Vous pourriez en avoir besoin plus tard, et il vous serait impossible de reconstituer exactement la même teinte.

10 Prenez un bleu de cobalt pâle pour les rayures du napperon. Ne cherchez pas à reproduire les détails du dessin, contentez-vous de les suggérer avec un mouchetis de blanc. Quelques reflets soigneusement répartis font véritablement chanter la surface du citron et donnent du relief à l'aubergine et à l'intérieur du saladier.

11 Votre œuvre est terminée quand vous êtes satisfait du résultat. Ici, l'artiste a supprimé des rayures du napperon pour simplifier la composition. Mais le tissu n'est pas uniformément blanc : des gris et des verts clairs en animent la surface, donnant encore plus de relief à la composition.

Pas de problème

Défaire et refaire

L'un des grands avantages de la peinture à l'huile est qu'elle permet d'apporter des modifications n'importe quand. Ici, après avoir abandonné son œuvre pendant quelques heures, l'artiste a décidé de simplifier le fond de la composition en supprimant certaines rayures du napperon. Pour ce faire, il s'est servi d'un chiffon propre et a utilisé un peu de blanc pour recouvrir le bleu.

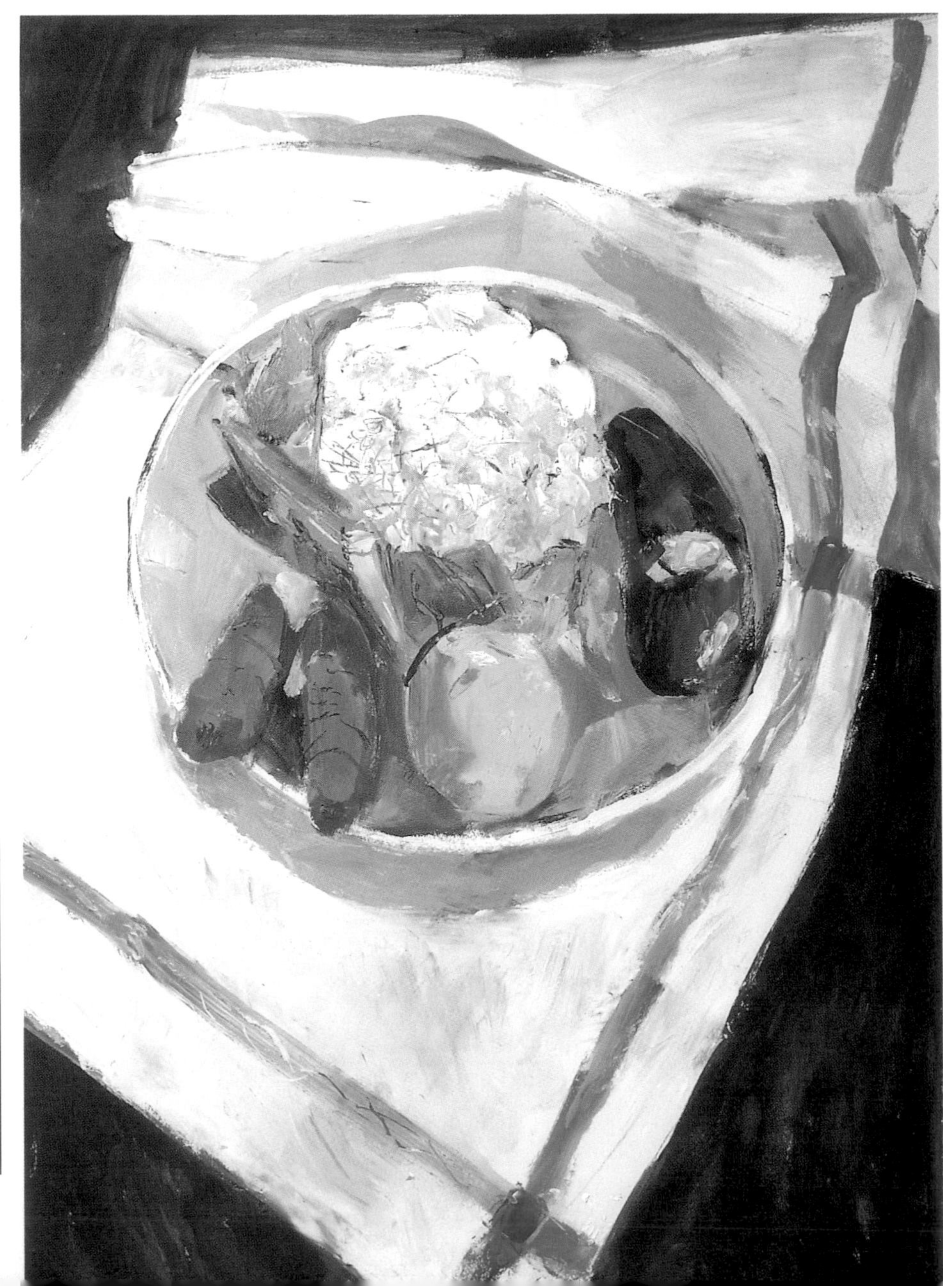

La technique du frottis

Il s'agit d'une technique on ne peut plus simple qui vous permettra d'ajouter de la matière et de créer ainsi un effet de rupture de couleur dans la réalisation de votre tableau.

Appliquer un frottis consiste à charger un pinceau de peinture épaisse et à frotter, sans trop appuyer, sur une zone déjà peinte, de façon à ce que la couche de base reste visible à travers le frottis.

La technique du frottis se pratique avec une brosse ou un couteau à peindre. Pour que le frottis « prenne » bien, un support légèrement rugueux est conseillé, qu'il s'agisse de toile, de papier ou d'une couche de peinture de base. La peinture utilisée doit être aussi épaisse que possible et non diluée avec de l'essence de térébenthine. Il est conseillé de choisir une peinture de qualité, qui contient moins d'huile et présente une meilleure consistance. Le frottis est en quelque sorte l'inverse du glacis – c'est une pellicule de peinture, fine ou crémeuse, mais obligatoirement opaque ou semi-opaque. Un frottis semi-opaque modifie la couleur de base plus qu'elle ne la cache.

Un bon moyen d'éviter de cacher la couche de base est d'appliquer le frottis au moyen d'une brosse sèche, de façon à ce que des espaces plus ou moins grands de cette couche restent visibles. Au verso, vous verrez un exemple de frottis épais. Nous vous montrerons comment appliquer un frottis fin dans un autre chapitre.

▼ Dans ce charmant tableau représentant un champ de lavande en France, l'artiste a su créer une matière intéressante en utilisant la technique du frottis avec ses doigts, des brosses et des couteaux à peindre.
« Champ de lavande en Provence », par Madge Bright, huile sur toile, 92 cm x 65 cm.

Application d'un frottis au couteau ou à la brosse

1 Le couteau donne des touches épaisses et inégales qui contrastent avec la finesse de la couche de base. Chargez de peinture le dessous du couteau et frottez légèrement sur le support, la lame légèrement inclinée.

2 Pour obtenir une matière plus régulière, chargez une brosse plate de peinture non diluée que vous passerez légèrement sur la toile. Tenez la brosse près de la toile et peignez avec le plat de la brosse.

1

2

Il vous faut

- ☐ *Toile revêtue d'un apprêt : 46 cm x 33 cm.*
- ☐ *Ruban adhésif.*
- ☐ *Térébenthine non rectifiée ; palette.*
- ☐ *Un fusain.*
- ☐ *Une brosse ronde n° 0 et trois brosses plates n°s 4, 10 et 12.*
- ☐ *Une brosse plate de 5 cm.*
- ☐ *Un couteau à peindre.*
- ☐ *Neuf couleurs : terre de Sienne brûlée, rouge de cadmium, alizarine carminée, vert olive, terre rose, jaune de Naples, bleu outremer, jaune de cadmium, blanc (voir palette ci-dessous).*
- ☐ *Deux couleurs acryliques : bleu phtalo, terre de Sienne brûlée.*

La promenade des canards

Le frottis prend mieux sur une surface un peu rugueuse : choisissez une toile revêtue d'un apprêt ou un coutil de coton. Achetez une toile sur châssis toute faite ou tendez une toile revêtue d'un apprêt sur une planche solide à l'aide d'un ruban adhésif. L'esquisse est importante : commencez par quelques croquis rapides et recopiez celui que vous préférez sur la toile. Le dessin doit être simple – une esquisse trop compliquée est une perte de temps, d'autant qu'elle sera recouverte par la peinture.

▲ **1** Faites le dessin initial au fusain d'un trait ferme et sûr. Pour le fond, quelques traits suffiront à suggérer le pont et les maisons.

◄ **2** En appliquant une première couche de peinture acrylique de couleur neutre, vous réduirez le temps de séchage et vous pourrez commencer le frottis immédiatement et sans risquer d'étaler la peinture des contours des canards – que vous dessinerez en utilisant une brosse ronde n° 0 et un mélange de bleu phtalo et de terre de Sienne brûlée (le brun ainsi obtenu est moins dur qu'un noir).

3 Pendant que l'ébauche sèche, étalez sur la palette les couleurs dont vous aurez besoin : terre de Sienne brûlée, alizarine carminée, terre rose, jaune de Naples, bleu outremer, vert olive, jaune de cadmium, rouge de cadmium et blanc.
Avec la brosse n° 12, appliquez un mélange très étendu d'eau de terre rose, d'alizarine carminée et de terre de Sienne brûlée, pour le sol et le ciel. Si la peinture coule ou forme des gouttes, ne vous inquiétez pas, tout cela finira par s'intégrer au tableau.

4 Pour la rivière, appliquez, à l'aide de la brosse plate de 5 cm, un fin lavis d'outremer, en courtes touches verticales. Repassez sur le contour des canards, mais laissez quelques taches de blanc pour les parties les plus claires des oiseaux.

Astuce

Un peu de patience
Pour appliquer une couleur sur une autre, attendez que la première soit presque sèche ; vous éviterez ainsi que les tons ne se mélangent. Le frottis est appliqué si légèrement que la toile absorbe presque la peinture. Nous vous conseillons donc d'attendre que la peinture soit sèche au toucher, avant de continuer. Alors, faites preuve d'un peu de patience avant de poursuivre votre travail.

5 Les lavis bleu et brun roux paraissent plus naturels s'ils se chevauchent par endroits. Peignez les ombres portées et les ombres qui se trouvent sur les canards, en renforçant le bleu étendu d'eau.

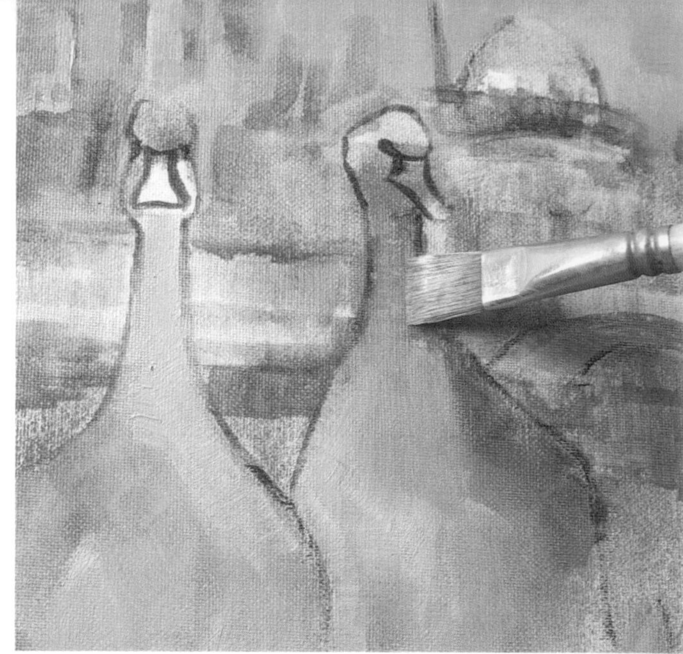

6 Pour les parties les plus claires du fond, ajoutez un peu de blanc et de jaune de Naples au brun roux déjà utilisé. Donnez de la vie aux canards en peignant les tons clairs avec un bleu pâle – utilisez la brosse plate n° 10.

7 Utilisez la brosse plate n° 4 pour le canard noir. Un mélange de vert olive, d'outremer et d'alizarine carminée sera moins dur qu'un noir franc.

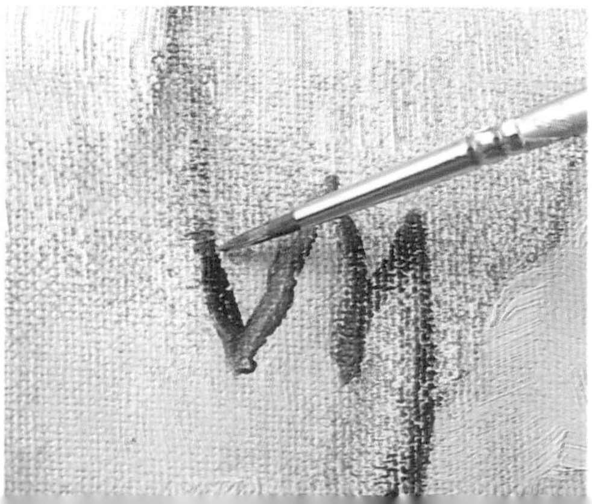

8 Il est temps d'ajouter un peu de matière et de travailler les oiseaux en appliquant les frottis. Mais, avant cela, renforcez – avec la brosse n° 0 et la peinture acrylique – le contour des oiseaux qui a plus ou moins disparu sous les différentes couches de peinture.

9 Pour la première application de frottis, passez légèrement la brosse n° 10 chargée de blanc non dilué sur la toile, à l'intérieur du contour des canards. Si la pression de la brosse est assez légère, certains endroits de la couche initiale restent visibles à travers l'épaisseur du blanc.

10 Pour l'orange des becs et des pattes, mélangez le jaune et le rouge de cadmium – utilisez la brosse plate n° 4.

Astuce

Peu ou pas de dilution

Pour appliquer ce genre de frottis épais, votre couleur doit être épaisse et sèche (non diluée ou presque). Rappelez-vous que le frottis prend mieux sur une surface granuleuse. N'hésitez pas à vous servir de vos doigts, ce sont de précieux outils pour le frottis.

11 Éclaircissez les ombres portées des canards avec un léger frottis de blanc et d'outremer. Pour l'ombre des pattes, appliquez le mélange de vert olive, d'outremer et d'alizarine carminée avec la brosse n° 0.

Le saviez-vous ?

Cloisonné

Notre artiste a souligné le contour des canards d'un trait de peinture plus sombre. On peut rapprocher cette technique du cloisonné – en bijouterie, les émaux remplissent des espaces délimités par de fines arêtes de métal. Ici, les contours sombres rehaussent les couleurs vives de l'intérieur. Paul Gauguin a travaillé en utilisant cette technique.

▲ **12** Pour obtenir un effet de distance, appliquez un frottis de bleu pâle sur le fond, avec la brosse n° 10, maintenue bien à plat sur la toile ; procédez par courtes touches verticales (pour souligner la verticalité des maisons).

◄ **13** Éclaircissez encore les parties les plus claires du fond en appliquant un frottis croisé (horizontal) sur les touches verticales précédentes. Ce frottis doit être assez clair pour laisser deviner la silhouette des maisons par transparence.

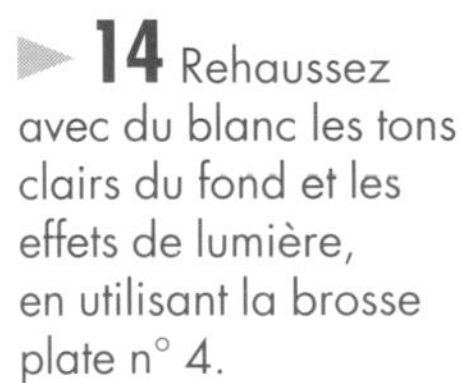

► **14** Rehaussez avec du blanc les tons clairs du fond et les effets de lumière, en utilisant la brosse plate n° 4.

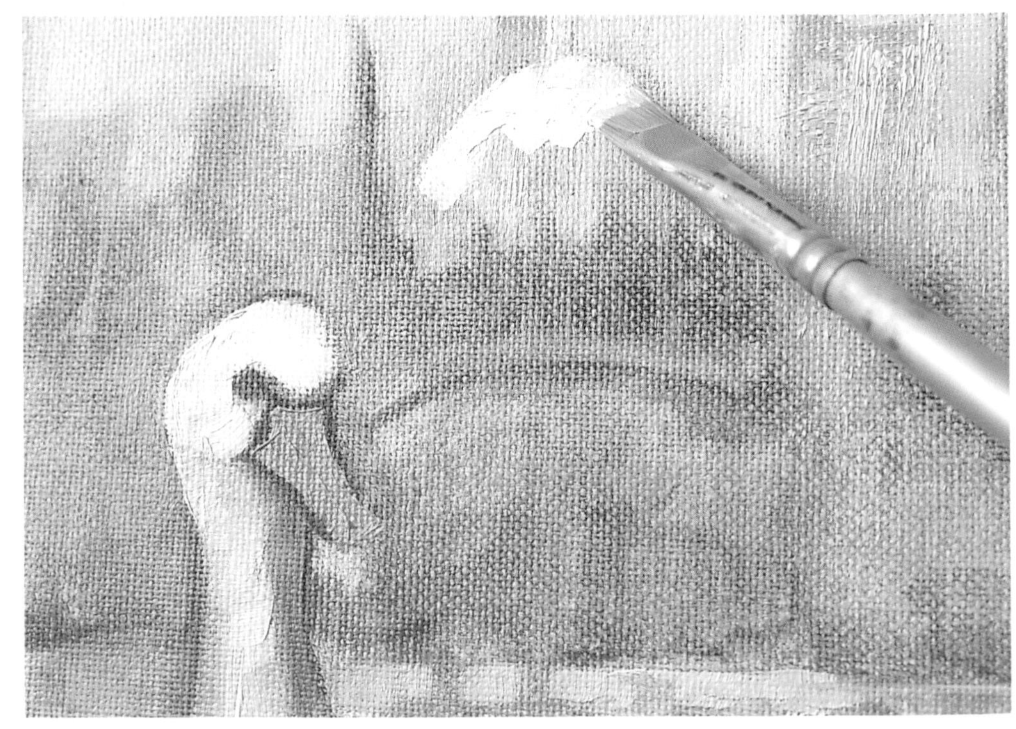

▲ **15** Le tableau est presque terminé. Éloignez-vous pour juger votre travail. Vous remarquerez que les tons et la matière des canards sont trop proches de ceux du fond. Il va falloir les égayer et les renforcer.

► **16** Ici, le couteau à peindre va vous être utile (voir page 2). Chargez-le de blanc et appliquez-en une épaisse couche sur le corps des oiseaux. Les touches doivent en suggérer les formes arrondies.

17 N'appliquez pas le frottis blanc sur tout le corps des oiseaux. Gardez quelques ombres en laissant transparaître, par endroits, la couleur plus sombre de la couche précédente. Ces taches sombres et les parties ombrées du cou et de l'abdomen donnent une impression de volume et de vie.

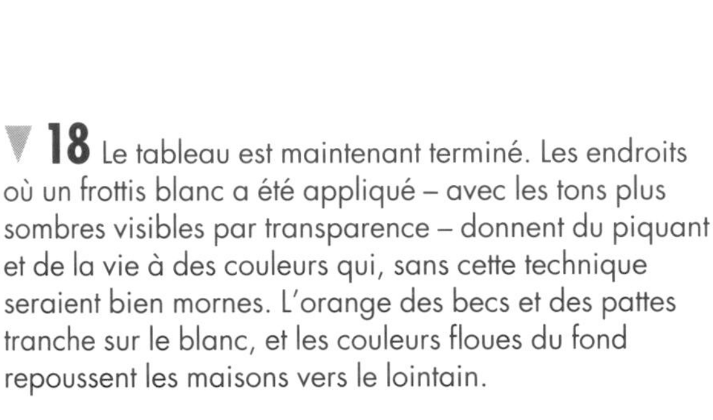

18 Le tableau est maintenant terminé. Les endroits où un frottis blanc a été appliqué – avec les tons plus sombres visibles par transparence – donnent du piquant et de la vie à des couleurs qui, sans cette technique seraient bien mornes. L'orange des becs et des pattes tranche sur le blanc, et les couleurs floues du fond repoussent les maisons vers le lointain.

LA PEINTURE ACRYLIQUE

Les gammes de produits

L'éventail des peintures acryliques disponibles est tout simplement immense. Il est toujours possible de trouver une peinture convenant à n'importe quelle tâche, permettant de gagner du temps, de faire des économies, et de s'épargner de nombreuses corvées fastidieuses.

La production de peintures acryliques gagne sans cesse en richesse et en diversité. Cela ouvre des perspectives passionnantes, mais il est du même coup parfois difficile de s'y retrouver. Quelle que soit son expérience, on risque toujours de se fermer des possibilités par manque d'informations sur les derniers progrès accomplis.

Produit relativement récent, l'acrylique ressemble à de l'aquarelle liquide, ou à des encres, produits instables qui tendent à se faner sous l'action de la lumière. La confusion possible est tout à fait regrettable, puisque l'un des atouts de la plupart des peintures acryliques liquides est précisément leur grande stabilité. Ignorant ce fait, l'artiste risque d'amputer ses possibilités créatrices.

Qu'est-ce que l'acrylique ?

La peinture acrylique est obtenue par la dispersion de pigments dans une émulsion de résine plastique. Il est toujours possible de la diluer avec de l'eau, mais attention, elle devient totalement insoluble après séchage. Sous sa forme liquide, cette émulsion offre une apparence laiteuse, mais elle devient transparente après évaporation de l'eau. Vous pouvez vérifier ce fait en utilisant l'un des médiums acryliques sans pigments : étalez un peu de produit mat ou brillant sur un support teinté. Vous constaterez que le liquide, puisé crémeux dans le flacon, devient totalement transparent après séchage.

Gammes de peintures acryliques

La plupart des fabricants mettent au moins une gamme de peintures acryliques à leur catalogue. Ces gammes se distinguent essentiellement par la consistance du produit et l'étendue de la palette de couleurs proposée.

L'acrylique peut s'employer en couches épaisses, en lavis ou par touches. La première technique exige une matière consistante capable de fixer la trace des coups de brosse ou de couteau, et un produit plus fluide convient mieux au lavis. Des médiums adaptés à chaque gamme permettent d'ailleurs de jouer sur la consistance, accordant ainsi une plus grande souplesse à la peinture acrylique.

Certains fabricants ont cependant choisi de produire des gammes de consistances différentes, ce qui évite de perdre du temps à faire des mélanges. Nous allons maintenant passer en revue la production de trois grandes marques.

Le saviez-vous ?

Qu'est-ce que les alkydes ?

Les alkydes sont des peintures à l'huile à séchage rapide, moins cependant que les acryliques, avec lesquelles on les confond souvent. Insolubles dans l'eau, on peut les mélanger à des peintures à l'huile. Pour modifier leur tenue et les faire sécher plus vite, il existe des médiums spécialisés comme les produits Wingel et Liquin de Winsor & Newton.

▼ **Le traitement par touches épaisses et vigoureuses de l'eau ainsi que celui du ciel créent une étonnante profondeur qui incite l'œil à glisser de la masse opaque des eaux vers le bâtiment rouge vif, et au-delà vers l'horizon urbain.**
« Saint-Paul vu de la rive droite », Terry MacKivragan, acrylique sur carton, 90 cm x 100 cm.

Des gammes très étendues

Les gammes de peinture acrilyque proposées dans le commerce se présentent en général sous deux formes : en tubes ou en pots. Dans la gamme Winsor & Newton, par exemple, on trouve 75 couleurs conditionnées en tubes de 20 ml, 60 ml et 200 ml – dont 6 couleurs perlées, 6 couleurs métallisées et un blanc irisé. Chez Talens, en revanche, dans la gamme Rembrandt , il n'existe que 14 couleurs opaques, 12 semi-opaques, 9 semi-transparentes et 6 transparentes, qui sont disponibles en tubes de 40 et 150 ml, ce qui est très nettement suffisant. En pots de 500 ml, on trouve seulement les couleurs les plus utilisées. Mais Talens développe une autre gamme, moins chère et forte de 25 couleurs. Cette seconde gamme se retrouve également chez Winsor & Newton sous l'appellation Galeria. Idéale pour les artistes qui travaillent sur une grande échelle, cette peinture est douce et coulante, mais conserve bien les marques de brosse et de pinceau. Vantée comme produit économique, elle est aussi d'une excellente qualité.

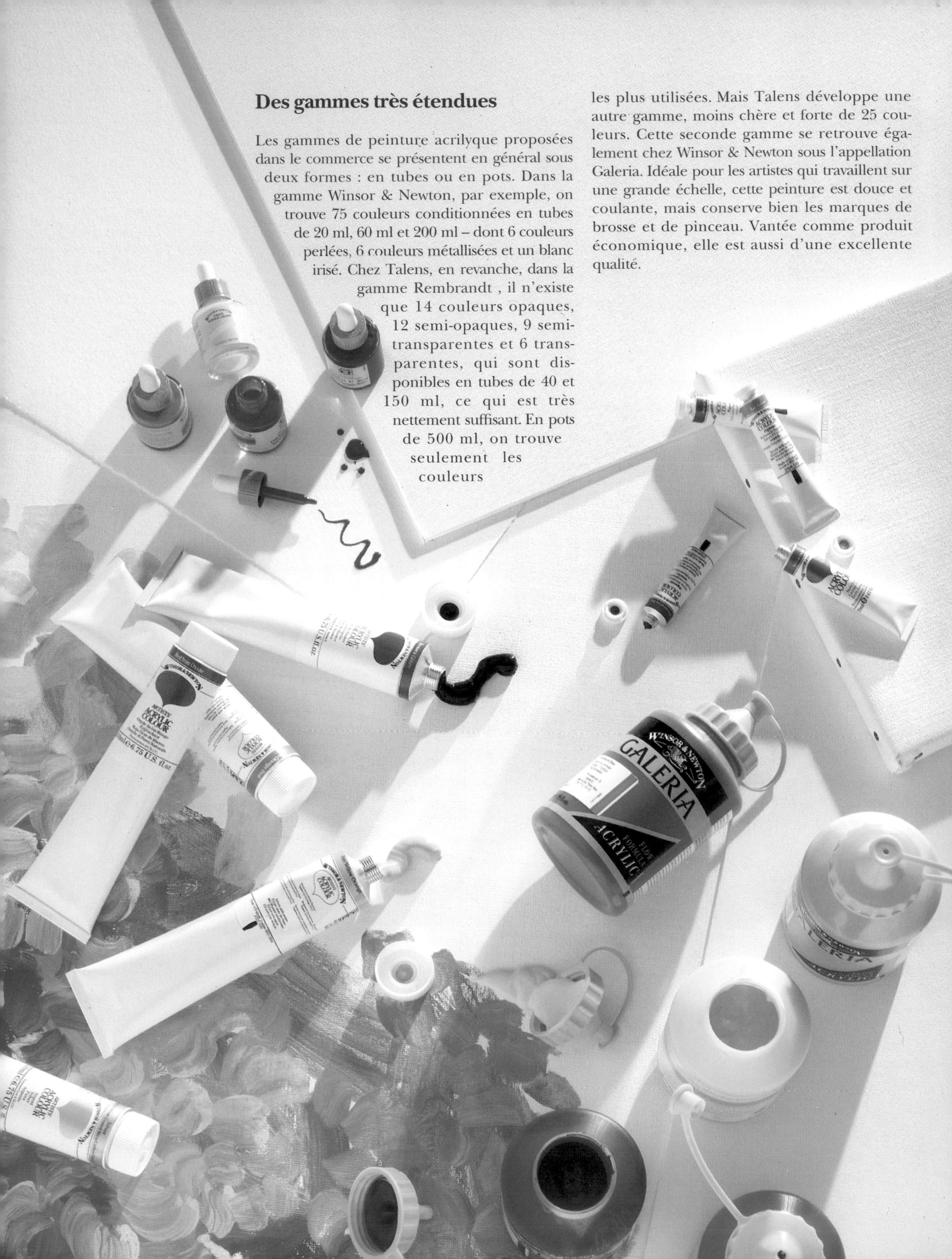

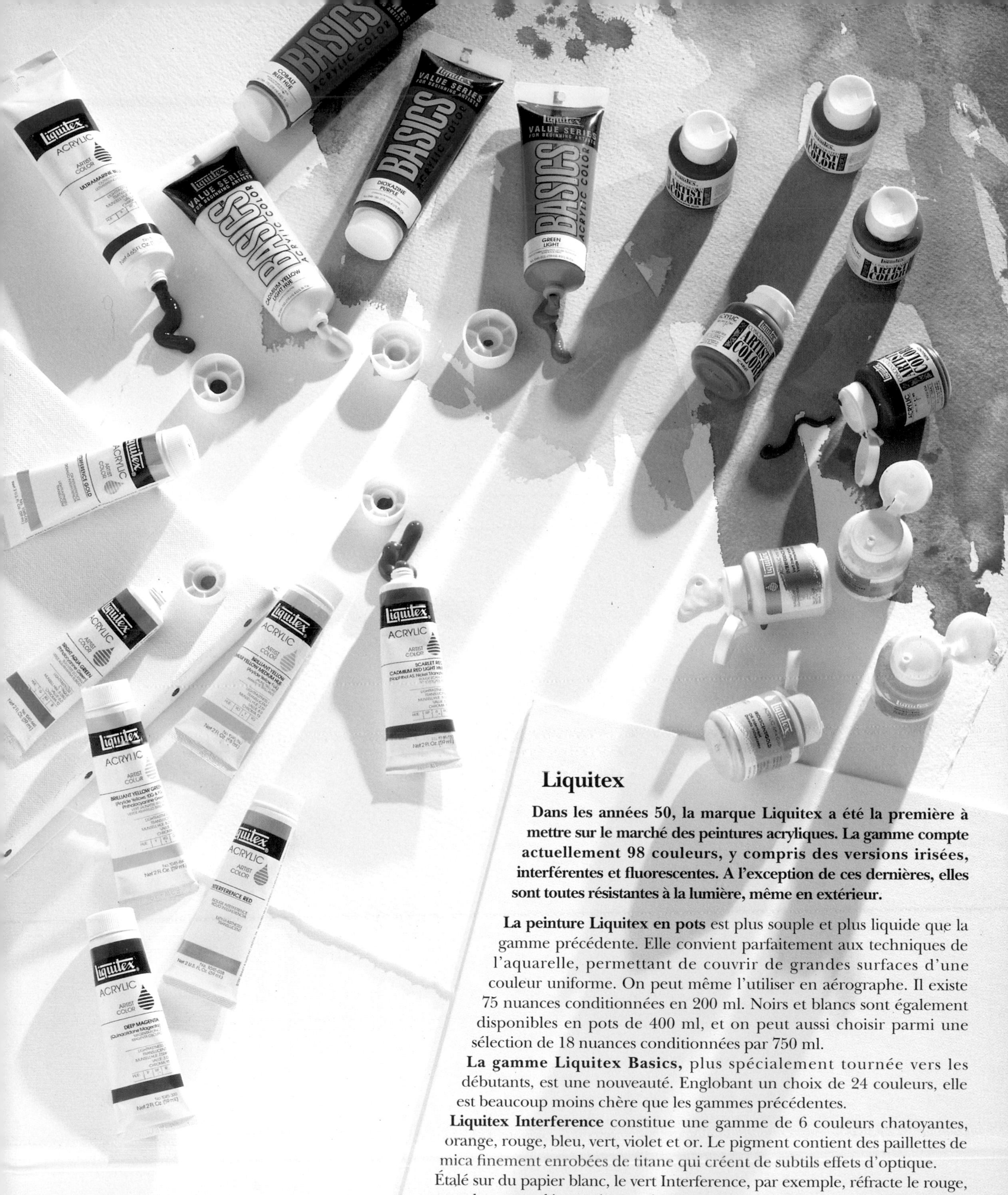

Liquitex

Dans les années 50, la marque Liquitex a été la première à mettre sur le marché des peintures acryliques. La gamme compte actuellement 98 couleurs, y compris des versions irisées, interférentes et fluorescentes. A l'exception de ces dernières, elles sont toutes résistantes à la lumière, même en extérieur.

La peinture Liquitex en pots est plus souple et plus liquide que la gamme précédente. Elle convient parfaitement aux techniques de l'aquarelle, permettant de couvrir de grandes surfaces d'une couleur uniforme. On peut même l'utiliser en aérographe. Il existe 75 nuances conditionnées en 200 ml. Noirs et blancs sont également disponibles en pots de 400 ml, et on peut aussi choisir parmi une sélection de 18 nuances conditionnées par 750 ml.

La gamme Liquitex Basics, plus spécialement tournée vers les débutants, est une nouveauté. Englobant un choix de 24 couleurs, elle est beaucoup moins chère que les gammes précédentes.

Liquitex Interference constitue une gamme de 6 couleurs chatoyantes, orange, rouge, bleu, vert, violet et or. Le pigment contient des paillettes de mica finement enrobées de titane qui créent de subtils effets d'optique. Étalé sur du papier blanc, le vert Interference, par exemple, réfracte le rouge, sa couleur complémentaire, et vice versa. Mais sur du papier sombre ou noir, les couleurs se font iridescentes. Et il est toujours possible de faire des mélanges avec des médiums ou d'autres teintes. L

La gamme Liquitex Fluorescent conserve son éclat même quand elle est mélangée à d'autres couleurs acryliques. En raison de son instabilité, il faut s'abstenir de l'utiliser pour des œuvres qu'on entend conserver.

D'autre part, Liquitex propose des tubes de 60 ml et 20 ml. La pâte s'utilise pratiquement comme une peinture à l'huile. Elle fixe la trace du couteau ou du pinceau, mais reste souple après séchage.

Le saviez-vous ?

Qu'est-ce que les peintures vinyliques ?

Les peintures vinyliques sont fabriquées selon le même principe que les peintures acryliques, mais les pigments sont fixés dans une émulsion vinylique, moins coûteuse. Plus anciennes, elles restent avant tout destinées aux études.

Daler-Rowney et Lefranc & Bourgeois

Chez Daler-Rowney, Cryla présente une consistance crémeuse et convient aux techniques d'empâtement. La contenance des tubes est de 38 ml ou de 120 ml, et de 2,2 l pour un petit nombre de couleurs. Cryla Flow, plus liquide, convient aux lavis, à la peinture par touches et aux œuvres de grandes dimensions. Quant à Rowney System 3 Acrylic, quant à elle, est une gamme de 24 couleurs vendues en pots munis de capuchons compte-gouttes à canule biseautée. Ce produit est à la fois économique et de qualité. Chez Lefranc & Bourgeois, enfin, la marque sûrement la plus populaire en France, on retrouve la très belle gamme Polyflashe : 45 couleurs présentées en tubes et en pots, et ayant une bonne tenue à la lumière.

Peindre des reflets dans le verre

Les objets en verre, qui ont souvent de jolies formes, agrémentent n'importe quelle nature morte. Pour le peintre, capter la transparence de la matière, avec ses reflets de couleur et de lumière; est un véritable défi.

Pour bien peindre le verre, il faut savoir résister à la tentation de mettre trop de détails : plus vous simplifiez, mieux vous restituez sa transparence. Il n'est pas question de copier fidèlement le moindre détail – trop de détails tuent l'illusion d'une surface lisse qui réfléchit la lumière. Peu de détails en disent plus long. Quelques reflets de couleur et de lumière suffisent à donner l'illusion du verre.
Regardez votre sujet en clignant des yeux, pour supprimer les détails insignifiants et mettre en valeur les contrastes de tons. Les reflets vous apparaîtront alors comme une juxtaposition de couleurs et de motifs abstraits (certaines de ces formes ont des ruptures nettes et d'autres des ruptures floues). Au cours de votre travail, comparez les tons entre eux. Si vous peignez un verre à moitié plein de vin, vérifiez si le reflet au bord du verre est plus ou moins vif que celui qui est sur le pied. La couleur du vin est-elle plus froide à la surface qu'au fond du verre ?

Ce n'est que lorsque les tons et les couleurs de base sont corrects que vous pouvez ajouter quelques touches pour les reflets, afin de donner au verre son éclat.
N'oubliez jamais que le verre reflète les couleurs des objets environnants – les tons foncés comme les tons clairs. Ne peignez avec du blanc pur que les reflets les plus vifs ; teintez les autres avec la couleur locale de chaque objet reflété.

Le sujet Deux élégants flacons de parfum constituent un sujet idéal pour une étude des reflets dans le verre. L'eau de lavande qu'ils contiennent crée une harmonie de couleur avec l'étoffe rose et verte qui sert de fond et augmente l'intérêt des reflets. Le ruban de satin vert crée un lien entre les deux flacons ; la douceur de ses reflets offre un contraste avec la dureté des reflets sur le verre.

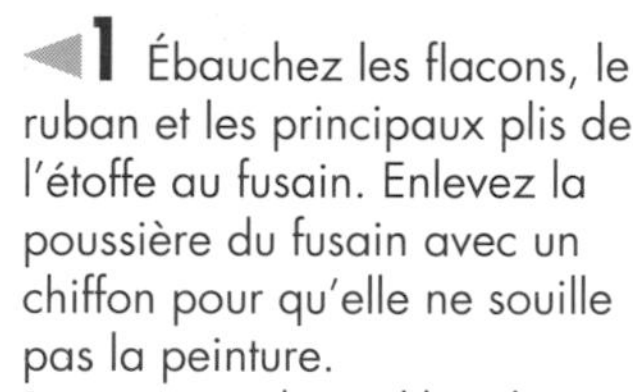

1 Ébauchez les flacons, le ruban et les principaux plis de l'étoffe au fusain. Enlevez la poussière du fusain avec un chiffon pour qu'elle ne souille pas la peinture.
Préparez un lavis dilué de jaune de cadmium que vous casserez avec du bleu de cobalt ; vous appliquerez le mélange sur les traits de fusain avec la pointe de votre pinceau plat n° 5.

Astuce

Simplifiez

Si votre nature morte comporte des objets en verre, évitez un éclairage trop vertical, qui crée une confusion d'ombres et de reflets de couleur et de lumière. Optez pour un éclairage latéral, qui accentue les volumes tout en créant des ombres et des reflets relativement simples.

Il vous faut

- ☐ *Une toile sur châssis ou du bois entoilé, 31 cm x 41 cm.*
- ☐ *Trois pinceaux : deux plats nos 1 et 5 ; un rond n° 3.*
- ☐ *Chevalet.*
- ☐ *Bâtonnet de fusain et chiffon propre.*
- ☐ *Acrylique : blanc de titane, jaune de cadmium, magenta permanent, alizarine cramoisie, bleu de cobalt, bleu cæruleum, vert oxyde de chrome, vert permanent clair, noir de Mars.*

►**2** Sans changer de pinceau, peignez les zones vertes du fond avec un mélange de vert oxyde de chrome et de bleu de cobalt – ajoutez du jaune de cadmium pour les parties les plus claires. Indiquez les tons du ruban vert, puis utilisez un mélange vert oxyde de chrome/bleu cæruleum pour les zones foncées, avec le pinceau n° 1.

◄**3** Mélangez du blanc de titane avec du vert oxyde de chrome pour les parties claires du ruban. Indiquez les feuilles imprimées sur l'étoffe avec le vert du fond, atténué par du blanc de titane ou du jaune de cadmium. N'entrez pas trop dans les détails – concentrez-vous plutôt sur les différents tons de vert – plus ou moins clair dans la mesure où les motifs suivent les plis du tissu.

Astuce

Tissez vos couleurs

Quand vous peignez, imaginez que vous êtes en train de tisser des fils de couleur. Le fait de retrouver les mêmes couleurs dans l'ensemble de la composition nous encourage à promener notre regard dans le tableau et crée l'harmonie et l'unité de l'image.

►**4** Mélangez un peu de magenta permanent et un peu de blanc et utilisez le pinceau plat n° 5 afin de commencer à peindre l'eau de lavande dans le grand flacon. Ajoutez un soupçon de bleu cæruleum à votre mélange là où le ton est légèrement plus foncé, à droite.
Commencez par construire votre composition en termes de masses de couleurs. Ensuite, vous pourrez affiner et briser ces masses avec les ombres et les reflets.

◄**5** La teinte de l'eau de lavande reflétée dans le verre paraît plus froide. Peignez des masses de zones tonales – magenta/blanc pour les tons moyens ; magenta/cæruleum pour les tons foncés. Pour la tache noire à l'arrière-plan, utilisez un mélange bleu de cobalt/magenta/vert oxyde de chrome. Préparez un mélange magenta/blanc pour l'eau de lavande.

►**6** Avant de peaufiner les reflets de couleur, peignez les fleurs roses de l'étoffe, avec le pinceau plat n° 5. Ne vous préoccupez pas des détails à ce stade – restituez les principales formes de sorte que les motifs suivent les ondulations et les plis du tissu. Le mélange de base est alizarine cramoisie/blanc, auquel vous ajouterez un peu de magenta et de cæruleum pour les zones dans l'ombre ; incorporez aussi des touches de jaune de cadmium.

◄**7** Peignez la grande rose en haut de l'étoffe, en procédant par touches arrondies avec le pinceau plat n° 5 chargé de magenta et d'alizarine cramoisie incomplètement mélangés et cassés par du blanc pour les zones claires.

►**8** Peignez maintenant le bouchon de liège du grand flacon avec le pinceau n° 3. Le mélange de base est un brun chaud, constitué de jaune de cadmium, d'alizarine cramoisie et d'une pointe de bleu de cobalt. Ajoutez du bleu pour les ombres. Pour que le bouchon ne soit pas trop voyant, ajoutez des touches de jaune de cadmium, rompu par un soupçon d'alizarine cramoisie et de bleu de cobalt au milieu des fleurs de l'étoffe (voir Astuce).

◄ **9** Appliquez les tons moyens et foncés sur le bouchon argenté du petit flacon, avec des mélanges de vert oxyde de chrome, de noir de Mars et de bleu de cobalt. Utilisez le pinceau n° 1 pour enrichir la couleur du ruban avec une peinture plus épaisse. Appliquez du vert oxyde de chrome mélangé avec du bleu cæruleum – augmentez la quantité de bleu quand le ruban est dans l'ombre. Pour les reflets froids de lumière, ajoutez du vert permanent clair et une touche de blanc ; pour les reflets chauds de couleur, ajoutez du jaune de cadmium. Estompez les ruptures de tons clairs et foncés pour suggérer le chatoiement du satin.

10 Peaufinez les petits détails de motifs et de texture. Terminez le fond de velours vert en utilisant le pinceau plat n° 5 et un vert chaud obtenu en mélangeant du jaune de cadmium et du vert oxyde de chrome ; recouvrez de bleu cæruleum et de bleu de cobalt, avec un pinceau sec, pour égayer les ombres. Passez du blanc pur entre les fleurs du tissu. Préparez ensuite un gris tendre, avec du bleu de cobalt, du blanc et une pointe de noir de Mars : utilisez-le pour les ombres et les plis du tissu.

► **11** Ajoutez des reflets de couleur foncés à l'eau de lavande du grand flacon, avec le pinceau n° 5. Les angles du flacon reflètent le velours vert : indiquez ces reflets avec un mélange bleu de cobalt/ magenta/vert oxyde de chrome. Pour les reflets rouge chaud dans le verre au-dessus de l'eau de lavande, utilisez un mélange blanc/magenta. Pour les reflets de lumière les plus vifs, passez le pinceau n° 1 chargé de blanc pur sur la surface humide, pour que le blanc se fonde par endroits à la couche de couleur sous-jacente. Ajoutez un reflet de lumière doux sur le bouchon de liège ; estompez délicatement.
C'est terminé. Voyez la façon dont notre artiste a traité les flacons de verre : en appliquant simplement des touches larges et des masses de couleur. L'important est surtout de bien établir les tons et d'appliquer les couleurs sans hésitation.